D1196494

le bridge sans peine

méthode quotidienne

ASSIMIL

le bridge sans peine

par

Isabelle CHALLIER

Professeur de l'Université de Bridge

et

Richard LEWY

Dessins de J.-L. Goussé

B.P. 25
13, rue Gay-Lussac
94431 Chennevières-sur-Marne Cedex

Bénélux - Düsseldorf - Lausanne - London
Madrid - Montréal - New York - Torino

ISBN : 2-7005-0129-2

MÉTHODES ASSiMiL

Volumes reliés, abondamment illustrés
et enregistrés sur disques, bandes magnétiques ou cassettes

Série « Sans peine »

Le nouvel anglais sans peine
Le nouvel allemand sans peine
Le nouvel espagnol sans peine
L'espéranto sans peine
Le grec sans peine
Le nouvel italien sans peine
Le latin sans peine
Le portugais sans peine
Le brésilien sans peine
Le polonais sans peine
Le japonais sans peine Tome I
Le japonais sans peine Tome II
Le nouveau néerlandais sans peine
Le russe sans peine
Le serbo-croate sans peine
L'arabe sans peine Tome I
L'arabe sans peine Tome II
et livret de phonétique
Le chinois sans peine Tome I
Le chinois sans peine Tome II
L'écriture chinoise
L'hébreu sans peine Tome I
L'hébreu sans peine Tome II
Le suédois sans peine Tome I
Le suédois sans peine Tome II

Série « Perfectionnement »

La pratique de l'allemand
La pratique de l'anglais
La pratique de l'italien
La pratique de l'espagnol
La pratique du néerlandais
Histoires anglaises et américaines

Série « Direct »

Let's start
Let's get better
Let's learn French
Auf geht's
Es geht weiter

Série « Langues régionales »

Le breton sans peine (1 et 2)
Le corse sans peine
L'occitan sans peine
Initiation au breton
sans peine

Série « ASSiMiL Loisirs »

Le solfège sans peine (cours en 3 cassettes et un livret)
La guitare sans peine (cours en 2 cassettes et 24 fiches)
Lotolangue (existe en trois langues : anglais, allemand, espagnol)
Le bridge sans peine (cours en 6 cassettes et 2 livres)

Série « Affaires »

L'anglais des affaires
L'allemand des affaires
Le néerlandais des affaires

PREFACE

Isabelle CHALLIER est un de nos professeurs de bridge les plus connus et les plus qualifiés.

Elle enseigne avec talent depuis de nombreuses années. Son champ d'activités est très vaste puisque, outre son métier de professeur, elle participe largement à la vie fédérale au sein du Comité de la Vallée de la Marne.

Elle publie aujourd'hui un ouvrage nouveau qui, incontestablement, rendra service aux bridgeurs. On y trouve en effet, allié à une maîtrise du bridge qu'elle connaît bien, un sens pédagogique aigu.

La lecture de cet ouvrage est aisée et nul doute qu'il connaisse un grand succès. Les bridgeurs peu expérimentés y trouveront un moyen de progresser rapidement. Ceux qui connaissent déjà bien le bridge y découvriront de nombreuses occasions de clarifier leurs connaissances.

Georges CHEVALIER
Président de la F.F.B.

Du même auteur : *Editions Le Bridgeur*
"99 donnes commentées précotées"

Comment utiliser votre cours de BRIDGE SANS PEINE ?

Composition de la méthode :

— 1 livre
— 6 cassettes
— 1 livret des enchères

1. Le livre

Il comporte 56 leçons. Nous vous demandons d'y consacrer une demi-heure environ par jour, leçon par leçon, sans vouloir "brûler les étapes".
Les 21 premières leçons traitent exclusivement du jeu de la carte, qu'il est indispensable d'assimiler avant de passer au stade suivant. Vous apprendrez ainsi que les cartes ont un langage, véritable alphabet codé.
A partir de la 22e leçon, vous apprendrez un autre langage, celui des enchères (ou annonces).
A la fin de l'ouvrage vous trouverez en annexe : un tableau de marque, des réflexions sur l'art de la défense, sur les probabilités, ainsi que le déroulement du jeu de la carte de toutes les donnes du livre.
Un petit lexique vous aidera à comprendre tous les termes techniques utilisés au bridge (y compris ceux déjà utilisés dans cette courte introduction !).

2. Les cassettes

Elles constituent une aide indispensable à votre étude, vous devrez les écouter à chaque fois que vous verrez, dans le livre, le signe [cassette] .
Pour vous repérer plus facilement, le numéro des interventions cassettes est enregistré ; exemple : 0.1 signifie la première intervention sur la leçon 0 (introduction) → voir signe [cassette] 0.1 sur le livre ; de la même manière 27.3 indique la troisième intervention de la leçon 27 → voir signe [cassette] 27.3 sur le livre.
Vous n'oublierez pas de mettre le compteur de votre magnétophone à zéro avant de commencer l'écoute et de bien noter le numéro au compteur de chaque intervention.
Au stade de la 22e leçon, la relation cassette-élève s'estompe légèrement, mais reprend ses droits pour des exercices d'intégration et de révision.

En effet, une leçon sur sept est consacrée à la révision, s'accompagnant d'un exercice et/ou d'une donne. Tentez de rechercher seul la solution avant de vous reporter à la cassette explicative. Pour le déroulement d'une donne, quant au jeu de la carte, nous vous conseillons d'écouter la cassette et en cas de difficulté, de stopper l'enregistrement, de noter le numéro du compteur et de vous reporter à l'annexe 7 du livre où vous trouverez l'ordre et le contenu des 13 levées de chaque donne.

3. Le livret des enchères

Ce véritable résumé sous forme d'organigrammes simples vous sera très utile (en permanence dans les débuts) pour vous familiariser avec les annonces et les codes employés pour devenir un bon joueur de bridge (et vous le serez très bientôt).

Alors, à vos cartes..., prêts..., BRIDGEZ !

INTRODUCTION

QU'EST-CE QUE LE BRIDGE SANS PEINE ?

C'est une méthode progressive visant la découverte du jeu de bridge et son perfectionnement.
La structure générale et le ton vivant de la méthode ASSiMiL en sont des atouts majeurs.
Le système proposé est la "MAJEURE CINQUIEME-MEILLEURE MINEURE".
Largement inspiré du standard officiel de la F.F.B., ce système a permis à la France de remporter ces dernières années de nombreux titres tant sur le plan européen que sur le plan mondial.
De plus, pratiqué aussi aux Etats-Unis, ce système est également joué par la majorité des meilleures équipes internationales.

QU'EST-CE QUE LE BRIDGE ?

Le bridge est un jeu de cartes qui se pratique à 4 joueurs associés 2 à 2. Autour de la table les 2 partenaires se font face et ont chacun un adversaire à droite comme à gauche.
Le bridge est par excellence un jeu par paire.
C'est ainsi que les 2 joueurs du même camp vont être amenés, par un échange d'informations licites, à découvrir le meilleur contrat :

C'EST LA PHASE D'ENCHERES

Une fois ce contrat déterminé, l'un des joueurs du camp aura la charge de gagner ce contrat en jouant la carte :

C'EST LA PHASE DU JEU DE LA CARTE

Ces deux phases sont indissociablement liées.

LE DECOR

Avant d'entrer dans des explications plus approfondies, nous allons planter ensemble le décor du bridge.

Vous pouvez objecter que vous n'êtes pas 4. Nous essayerons d'imaginer vos partenaires et vos adversaires.
Commencez par vous installer confortablement sur un siège devant une table.

LA TABLE

La table, en termes de bridge, par extension au sens strict du meuble, désigne l'ensemble des composantes du jeu de bridge :

1. Les joueurs

Au nombre de 4, ils sont associés 2 à 2. Chaque paire ainsi formée représente un camp.
Conventionnellement, il existe donc 2 camps en situation de compétitivité : le camp NORD/SUD, le camp OUEST/EST.

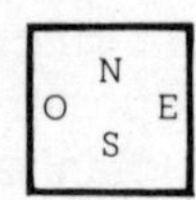

Durant les leçons vous serez toujours en Sud.

2. Les cartes

Le bridge se joue avec un jeu de 52 cartes.
Le Jeu est réparti en 4 COULEURS de 13 cartes chacune. Ce sont :

PIQUE = ♠]
CŒUR = ♥] couleurs majeures
CARREAU = ♦]
TREFLE = ♣] couleurs mineures

Dans chaque couleur, la valeur des cartes s'établit comme suit : A, R, D, V, 10, 9, 8, 7, 6, 5, 4, 3, 2.
L'AS étant la plus forte, le 2 la plus faible.

 0.1

3. La donne

Vous avez découvert l'univers des cartes. Rassemblez votre jeu, et après avoir lu les trois paragraphes suivants, distribuez une donne de bridge.

a) Le donneur distribue les cartes dans le sens des aiguilles d'une montre, une à une, en commençant par le joueur situé à sa gauche.

b) Les cartes sont préalablement battues par le joueur de gauche et coupées par le joueur de droite.

c) Chaque joueur a alors une main de 13 cartes ; l'ensemble des 4 mains est aussi appelé donne.

 0.2

LE BUT DU JEU

Le bridge est comme la bataille, la belote ou le tarot, un jeu de levées.
Tout le but du jeu est de réaliser plus de levées que l'autre camp.

1. La levée

C'est l'unité du jeu au bridge
— chaque joueur a une main de 13 cartes
— chaque joueur doit fournir une carte à chaque levée.

IL Y A DONC 13 LEVEES PAR DONNE AU BRIDGE

2. Déroulement de la levée

Le premier joueur pose une carte, face découverte, sur la table, les trois autres joueurs à leur tour en font autant dans le sens des aiguilles d'une montre.
C'est le joueur ayant fourni la carte la plus forte, DANS LA COULEUR DEMANDEE par le premier, qui remporte la levée et rejoue le premier pour la levée suivante.

EXEMPLE

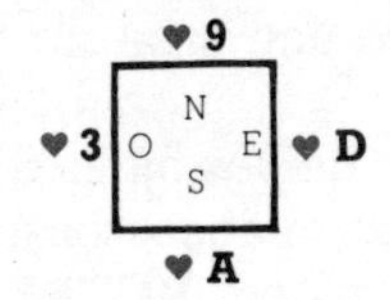

Choisissez dans votre paquet les 4 cartes qui figurent dans le diagramme ci-dessus.
Disposez-les ainsi devant vous et... retournez-les (face cachée).

 0.3

Le joueur qui gagne la levée rassemble les 4 cartes jouées en un tas qu'il range soigneusement devant lui ; c'est le pli.
Pour être facilement comptés, les plis sont séparés les uns des autres, on dit qu'ils sont marqués.

LA SEULE LOI DU BRIDGE

La seule obligation au bridge est de fournir à la couleur demandée PAR LE JOUEUR QUI ATTAQUE LA LEVEE. Dans le cas où un joueur ne possède plus de carte dans la couleur demandée, il a le droit de se DEFAUSSER d'une carte d'une autre couleur.

LA METHODE

La méthode proposée vous permettra d'associer de façon quasi permanente enchères et jeu de la carte.

Les leçons courtes décomposent l'ensemble des phases importantes des enchères en les restituant, à chaque stade, dans le système pour en respecter la cohérence.

Chaque grand thème est abordé en 6 leçons, la 7e faisant l'objet d'une révision à travers une synthèse.
Avant d'aborder les enchères, les leçons 1 à 21 vous permettront de vous familiariser avec le jeu de la carte, et plus particulièrement avec l'art et la manière de créer des levées.

Les leçons suivantes vous proposeront :
1. la théorie des enchères,
2. des exemples pratiques de situation d'enchères,
3. des donnes préparées illustrant enchères et techniques du jeu de la carte.

Les réponses aux exercices et le commentaire des donnes vous seront fournis avec une mise sur la voie par les cassettes d'accompagnement.
Dans tous les cas, si un de vos outils d'apprentissage doit être le papier et le crayon, l'accessoire fondamental de votre découverte du bridge restera **VOTRE JEU DE CARTES.**

PLAN DES 7 PREMIERES LEÇONS

LEÇON N° 1
Le déroulement du jeu

 1.1

Vous venez de distribuer une donne.

Vous savez maintenant que pour gagner, il vous faut réaliser plus de levées que les adversaires.

Puisque vous n'avez pas prévu de jouer seul pour accomplir cette tâche, vous devez pouvoir compter sur l'appui du jeu de votre partenaire.

Vous en déduisez la nécessité d'avoir des informations sur le nombre de cartes les plus fortes qu'il peut détenir.

I. - L'EVALUATION DE LA MAIN

La déduction précédente nous conduit à évaluer la main de chacun des joueurs en posant comme principe que, plus on possède d'As, de Rois, de Dames et de Valets, plus on a de chance de réaliser des levées.

1. Les points d'honneur

Il a été convenu de pondérer chacune de ces cartes appelées HONNEURS .

Ainsi :

L'AS	vaut 4 points
Le ROI	vaut 3 points
La DAME	vaut 2 points
Le VALET	vaut 1 point

1.2

EXERCICE : Evaluer chacune des 4 mains ci-dessous en points d'honneurs.

♠ **ADV8**	♠ **64**	♠ **RD84**	♠ **AV74**
♥ **R64**	♥ **RDV73**	♥ **V62**	♥ **R62**
♦ **D62**	♦ **AR42**	♦ **ARD8**	♦ **D7**
♣ **AR7**	♣ **V5**	♣ **D6**	♣ **RV103**

1 . . . . 2 . . . . 3 . . . . 4 . . . .

prenez une minute de réflexion par main puis :

 1.3

Cet exercice vous a familiarisé avec le compte des points d'honneurs.

Au bridge, chacun des joueurs commence donc par évaluer sa main.

Ainsi, les joueurs pourront, à travers les enchères décrire leur main au partenaire.

LES ENCHERES

Elles se font à partir du donneur. S'il a au moins 13 points, il OUVRE, sinon il dit "je passe".

 1.4

La parole, dans ce cas, passe au joueur suivant dans le sens des aiguilles d'une montre, et ainsi de suite en cas de "PASSE", jusqu'à ce qu'un joueur ouvre.

C'est l'OUVREUR. Son partenaire annonce alors, à travers une enchère, son nombre de points.

Si tous les joueurs passent, on redonne les cartes.

> *PRINCIPE*
> Pour espérer faire au moins une levée de plus que les adversaires, il faut que le camp auquel on appartient possède au moins un point de plus que le camp adverse.

La force d'un camp, ou force combinée, s'entend toujours en additionnant la force des mains de chacun des partenaires.

Un camp est dit majoritaire lorsqu'il possède plus de points que l'autre camp.

 1.5

LE CONTRAT

Si un camp est majoritaire, il sera amené à déclarer le contrat.

Le joueur du camp qui annonce le contrat, **le déclarant,** prend l'engagement, pour son camp, de réaliser un certain nombre de levées.

Ce nombre de levées, comme le montre le tableau ci-après est au moins égal à 7 (une levée de plus que les adversaires) et au plus égal à 13 (la totalité des levées).

Il y a donc 7 paliers de contrats (de 1 à 7).

Plus la force combinée des 2 jeux du camp - dit attaquant - sera importante, plus le palier du contrat sera élevé.

> *PRINCIPE*
> La validité d'un contrat ne vaut que par sa déclaration.

Le palier du contrat est déterminé par la force combinée des deux jeux selon le tableau suivant :

Force combinée des 2 jeux	Palier du contrat	Nombre de levées à réaliser
20-21-22	1	7
23-24	2	8
25-26	3	9
27-28-29	4	10
30-31-32	5	11
33-34-35	6	12 petit chelem
36 et +	7	13 grand chelem

 1.6

Ainsi, un camp, peut :
— réaliser le contrat demandé,
— réaliser le contrat demandé ainsi qu'un certain nombre de levées supplémentaires,
— ne pas réaliser le contrat demandé, et dans ce cas, chuter d'autant de levées que celles qui manquent. La défense a donc empêché le camp attaquant de remplir son engagement.

EXERCICES : Pour les 3 situations suivantes, déterminez le palier du contrat à déclarer pour le camp NORD-SUD et le nombre de levées à réaliser.

	1	2	3
N	♠ **AR2** ♥ **DV43** ♦ **R5** ♣ **AV82**	♠ **V98** ♥ **RD5** ♦ **DV73** ♣ **862**	♠ **AV74** ♥ **R62** ♦ **D65** ♣ **V73**
	N / O E / S	N / O E / S	N / O E / S
S	♠ **D63** ♥ **AR2** ♦ **D63** ♣ **9764**	♠ **AR42** ♥ **V987** ♦ **R5** ♣ **A54**	♠ **RD8** ♥ **AD54** ♦ **RV95** ♣ **AR**

main de N : pts	main de N : pts	main de N : pts
main de S : pts	main de S : pts	main de S : pts
total	total	total ....
palier :	palier :	palier :
nombre de levées :	nombre de levées :	nombre de levées :

1.7

LE JEU DE LA CARTE

Une fois le contrat annoncé, le joueur situé à gauche du déclarant est le premier à jouer. IL ENTAME.

Sitôt l'entame effectuée, le partenaire du déclarant étale son jeu sur la table, couleur par couleur, en 4 lignes de cartes classées par ordre décroissant, la plus forte près de lui (l'As), la plus faible vers le déclarant (le 2), c'est LE MORT.

Les cartes du mort sont jouées par le déclarant. Si ce dernier réalise la levée avec une carte de sa main, il rejoue depuis sa main pour la levée suivante. Dans le cas où la levée est remportée avec une carte du mort, le déclarant rejouera depuis le mort pour la levée suivante.

La donne s'exécute ensuite, levée après levée, selon le principe de base jusqu'à épuisement des mains.

ILLUSTRATION PAR UNE DONNE

Classez vos cartes, puis reproduisez exactement la donne suivante.

Vous êtes en Sud et donneur.

Vous jouez 3SA, Ouest entame le Roi de Trèfle.

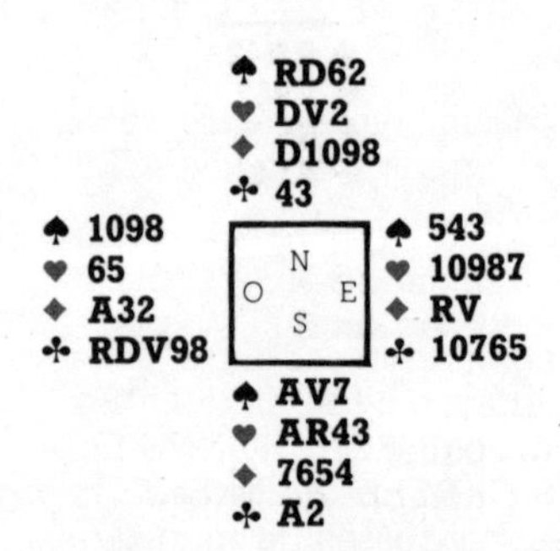

1.8

LEÇON N° 2
La création de levées

Cette leçon doit vous aider à répondre à la question :

COMMENT FAIRE DES LEVEES QUAND ON EST DECLARANT ?

I. - LES CARTES MAITRESSES

2.1

Reproduisez chaque diagramme de la leçon avec votre jeu.

Diagramme 1

Chaque joueur, dans le sens des aiguilles d'une montre joue une carte.
Une fois que les quatre joueurs ont fourni à leur tour, on réunit les quatre cartes. L'ensemble constitue la levée.

— Quelle est la plus forte carte de la levée ? L'AS
— Qui a fourni l'As ? NORD
— Qui remporte la levée ? NORD

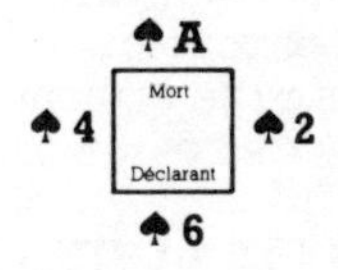

Avec l'As, NORD était en fait assuré de remporter la levée ; en effet, il n'y a pas à Sans Atout, de cartes supérieures à l'As.

L'As est donc une carte MAITRESSE qui assure de remporter la levée.

> *DEFINITION*
> Une carte est dite maîtresse lorsque les adversaires ne possèdent pas ou plus de cartes supérieures à celle-ci.

Il existe dans chaque main, des cartes qui sont maîtresses avant même le début du jeu de la carte.

2.2

Diagramme 1

Le Roi du mort n'est pas une carte maîtresse, le mort dans ce cas ne remporte pas la levée, Est fait la levée avec son As.

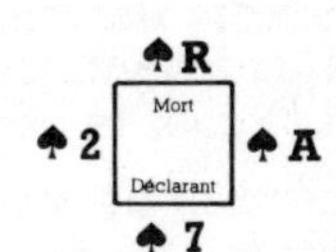

Diagramme 2

Les adversaires ne possèdent pas dans cette couleur de carte supérieure à la Dame, au Roi et à l'As. Conclusion, les TROIS HONNEURS DU MORT SONT DES CARTES MAITRESSES.
Le mort a trois cartes maîtresses, le mort fera donc trois levées à Cœur.

♥ ARD
Mort
Déclarant
♥ 82

2.3

Diagramme 3

L'As, le Roi, la Dame et le Valet de Carreau sont des cartes maîtresses. Elles doivent vous permettre de réaliser quatre levées à condition de ne pas marier les honneurs.

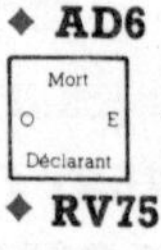

 2.4

Diagramme 4

Une petite carte peut être une carte maîtresse si sa couleur a été épuisée dans la main de l'adversaire le plus long. Dans cet ensemble, le camp du déclarant possède 10 cartes dans la couleur. La défense en possède 13 – 10 = 3. Lorsque vous aurez joué successivement les honneurs maîtres, A, R, D, aucun des trois autres joueurs ne possèdera plus de cartes dans cette couleur. Le 5, le 4, le 3 et le 2 seront alors des cartes maîtresses.

II. - LES LEVEES POTENTIELLES, LES LEVEES CERTAINES

On peut disposer d'un certain nombre de cartes maîtresses sans pour autant pouvoir réaliser le même nombre de levées.

EXEMPLE

1. Reproduisez les Trèfles à l'aide du jeu de cartes.
2. Puis maintenant retournez les cartes, face cachée.
3. Maintenant vous ne voyez plus la valeur des cartes, mais simplement le nombre de cartes que possède le mort, ainsi que le déclarant : le mort a deux cartes comme le déclarant.

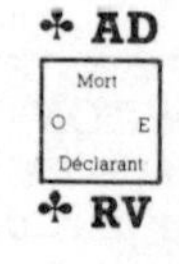

Combien de levées le déclarant peut-il réaliser ?
Vous pourriez être tenté de répondre quatre levées mais attention ! le mort est obligé de fournir dans la couleur demandée par le déclarant ; donc lorsque celui-ci aura joué deux tours de Trèfle, le mort aura fourni deux fois, donc il ne restera plus de Trèfles, ni au mort ni chez le déclarant.

Le nombre de levées potentielles est donc deux : le maximum de levées que le déclarant fera à Trèfle est deux.

4.

 2.5

L'As, le Roi, la Dame et le Valet, les adversaires ne possèdent pas de cartes supérieures ; conclusion : le déclarant a quatre cartes maîtresses.

5. * Vous savez que le déclarant ne peut pas faire plus de deux levées à Trèfle. * Vous connaissez quatre cartes maîtresses à Trèfle * Vous

pouvez donc déduire le nombre de levées que fera réellement le déclarant : **deux levées.**

> *PRINCIPE*
> On ne peut pas réaliser plus de levées que l'on ne possède de cartes dans la main la plus longue.

EXERCICES

COMBIEN DE LEVEES SURES LE DECLARANT PEUT-IL FAIRE DANS LES COULEURS SUIVANTES ?

Diagramme 1	Diagramme 2	Diagramme 3	Diagramme 4
♠ A3	♠ 643	♠ A4	♠ AD3
Mort / O E / Déclarant	Mort / O E / Déclarant	Mort / O E / Déclarant	Mort / O E / Déclarant
♠ 82	♠ 87	♠ R63	♠ RV

Réfléchissez, puis vérifiez vos solutions en [cassette] 2.6

	1	2	3	4
Combien le déclarant possède-t-il de levées potentielles ?				
Combien le déclarant possède-t-il de cartes maîtresses ?				
Combien de levées certaines peut-il réaliser ?				

LA DONNE COMMENTEE

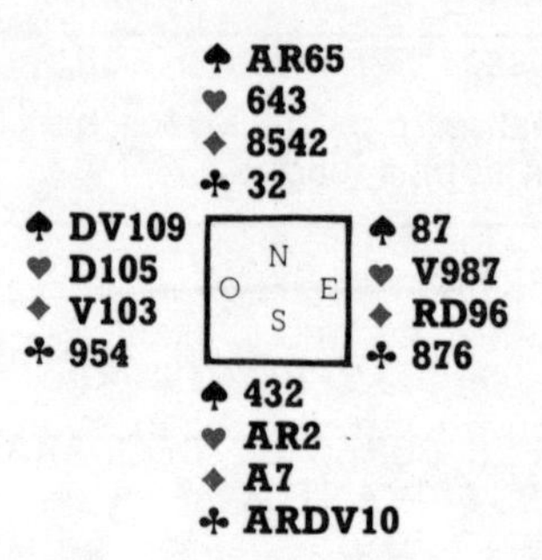

Sud s'est engagé à jouer le contrat de 3 Sans-Atout.
1. Qui doit entamer ?
2. Qui est le mort ?
3. Combien de levées le déclarant s'est-il engagé à réaliser ?

Ouest entame de la Dame de Pique

4. Combien le déclarant dispose-t-il de levées certaines à :
Pique ....
Cœur ....
Carreau ....
Trèfle ....

5. Combien de levées certaines possède-t-il dans l'ensemble des quatre couleurs ?
6. Le déclarant est-il sûr de réaliser son contrat ?

Répondez aux questions, puis écoutez la cassette. 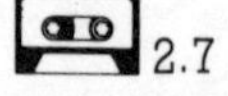 2.7
- pour vérifier vos réponses.
- pour jouer la donne avec votre professeur.

LEÇON N° 3
Création de levées par l'affranchissement

I. - L'AFFRANCHISSEMENT D'HONNEURS

3.1

Lorsque le déclarant s'engage à réaliser par exemple neuf levées..., ne pensez pas que celui-ci aura la chance dès le début de la partie de posséder neuf cartes maîtresses dans son jeu. Le déclarant va donc s'efforcer à rendre des cartes maîtresses alors qu'elles ne l'étaient pas au début du jeu de la carte : on dit que le déclarant cherche à **affranchir** des levées.

COMPAREZ

1. Voici deux couleurs :

2. Reproduisez ces deux couleurs à l'aide de votre jeu de cartes.
3. Comparez ces couleurs :

— A Pique les cartes sont maîtresses, elles apporteront deux levées.
— A Cœur deux cartes deviendront maîtresses lorsque les adversaires auront fait la levée de l'As.

Les Piques représentent une couleur maîtresse, les Cœurs représentent une couleur à affranchir.

> *DEFINITION*
> Affranchir des honneurs c'est rendre maîtresses des cartes qui ne l'étaient pas au début du jeu.

Combien le déclarant espère-t-il faire de levées dans cette couleur ?

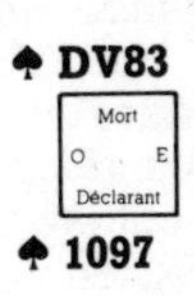

* Le déclarant a quatre levées potentielles.
* Les quatre cartes les plus hautes entre le mort et le déclarant sont : la Dame, le Valet, le 10 et le 9.
* Le déclarant possède-t-il des cartes maîtresses dans cette couleur ? Non, mais le déclarant a des cartes équivalentes correspondant à : "Dame + Dame + Dame + Dame".

Les adversaires ont deux cartes supérieures à la Dame : l'As et le Roi. Le déclarant ne dispose pas de levées certaines immédiates, il va donc devoir affranchir.

* Combien de levées le déclarant fera-t-il une fois que les adversaires auront fait deux levées : celle de l'As et celle du Roi ?
Il restera alors au déclarant deux cartes équivalentes (Dame + Dame) qui seront devenues maîtresses.

> *REGLE*
> Pour connaître le nombre de levées d'honneurs à affranchir :
> 1. Compter le nombre de levées potentielles.
> 2. Compter le nombre d'honneurs équivalents.
> 3. Puis déduisez le nombre d'honneurs équivalents du nombre d'honneurs supérieurs que possèdent les adversaires dans les limites du nombre de levées potentielles.

PRINCIPES DES EQUIVALENCES

R D V 10 = 4 Rois et produit 3 levées affranchies
D V 10 9 = 4 Dames et produit 2 levées affranchies
V 10 9 8 = 4 Valets et produit 1 levée affranchie

II. - L'AFFRANCHISSEMENT DE LONGUEUR

I. L'AFFRANCHISSEMENT CERTAIN

Vous avez appris dans la première partie de cette leçon l'affranchissement par les honneurs, le but de la deuxième partie de la leçon est d'apprendre qu'il est également possible d'affranchir des petites cartes en cours de jeu.

REPRODUISEZ LES 2 DIAGRAMMES ET COMPAREZ

A Pique, le camp du déclarant possède 10 cartes.
La défense en a donc 13 moins 10 = 3.
Lorsqu'il aura joué l'As, le Roi et la Dame, le déclarant aura épuisé les cartes adverses et les 4 petites cartes du mort (5, 4, 3, 2) qui étaient maîtresses au début du jeu de la carte feront donc chacune leur levée.

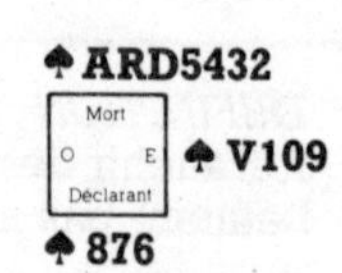

A Cœur, le camp du déclarant a aussi 10 cartes dans la couleur.
La défense en possède donc 3, mais à la différence de la situation précédente, après avoir tiré l'As et le Roi, le déclarant devra concéder la Dame à la défense avant de pouvoir réaliser 4 de ses petites cartes.
Elles ont été affranchies en cours de jeu. Cette manœuvre s'appelle l'affranchissement de longueur.

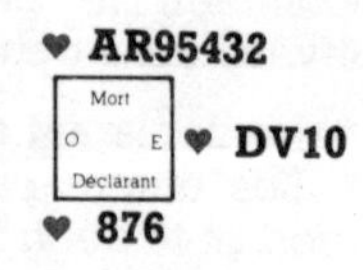

> *PRINCIPE 1*
> Pour affranchir des levées de longueur dans une couleur, la main la plus longue de votre camp doit comporter plus de cartes que la main de l'adversaire le plus long.

II. L'AFFRANCHISSEMENT ALEATOIRE

Examinons la situation suivante :

Le camp du déclarant possède 8 cartes.
La défense en possède donc 13 moins 8 = 5 (c'est le "résidu") .
Le déclarant va pouvoir réaliser :
— 3 levées certaines (A, R, D)
— le nombre de levées de longueur va dépendre du partage des 5 cartes entre les 2 joueurs de la défense.

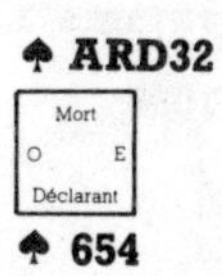

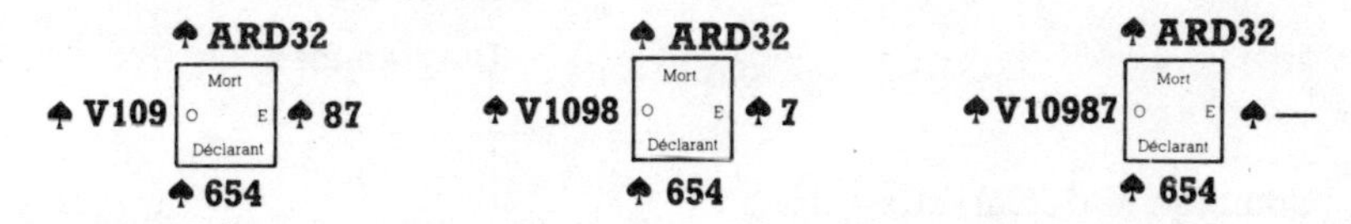

Dans les diagrammes
*1, on dit que les cartes adverses sont distribuées 3-2. Le déclarant épuisera le résidu en tirant ses cartes maîtresses et réalisera 2 levées de longueur.
*2, on dit que les cartes adverses sont distribuées 4-1, le déclarant concèdera une levée à la défense avant de réaliser une levée de longueur.
*3, on dit que les cartes adverses sont distribuées 5-0, le déclarant ne réalisera aucune levée de longueur : il ne fera donc que 3 levées d'honneurs (A.R.D.).

 3.2

> *PRINCIPE 2*
> L'affranchissement de longueur est le plus souvent une manœuvre aléatoire qui dépend de la répartition du résidu d'une couleur entre les mains des deux adversaires.

EXERCICES

Combien de levées le déclarant fait-il dans les couleurs suivantes ?

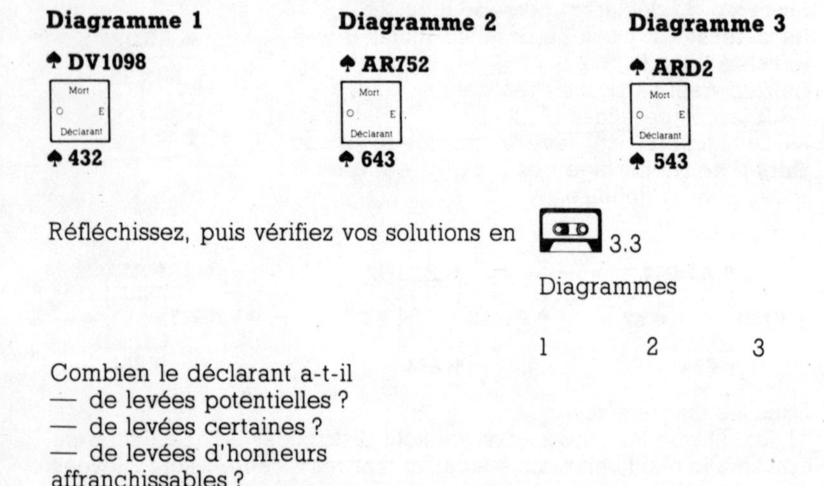

Réfléchissez, puis vérifiez vos solutions en 3.3

	Diagrammes		
	1	2	3
Combien le déclarant a-t-il — de levées potentielles ? — de levées certaines ? — de levées d'honneurs affranchissables ? — de levées de longueur affranchissables dans le meilleur des cas ?			

DONNE COMMENTEE

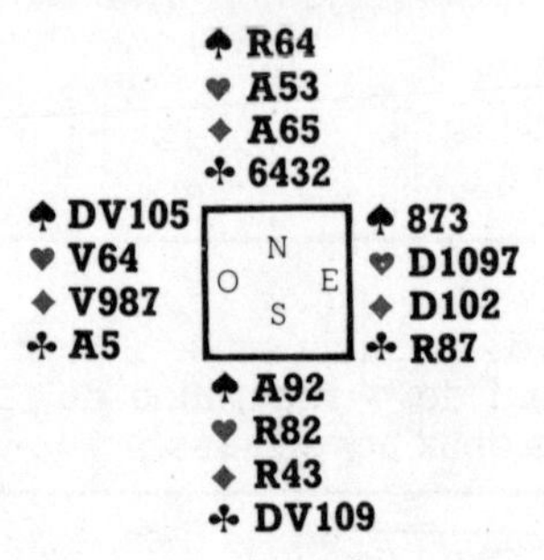

SUD JOUE 2SA, OUEST ENTAME DE LA DAME DE PIQUE

1. Combien de levées le déclarant doit-il réaliser ?
2. Combien le déclarant a-t-il de levées sûres à Trèfle, à Carreau, à Cœur et à Pique ?
3. Combien de levées sûres possède-t-il dans l'ensemble des quatre couleurs ?

Répondez aux questions, puis écoutez la cassette pour vérifier vos réponses et jouer la donne.

 3.4

LEÇON N° 4
La course à l'affranchissement

Il est rare, à Sans-Atout, que le camp du déclarant possède avant le début du jeu de la carte, le nombre de levées certaines immédiates lui permettant de réaliser son contrat.

Il devra, dans la plupart des cas, procéder à une ou plusieurs manœuvres d'affranchissement.

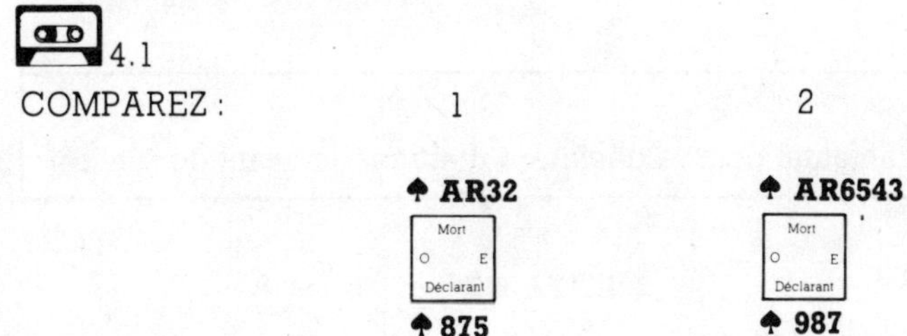

Quelle est la couleur qui permet d'espérer le plus de levées affranchissables ?

CELLE DU DIAGRAMME 2 EVIDEMMENT

> *PRINCIPE*
> Une couleur permet d'affranchir d'autant plus de levées qu'elle est plus longue.

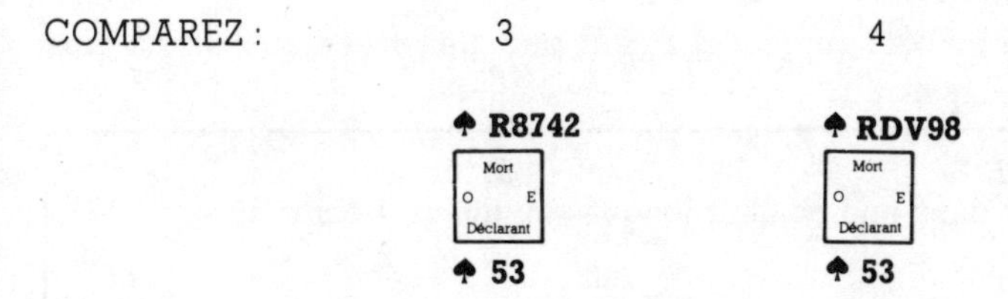

Quelle est la couleur qui offre le plus d'espoir d'affranchissement ?

CELLE DU DIAGRAMME 4 EVIDEMMENT

> *PRINCIPE*
> Une couleur affranchissable permet d'espérer d'autant plus de levées qu'elle est solide. Les SEQUENCES sont à affranchir en priorité.

C'est donc dans la course à l'affranchissement que va résider la rivalité entre les deux camps.

Vous êtes déclarant et vous avez dans une couleur :

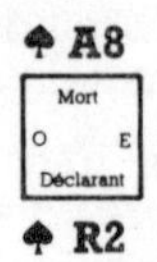

Que se passera-t-il si vous jouez immédiatement cette couleur ?
Il est évident que vous allez affranchir la couleur dans les mains des adversaires !

> *PRINCIPE*
> Il est fondamental pour le déclarant d'affranchir avant de réaliser.

L'ENTAME

 4.2

Cet acte offensif (première carte jouée pour la première levée) appartient à la défense.

L'entameur possède donc, pour son camp, un avantage. Il doit le mettre à profit dans la course à l'affranchissement.

I. - CHOIX DE LA COULEUR D'ENTAME

Nous avons vu :
— qu'une couleur offre d'autant plus de levées qu'elle est plus longue ;
— qu'une couleur promet d'autant plus de levées qu'elle est plus solide.

> *PRINCIPE 1*
> Entamer dans une couleur longue (au moins 4 cartes).
>
> *PRINCIPE 2*
> A égalité de longueur, entamez dans une couleur solide (séquence).

II. - CHOIX DE LA CARTE D'ENTAME

— Votre couleur comporte une séquence d'honneurs : 4.3

Vous devez entamer la plus forte carte de la séquence. C'est une convention. Votre partenaire saura que vous avez une séquence et que vous ne possédez pas l'honneur supérieur à celui de l'entame.

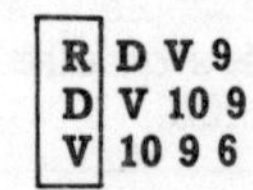

R	**D V 9**
D	**V 10 9**
V	**10 9 6**

> *PRINCIPE*
> Entamez de préférence une TETE DE SEQUENCE.

— Votre couleur la plus longue ne comporte pas de séquence d'honneurs :
Vous entamerez alors une petite carte.
La convention la plus fréquemment utilisée consiste à entamer la quatrième meilleure carte de la couleur.

EXEMPLES :

avec	entamer
R 8 7 [6] 5	LE SIX
D 7 4 [3]	LE TROIS
R 9 6 [4] 3 2	LE QUATRE
V 8 6 [5]	LE CINQ
R 6 5 [2]	LE DEUX

> *PRINCIPE*
> Avec une couleur sans séquence, entamer la quatrième meilleure carte.

EXERCICE

Quelle est votre entame dans les couleurs suivantes :

1. R D 6 4 .... 4. R 8 6 5 4 ....
2. V 10 9 7 5 .... 5. D V 7 4 2 ....
3. A R D 5 .... 6. R D V 10 9 8 ....

Réflechissez puis, pour vérifier  4.4

LA DONNE COMMENTEE

Sud joue 3 SANS ATOUT

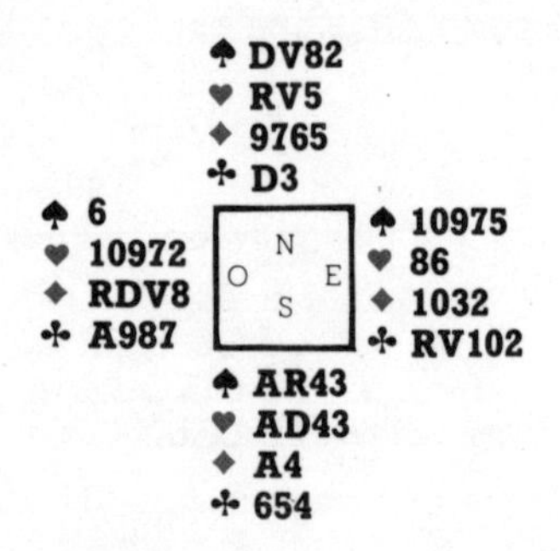

1. Quelle est l'entame d'ouest ? ......
2. Combien de levées certaines possède le déclarant

à Pique ? ......
à Cœur ? ......
à Carreau ? ......
à Trèfle ? ......
dans les quatre couleurs ? ......

 4.5

pour vérifier vos réponses et jouer la donne avec votre professeur.

LEÇON N° 5
Communications et blocage

I. - COMMUNICATIONS

1. Reproduisez la couleur suivante à l'aide de votre jeu :

♠ AR43

♠ DV62

2. Supposez que le déclarant joue cette couleur,

* à la première levée, le déclarant joue la Dame de Pique pour le 3 du mort.
Qui a fait la levée ? : le déclarant. **On dit que le déclarant a fait la levée de sa main ou est resté en main.**

* à la deuxième levée, le déclarant joue le 2 de Pique pour l'As du mort.
Qui a fait la levée ? : le mort. **On dit que le déclarant est remonté au mort.**

* à la troisième levée, le déclarant joue le Roi de Pique du mort pour le 6 de sa main.
Qui a fait la levée ? : le mort. **On dit que le déclarant reste au mort.**

* à la quatrième levée, le déclarant joue le 4 du mort pour le Valet de sa main.
Qui a fait la levée ? : le déclarant. **On dit que le déclarant est rentré dans sa main.**

3. En jouant les Piques, le déclarant a fait des choix : soit pour **faire la levée de sa main,** soit pour **remonter au mort,** soit pour **rester au mort,** soit pour **rentrer dans sa main.**

4. Lorsqu'il est remonté au mort, ou rentré dans sa main, on dit que le camp du déclarant communique dans cette couleur.

> *DEFINITION*
> COMMUNIQUER, C'EST LA FACULTE DE CHANGER DE MAIN EN FAISANT LA LEVEE.

II. - BLOCAGE

♥ AR4

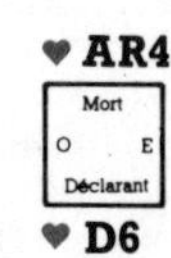

♥ D6

1. Reproduisez la couleur suivante à l'aide de votre jeu :

2. Supposez que le déclarant joue cette couleur,

* si à la première levée, le déclarant joue le 6 de Cœur, le mort fera la levée de l'As ; il pourra rentrer dans sa main en jouant le 4 pour sa Dame. En main, il ne pourra réaliser le Roi de Cœur du mort puisqu'il n'a plus de Cœur dans sa main. On dit que le déclarant s'est bloqué à Cœur.

* si à la première levée, le déclarant joue la Dame de Cœur pour le 4 du mort, à la deuxième levée il jouera le 6 de sa main pour l'As du mort et pourra tirer le Roi de Cœur à la troisième levée.

> *PRINCIPE A RETENIR*
> JOUER EN PREMIER LIEU LES HONNEURS DE LA MAIN COURTE.

EXERCICE 1

Reproduisez les diagrammes suivants à l'aide de votre jeu :

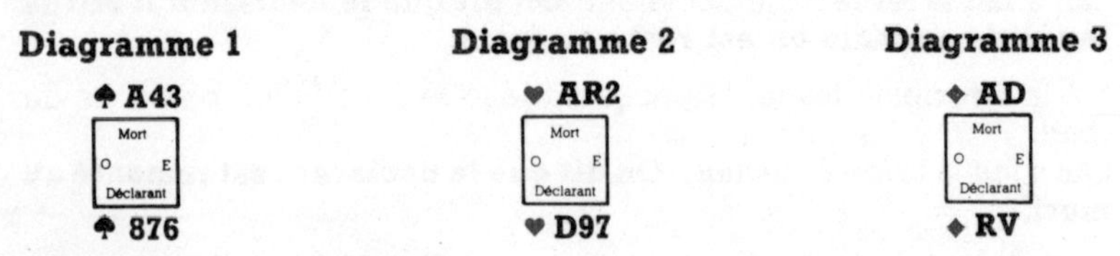

Combien de fois le déclarant peut-il communiquer de sa main vers le mort, et du mort vers sa main ?

Réfléchissez, puis [cassette] 5.1

EXERCICE 2

Reproduisez le diagramme suivant :

♠ 82
♥ ARD
Mort
O E
Déclarant
♠ A
♥ V752

Comment doit jouer le déclarant pour réaliser cinq levées ?

Réfléchissez puis [cassette] 5.2
pour analyser ensemble la solution.

LA DONNE COMMENTEE

Sud joue 3 Sans Atout

— Quelle est l'entame d'ouest ?
— Combien de levées certaines compte le déclarant ?
— Où résident les situations de blocage ?

[cassette] 5.3 pour vérifier vos réponses et jouer la donne avec votre professeur.

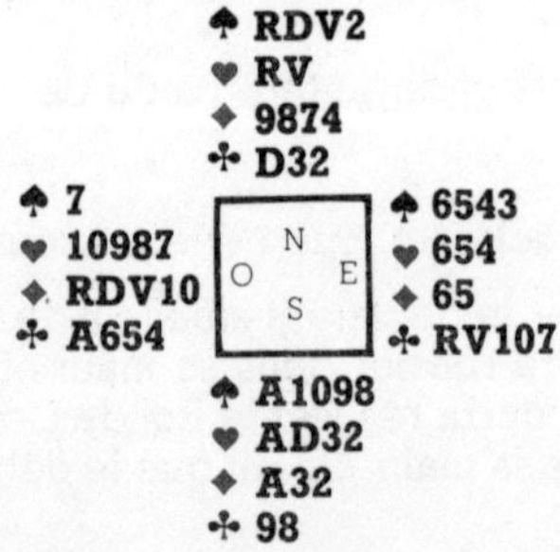

LEÇON Nº 6
Le jeu de la carte à sans atout

6.1

COMPAREZ

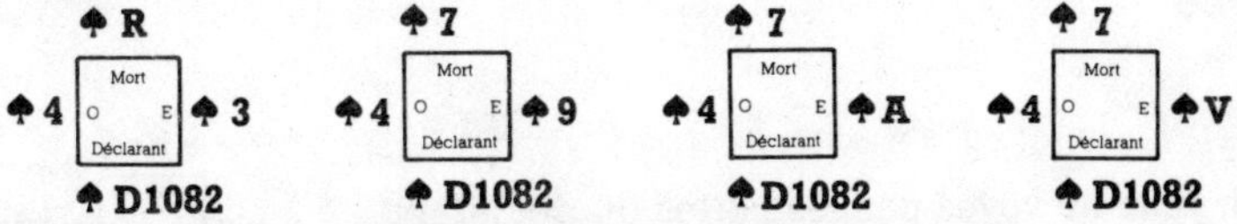

Avec quelle carte, en Sud, remportez-vous la levée sur l'entame du 4 de Pique ?

1. Le partenaire est maître, fournissez le 2.
2. Le 10 suffit ; prenez donc avec le 10.
3. L'adversaire est maître, jouez le 2.
4. Prenez de la Dame.

Le quatrième joueur cherchera à remporter la levée avec la carte la plus basse qui puisse remplir cet office chaque fois que cela est possible.

> *PRINCIPE*
> La levée doit être réalisée de la façon la plus économique.

TOUTEFOIS CE PRINCIPE NE DOIT PAS FAIRE OBSTACLE A LA NECESSITE DE COMMUNIQUER.

QUELLE CARTE FOURNIR EN SECONDE POSITION ?

Le partenaire jouera en quatrième position, il aura donc le dernier mot pour votre camp.

> *PRINCIPE*
> Jouer une petite carte en seconde position.

6.2

QUELLE CARTE FOURNIR EN TROISIEME POSITION ?

Votre partenaire a déjà joué. C'est un adversaire qui fournira après vous. Vous ne disposez que d'une alternative :

— Faire la levée
— A défaut, forcer l'adversaire qui vous suit à utiliser son plus gros honneur pour affranchir un honneur chez vous ou chez votre partenaire.

> *PRINCIPE*
> En troisième, jouer la carte forçante la plus économique.

COMPAREZ, LORSQUE VOTRE PARTENAIRE ENTAME DU 3 DE CŒUR

1

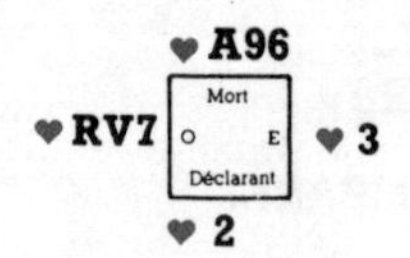

Dans ce cas, vous jouez avant le mort et ses cartes sont visibles ; il suffit de fournir le Valet pour forcer à l'As ; ne laissez pas le 9 faire la levée.

2

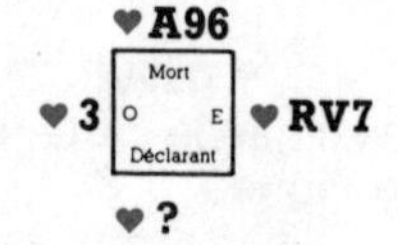

Ici, vous ne voyez pas les cartes du déclarant ; si le mort fournit une petite carte, jouez le Roi. S'il met l'As, fournissez petit.

3

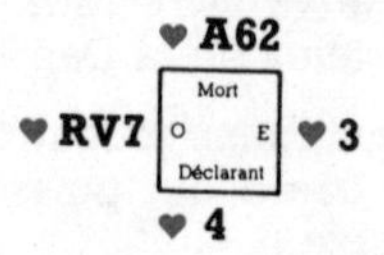

Dans ce cas, le 7 suffira pour forcer l'As. Ne gaspillez pas vos honneurs.

4

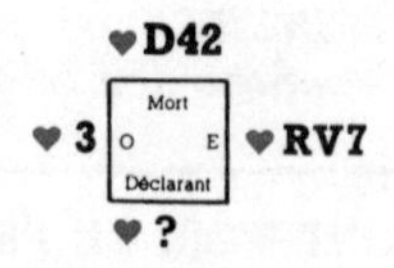

Si le mort joue une petite carte, il vous suffit de fournir le Valet pour forcer l'As possible du déclarant.

QUELLE CARTE ATTAQUER ?

Cette question se pose pour le joueur de défense qui a gagné une levée et doit rejouer le premier pour la levée suivante.

PRINCIPE Affranchir des levées, pour lui-même ou pour son camp.

 6.3

Ces conseils permettent de retenir quatre recommandations pour le choix de la couleur :

1. Rejouer dans la couleur d'entame.
2. Jouer dans sa couleur longue.
3. Jouer dans la couleur forte du mort s'il est en seconde position.
4. Jouer dans la couleur faible du mort s'il est en quatrième position.

6.4

QUELLE CARTE DEFAUSSER ?

PRINCIPE
La défausse est un acte passif n'offrant aucune chance de remporter la levée ; défaussez donc une carte inutile.

 6.5

Ne défaussez pas :
— une carte maîtresse
— une levée affranchissable
— un arrêt

 6.6

EXERCICES

Vous êtes en Est, en troisième position avec R V 7 2

Quelle carte fournissez-vous dans les cas suivants ?

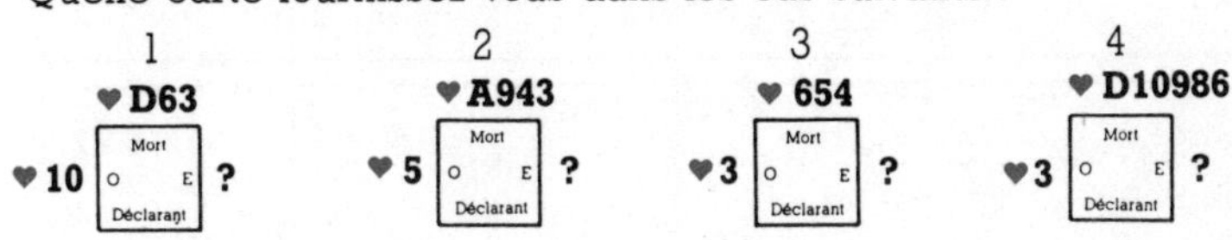

Selon que le mort fournisse :

1 : le 3	2 : l'As	3 : le 4	4 : la Dame
1 : la Dame	2 : le 3		4 : le 10
			4 : le 6

Analysez les situations puis pour vérifier vos réponses. 6.7

LA DONNE COMMENTEE

Sud joue 3 SANS ATOUT

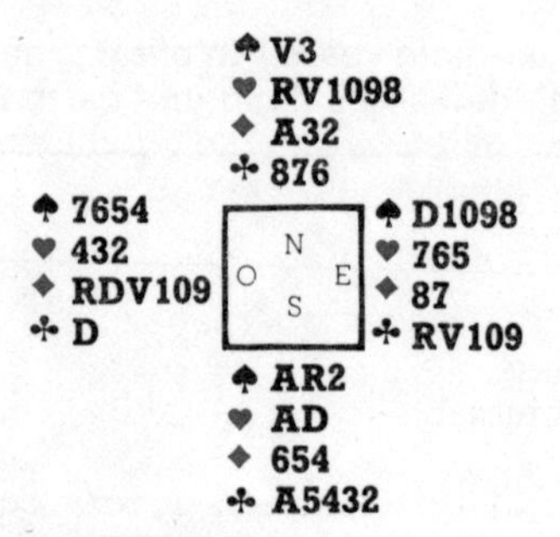

Quelle est l'entame d'ouest ?
Combien le déclarant dispose-t-il de levées certaines ?
Quelle manœuvre doit-il envisager pour gagner son contrat ?
Essayez de jouer le coup avant de mettre en marche votre

6.8
pour jouer la donne avec votre professeur.

LEÇON N° 7
Révisions

Le bridge se joue par paire.

Pour espérer faire au moins une levée de plus que les adversaires, il faut que le camp auquel on appartient possède au moins un . . . . . de plus que le camp opposé.

Le but du jeu est de réaliser le . . . . demandé.

La validité d'un contrat ne vaut que par sa . . . .

Chaque camp va donc se disputer les 13 levées de la donne en utilisant ses cartes . . . .

Une carte est dite maîtresse lorsque les adversaires ne possèdent pas ou ne possèdent plus de carte . . . . à celle-ci.

Mais, attention, on ne peut pas réaliser plus de levées dans une couleur qu'on y possède de cartes dans la main la plus . . . . . .

Toutes les cartes ne sont pas maîtresses au début de la donne. Il faut donc . . . .

Affranchir c'est rendre . . . . des cartes qui ne l'étaient pas au début du jeu.

Pour affranchir des levées de longueur, la main la plus longue de votre camp doit être plus longue que celle de l' . . . . le plus . . . .

La rivalité entre les deux camps va se traduire par une course à l' . . . .

Une couleur permet d'affranchir d'autant plus de levées qu'elle est plus . . . . . .

Une couleur promet d'autant plus de levées affranchissable qu'elle est plus . . . . . .

IL EST DONC FONDAMENTAL D'AFFRANCHIR AVANT DE . . . .

Si vous êtes à l'entame, entamez donc dans votre couleur la plus . . . . . .

Choisissez de préférence une tête de . . . . et à défaut, une petite carte (4e . . . .).

Le jeu de la carte impose certains principes. Le bridge se jouant à deux, il est nécessaire de ménager ses . . . . entre les deux mains.

Une communication est un moyen d' . . . . d'une main à une autre.

Il est donc conseillé de jouer en premier lieu les honneurs de la main . . . . . . Cela évite le . . . .

Le quatrième joueur cherchera à réaliser la levée avec la carte la plus . . . .

Le joueur en seconde position doit, en principe, fournir une . . . . . . carte.

Par contre, le joueur situé en troisième position fournira la carte . . . . la plus économique.

Le joueur qui doit se défausser fournira donc une carte . . . .

Il ne jettera donc ni une carte . . . ., ni une carte . . . ., ni un . . . . . .

7.1

LA DONNE COMMENTEE

Sud joue 3 SANS ATOUT

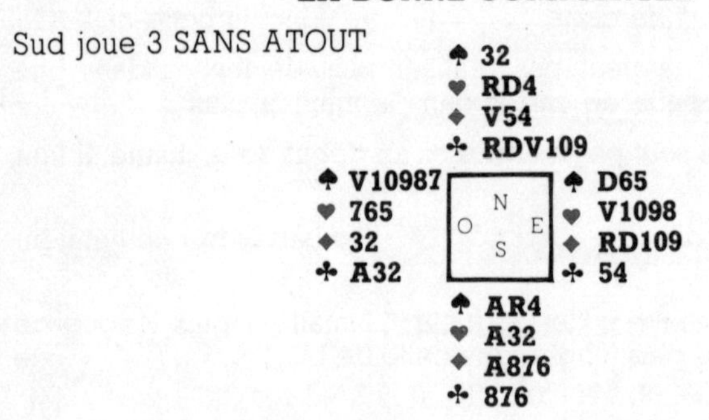

Quelle est l'entame d'Ouest ?

Analysez le déroulement du coup puis 7.2

Leçons n° 8 à 14
LE JEU DE LA CARTE A SANS ATOUT

LEÇON N° 8
L'impasse à l'honneur isolé

8.1

COMPAREZ

1. Voici deux couleurs : ♠ A R ♥ R 4
2. Reproduisez-les à l'aide de votre jeu de cartes.
3. Comparez ces couleurs :

— A Pique, les honneurs sont équivalents et la couleur est maîtresse.
— A Cœur, il n'y a qu'un seul honneur et de plus, ce n'est pas une carte maîtresse, il est appelé Honneur isolé.

COMMENT JOUEZ-VOUS CETTE COULEUR (diagramme 1) ?

Diagrammes

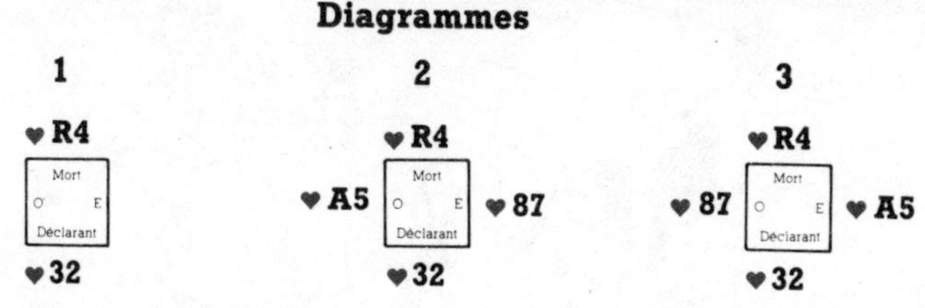

Le déclarant a deux levées potentielles ; peut-il espérer faire la levée du Roi de Cœur ?

Le Roi n'est pas une carte maîtresse, le déclarant peut espérer faire la levée du Roi, à condition :

1. qu'il joue le 2 de sa main vers le Roi du mort,
2. que l'As soit en Ouest (diagramme 2).

En effet, si Ouest a l'As de Cœur (diagramme 2), lorsque le déclarant joue le 2 :
— soit Ouest joue son As, dans ce cas, le déclarant joue le 4 du mort : le Roi de Cœur devient alors une carte maîtresse ;
— soit Ouest joue le 5, dans ce cas, le déclarant fait la levée grâce au Roi du mort.

En revanche, si Est a l'As (diagramme 3), le déclarant ne fait pas la levée car le Roi du mort sera pris par l'As.
Le déclarant, en jouant les Cœurs de cette façon, a fait une IMPASSE.

> *DEFINITION*
> L'impasse est une manœuvre qui consiste à espérer la réalisation d'une levée ou d'un affranchissement en les soumettant au placement d'une ou plusieurs cartes.

> *PRINCIPE 1*
> L'impasse dépendant du placement d'une carte, sa réussite est d'une chance sur deux.

8.2

> *PRINCIPE 2*
> Lorsqu'un honneur est isolé dans une main : jouez petit vers cet honneur.

Ce principe impose la nécessité de ménager ses communications.

EXERCICE

Comment le déclarant doit-il jouer les couleurs suivantes ?

Diagrammes

1	**2**
♦ **V5**	♥ **D54**
Mort / O — E / Déclarant	Mort / O — E / Déclarant
♦ **AR62**	♥ **A32**

Réfléchissez, puis 8.3 pour vérifier vos solutions.

LA DONNE COMMENTEE

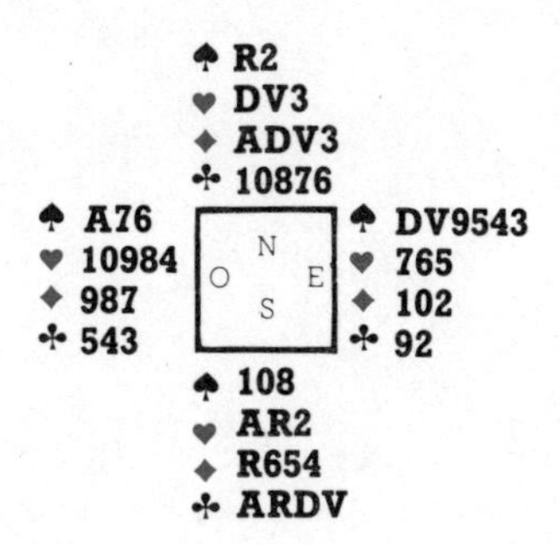

Sud joue 6 SA.

1. Quelle est la couleur d'entame ?
2. Quelle carte Ouest doit-il entamer dans cette couleur ?
3. Combien de levées le déclarant doit-il réaliser ?
4. Combien le déclarant a-t-il de levées sûres à Trèfle, à Carreau, à Cœur et à Pique ?
5. Combien le déclarant possède-t-il de levées sûres dans l'ensemble des quatre couleurs ?
6. Combien de levées le déclarant doit-il trouver pour réaliser son contrat ?
7. Quelle est la couleur où le déclarant peut espérer faire une autre levée ? Comment doit-il jouer cette couleur ?

Répondez aux questions, puis écoutez la 8.4
pour vérifier vos réponses et jouer la donne.

♠ ♠ ♠ ♠ ♠ ♠ ♠

LEÇON Nº 9
Les fourchettes

 9.1

COMPAREZ

1. Voici deux couleurs : ♠ A R D ♥ A D
2. Reproduisez-les à l'aide de votre jeu de cartes.
3. Comparez ces couleurs :

— A Pique, les trois honneurs se suivent et forment une séquence.
— A Cœur, il manque un honneur dans la séquence : le Roi.
Cette combinaison est appelée FOURCHETTE.

COMMENT JOUEZ-VOUS CETTE COULEUR ? (Diagramme 1)

Diagrammes

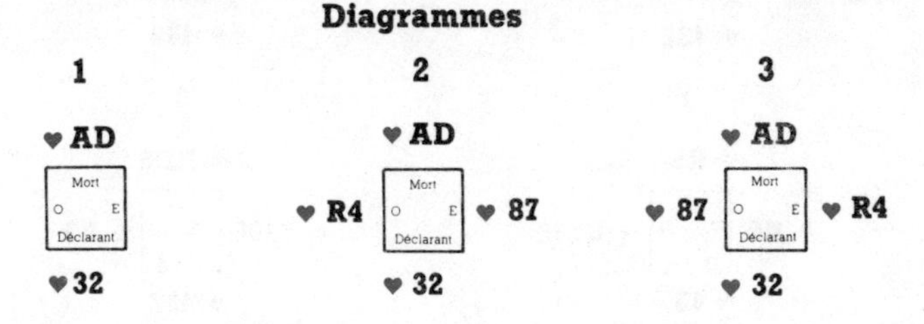

Le déclarant a deux levées potentielles dont une carte maîtresse : l'As ; la Dame n'est pas une carte maîtresse, le déclarant peut espérer faire la levée de la Dame, à condition :

1. qu'il joue le 2 de sa main vers la Dame du mort ;
2. que le Roi soit en Ouest (diagramme 2).

En effet, si Ouest a le Roi (diagramme 2), lorsque le déclarant joue le 2 de sa main :
— soit Ouest joue son Roi, dans ce cas le déclarant joue l'As du mort et la Dame devient maîtresse ;
— soit Ouest joue le 4, dans ce cas le déclarant joue la Dame du mort qui fait la levée.

En revanche, si Est a le Roi (diagramme 3), le déclarant ne fait pas la levée de la Dame puisqu'elle sera prise par le Roi d'Est.

> *PRINCIPE*
> Lorsque vous avez une fourchette, jouez petit vers l'honneur inférieur de la fourchette.

 9.2

L'impasse répétée

COMPAREZ

1. Voici deux couleurs : ♠ R 6 2 ♦ R D 2
2. Reproduisez-les à l'aide de votre jeu de cartes.

3. **Comparez ces couleurs :**
— A Pique l'honneur est isolé.
— A Carreau l'honneur isolé est accompagné de l'honneur immédiatement inférieur, les Carreaux forment des honneurs groupés.

COMMENT JOUEZ-VOUS LES CARREAUX ?

Diagrammes

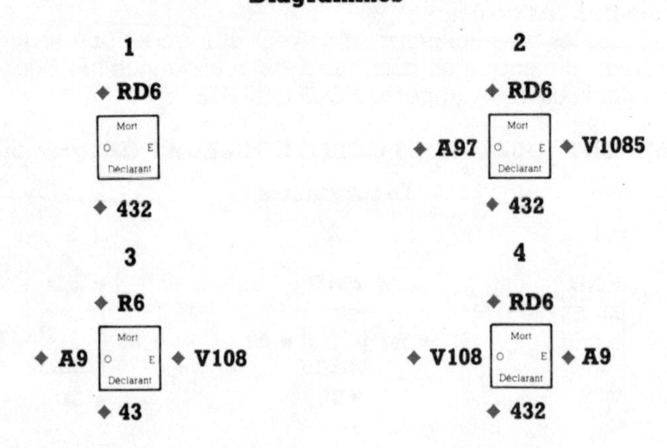

Diagramme 1

Le déclarant a trois levées potentielles, il est sûr de faire une levée car les adversaires possèdent une seule carte maîtresse au-dessus du Roi et de la Dame.
Le déclarant peut espérer faire deux levées, à condition :
— qu'il joue le 2 de Carreau de sa main vers le Roi et la Dame ;
— que l'As de Carreau soit en Ouest (diagramme 2).

En effet, si Ouest a l'As (diagramme 2), lorsque le déclarant joue le 2 :
— soit Ouest joue son As, dans ce cas le Roi et la Dame sont affranchis ;
— soit Ouest ne joue pas son As, dans ce cas la Dame fait la levée, la position des cartes est alors celle d'un honneur isolé (diagramme 3) : le déclarant doit alors répéter l'impasse en jouant le 3 vers le Roi.

En revanche, si Est a l'As (diagramme 4), le déclarant ne fait qu'une levée.

PRINCIPE 1
Jouez petit vers les honneurs groupés.

PRINCIPE 2
Quand une impasse réussit, il faut la répéter.

EXERCICE

1. Comment le déclarant doit-il jouer les Piques sachant qu'il est en main ? (C'est-à-dire qu'il doit attaquer pour la levée suivante.)

♠ ADV
♥ 2

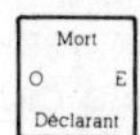

♠ 432
♥ A

2. Comment le déclarant doit-il jouer les Trèfles alors qu'il est en main ?

♣ ARV

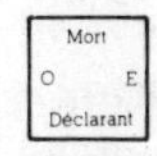

♣ 432

3. Comment le déclarant doit-il jouer les Carreaux alors qu'il est dans sa main ?

♥ 32
♦ RDV3

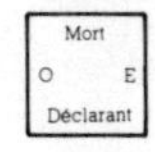

♥ AR
♦ 432

4. Comment jouez-vous la couleur suivante étant entendu que vous disposez de toutes les communications ?

♥ AV10

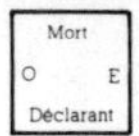

♥ 432

Réfléchissez, puis 9.3

LA DONNE COMMENTEE

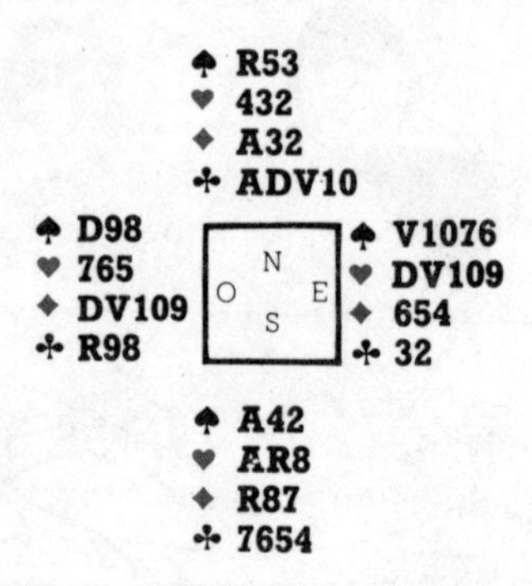

Sud joue 3 SA.

1. Dans quelle couleur Ouest doit-il entamer ?
2. Quelle carte Ouest doit-il entamer ?
3. Combien le déclarant a-t-il de levées sûres à Trèfle, à Carreau, à Cœur et à Pique ?
4. Combien le déclarant possède-t-il de levées sûres dans l'ensemble des quatre couleurs ?
5. Combien de levées manque-t-il au déclarant pour réaliser son contrat ?
6. Trouvez la couleur qui permettrait au déclarant de faire une levée supplémentaire.

Répondez aux questions, puis écoutez la 9.4
pour vérifier vos réponses et jouer la donne.

LEÇON N° 10
La double impasse

10.1

COMPAREZ

1. Voici trois couleurs : ♠A D ♥D 10 ♦A D 10
2. Reproduisez-les à l'aide de votre jeu de cartes.
3. Comparez ces couleurs :
— Les Piques forment une fourchette.
— Les Cœurs forment une fourchette.
— Les Carreaux forment une double fourchette.
4. Que pouvez-vous en conclure ?

Une fourchette implique une impasse, deux fourchettes impliquent deux impasses.

COMMENT JOUEZ-VOUS CETTE COULEUR ?
Diagrammes

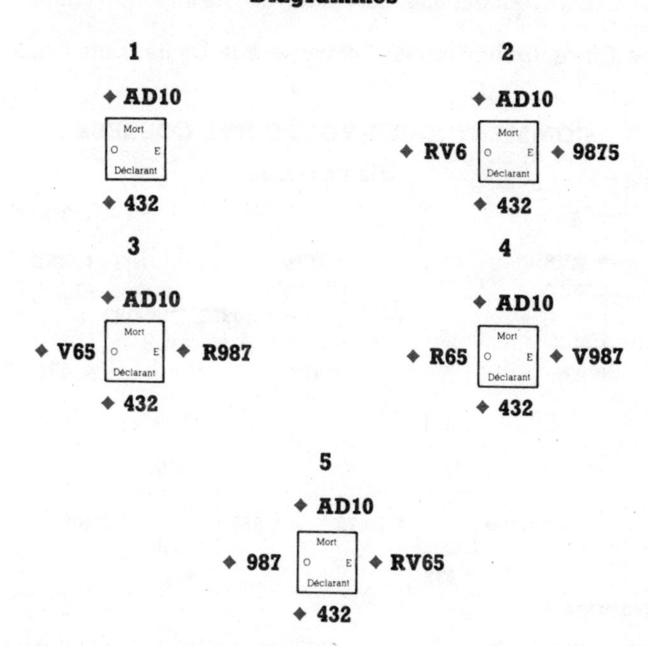

Le déclarant a trois levées potentielles dont une levée sûre : l'As. Il peut espérer faire la levée du 10 en faisant l'impasse au Valet, puis faire la levée de la Dame en faisant l'impasse au Roi. Dans les deux cas, le déclarant espère le Valet et le Roi de Carreau en Ouest.

En jouant ainsi, le déclarant fait :
— trois levées, à condition qu'il réalise l'impasse au Valet (le plus

petit honneur) avant de faire l'impasse au Roi (le plus gros honneur) (diagramme 2) ;
— deux levées (diagramme 3) ;
— deux levées (diagramme 4), à condition que le déclarant réalise l'impasse au Roi bien que l'impasse au Valet ait échoué ;
— une levée, si le Roi et le Valet sont en Est (diagramme 5).

> *PRINCIPE*
> Lorsque vous avez deux fourchettes dans une couleur, commencez par l'impasse au plus petit honneur.

COMPAREZ
1. Voici trois couleurs : ♠R 2 ♥A R V ♦R V 2
2. Reproduisez-les à l'aide de votre jeu de cartes.
3. Comparez ces couleurs :
— A Pique, l'honneur est isolé, ce qui implique l'impasse.
— Les Cœurs forment une fourchette, ce qui implique l'impasse à la Dame.
— Les Carreaux impliquent l'impasse à la Dame, puis l'impasse à l'As.

COMMENT JOUEZ-VOUS CETTE COULEUR ?

Diagrammes

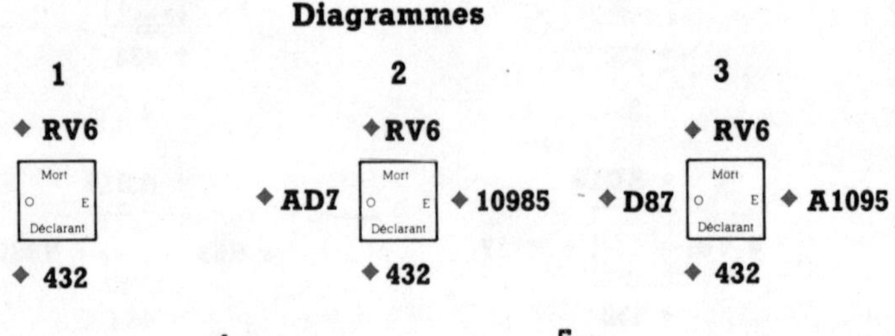

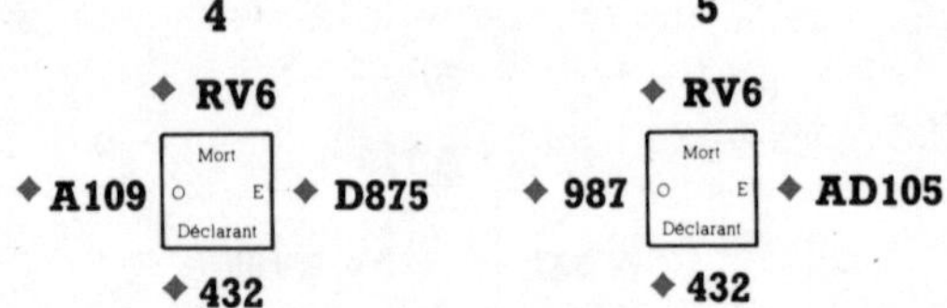

Diagramme 1

Le déclarant a trois levées potentielles, mais malheureusement aucune levée sûre.
En respectant le principe de la leçon, il peut espérer faire la levée du Valet en faisant l'impasse à la Dame, puis en jouant une petite carte de sa main vers le Roi, en espérant que l'As est en Ouest.
En jouant ainsi, le déclarant fait :
— deux levées (diagramme 2) : l'As et la Dame sont chez Ouest ;
— une levée (diagramme 3) : une impasse réussie sur deux ;
— une levée (diagramme 4) : une impasse réussie sur deux ;
— aucune levée (diagramme 5) : les deux impasses ont échoué.

L'impasse forçante

COMPAREZ

1. Voici trois couleurs :

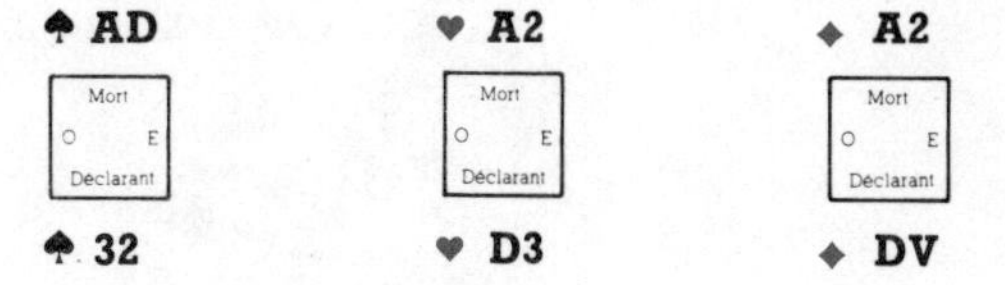

2. Reproduisez-les à l'aide de votre jeu de cartes.
3. Comparez ces couleurs :

— Les Piques forment une fourchette.
— A Cœur la fourchette est partagée entre les deux mains, la Dame est isolée.
— A Carreau la fourchette est partagée entre les deux mains, la Dame est accompagnée de l'honneur inférieur : le Valet.

COMMENT JOUEZ-VOUS CETTE COULEUR (diagramme 1) ?

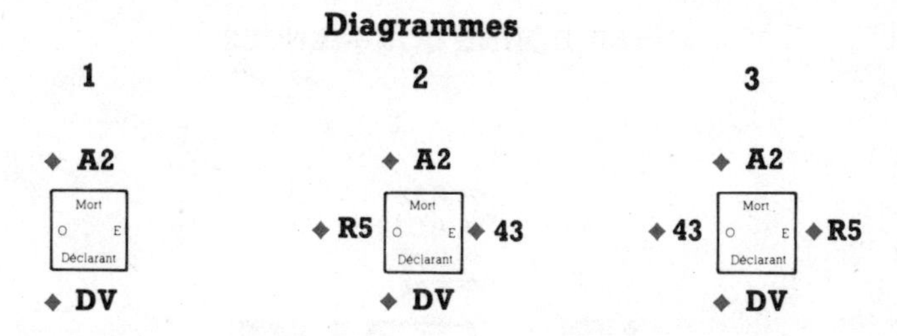

Le déclarant a deux levées potentielles dont une levée sûre.
Il peut espérer faire une deuxième levée, en jouant la Dame de sa main vers l'As du mort, si le Roi est en Ouest.

En effet, si Ouest a le Roi (diagramme 2), lorsque le déclarant joue la Dame :
— soit Ouest met son Roi, celui-ci est pris par l'As du mort et le Valet est affranchi ;
— soit Ouest joue le 5, dans ce cas, le déclarant joue le 2 du mort et la Dame fait la levée.

En revanche, si le Roi est en Est, le déclarant ne fait qu'une levée dans la couleur puisque l'impasse échoue (diagramme 3).

PRINCIPE
Lorsque les honneurs de la fourchette sont répartis entre les deux mains, pour qu'une impasse forçante soit envisageable, l'honneur inférieur de la fourchette doit être accompagné au moins de l'honneur immédiatement inférieur.

LA DONNE COMMENTEE

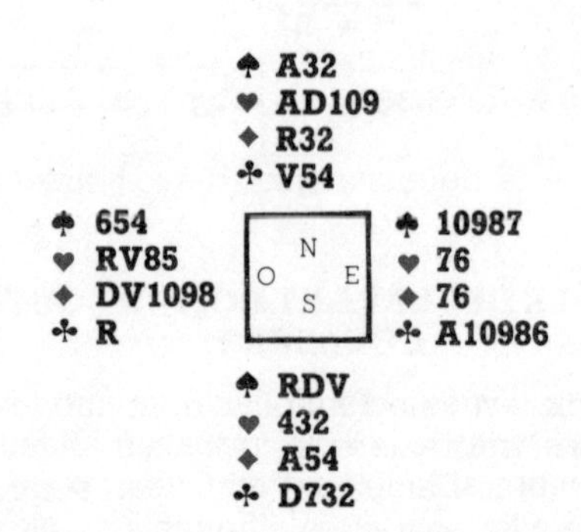

Nord
♠ A32
♥ AD109
♦ R32
♣ V54

Ouest
♠ 654
♥ RV85
♦ DV1098
♣ R

Est
♠ 10987
♥ 76
♦ 76
♣ A10986

Sud
♠ RDV
♥ 432
♦ A54
♣ D732

Sud joue 3 SA.

1. Quelle est l'entame d'Ouest ?
2. Combien de levées sûres le déclarant possède-t-il à :
- Pique ?
- Cœur ?
- Carreau ?
- Trèfle ?
3. Combien doit-il trouver de levées pour assurer son contrat ?
4. Dans quelle couleur les trouvera-t-il ?
5. Par quelle manœuvre ?

Réfléchissez, puis [cassette] 10.2 pour jouer la donne.

LEÇON N° 11

Les manœuvres. Le coup à blanc.

N'oubliez pas de reproduire chaque diagramme à l'aide du jeu de cartes.

COMBIEN DE LEVEES LE DECLARANT FAIT-IL DANS CETTE COULEUR ?

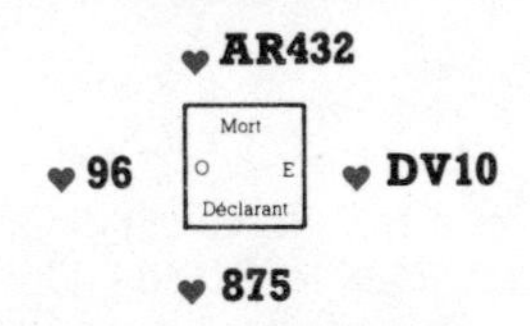

Le déclarant a cinq levées potentielles dont :
— deux levées sûres grâce aux cartes maîtresses (As et Roi) ;
— deux levées de longueur puisque le mort a deux cartes de plus qu'Est : main la plus longue de la défense.
Donc, si le déclarant fait quatre levées à Cœur, la défense n'en fera qu'une.

COMMENT LE DECLARANT PEUT-IL JOUER CETTE COULEUR ?

Le déclarant, étant sûr de donner une levée, a le choix entre :
1. Donner la levée à la défense après avoir tiré l'As et le Roi de Cœur du mort.
2. Donner la levée à la défense avant d'avoir tiré l'As et le Roi de Cœur du mort.

COMMENT LE DECLARANT DOIT-IL JOUER CETTE COULEUR ?

Premier cas : le déclarant joue l'As puis le Roi de Cœur et donne à la troisième levée la main à Est qui fait la levée de la Dame.
Les deux Cœurs du mort sont alors affranchis, Est joue pique, le déclarant prend de l'As de sa main.

♠ 2
♥ AR432

♠ DV108 ♥ 96 | Mort O E Déclarant | ♠ R43 ♥ DV10

♠ A65
♥ 875

La position des cartes est alors la suivante :

♠ —
♥ 43

♠ DV ♥ — | Mort O E Déclarant | ♠ R4 ♥ —

♠ 65
♥ —

Le déclarant peut-il remonter au mort pour jouer les deux Cœurs affranchis ? Non, le déclarant n'a aucune communication pour aller au mort et est donc obligé de jouer Pique à la grande joie de la défense.

Deuxième cas : à la première levée, le déclarant donne à la défense la levée qu'elle doit faire.
Le déclarant joue donc le 5 de Cœur de sa main pour le 2 du mort, Est prend la levée du 10 de Cœur. Est rejoue Pique, le déclarant prend de l'As.

La position des cartes est alors la suivante :

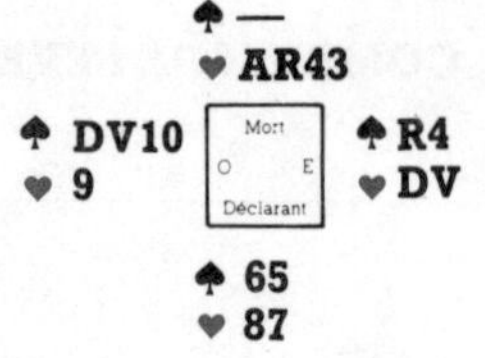

Le déclarant en main joue le 7 de Cœur pour l'As du mort qui fait la levée. Puis le déclarant joue le Roi de Cœur et les deux Cœurs maîtres du mort.

Conclusion : Afin de préserver une communication avec le mort pour faire les deux levées de longueur affranchies, le déclarant doit donner la main dans cette couleur aux adversaires avant de jouer l'As et le Roi de Cœur. Cette manœuvre est appelée COUP A BLANC.

PRINCIPE
Le coup à blanc est une manœuvre qui consiste à donner aux adversaires les levées auxquelles ils ont droit dans une couleur donnée, avant de tirer les cartes maîtresses, dans le but de communiquer à l'intérieur de la couleur d'affranchissement.

LA DONNE COMMENTEE

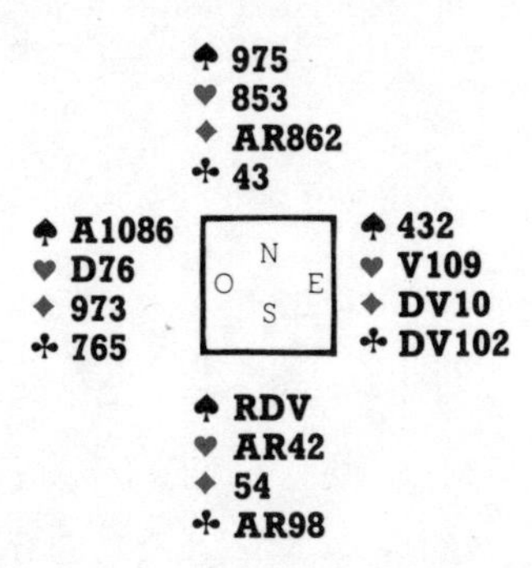

Reproduisez la donne suivante à l'aide de votre jeu de cartes.

Sud joue 3 SA.
1. Dans quelle couleur Ouest doit-il entamer ?
2. Quelle carte doit-il entamer ?
3. Combien de levées le déclarant doit-il réaliser ?
4. Combien le déclarant a-t-il de levées sûres à Trèfle, à Carreau, à Cœur et à Pique ?
5. Combien le déclarant possède-t-il de levées sûres dans l'ensemble des quatre couleurs ?
6. Combien de levées manque-t-il au déclarant pour réaliser son contrat ?
7. Trouvez la couleur qui permettrait au déclarant de faire une ou deux levées supplémentaires.
8. Comment le déclarant doit-il jouer cette couleur ?

Répondez aux questions, puis écoutez la 11.1
pour vérifier vos réponses et jouer la donne.

LEÇON N° 12
Le laisser-passer

I. - Reproduisez le diagramme suivant à l'aide de votre jeu de cartes.

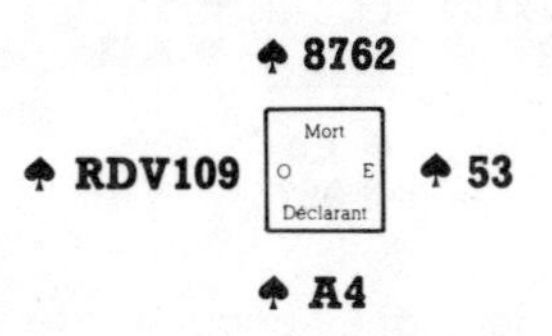

II. - Ouest choisit l'entame du Roi de Pique contre le contrat de 3 SA ; pourquoi ?
— Il a choisi les Piques car c'est la couleur la plus longue de sa main.
— Il entame du Roi de Pique car il a une séquence et le déclarant n'a qu'une seule carte maîtresse supérieure à cette séquence.

III. - L'entame affranchit quatre levées à Pique. Mais il ne suffit pas d'avoir des cartes maîtressses dans son jeu ; il est également nécessaire de reprendre la main pour jouer les cartes affranchies.

Ouest fera quatre levées à Pique, à condition que :
— le déclarant rejoue Pique,
— ou Ouest (main longue à Pique) reprenne la main dans une autre couleur,
— ou Est (main courte à Pique) prenne la main dans une autre couleur et qu'il communique à Pique, c'est-à-dire qu'il lui reste au moins une carte à Pique.

IV. - Le déclarant connaît bien sûr, vu l'entame, les espoirs d'Ouest. Son objectif est contraire à celui du camp de la défense : le déclarant doit en effet tenter d'empêcher Ouest de faire ses quatre Piques maîtres.

Il fait donc le raisonnement suivant :
— pour que ni Ouest, ni Est ne reprennent la main à Pique, il ne doit jamais jouer Pique,
— pour qu'Ouest (main longue à Pique) ne reprenne pas la main, le déclarant doit espérer que les cartes maîtresses en dehors des Piques qu'il est obligé de donner, ne soient pas en Ouest,
— pour qu'Est (main courte à Pique) ne joue pas Pique, il faut qu'Est n'ait plus de Pique au moment où il reprendra la main dans une autre couleur.

V. - Exemple : reproduisez le diagramme suivant à l'aide de votre jeu de cartes :

	♠ **8762** ♥ **RDV10**	
♠ **RDV109** ♥ **652**	Mort O E Déclarant	♠ **53** ♥ **A43**
	♠ **A4** ♥ **987**	

a) Sur l'entame du Roi de Pique, combien de levées le déclarant espère-t-il faire dans ces deux couleurs ?
— A Pique, il a quatre levées potentielles dont une carte maîtresse : il fera donc une levée.
— A Cœur, il a quatre levées potentielles, les adversaires ont une carte supérieure à celle-ci : il fera trois levées après avoir donné la main aux adversaires à l'As de Cœur.

b) Sur l'entame du Roi de Pique, le déclarant sait qu'il doit perdre la levée de l'As de Cœur.

Premier cas : si Ouest a l'As de Cœur, le déclarant ne peut l'empêcher de faire ses quatre levées à Pique.
Deuxième cas : si Est a l'As de Cœur, Est reprendra la main ; Est ne doit pas rejouer Pique après avoir repris la main avec l'As de Cœur, donc Est ne doit plus avoir de Pique à ce moment-là.

Par quelle manœuvre le déclarant peut-il faire en sorte qu'Est n'ait plus de Pique ?
Si le déclarant prend le Roi de Pique de l'As, à l'entame, Est aura encore un Pique et communiquera avec son partenaire qui réalisera ses quatre Piques maîtres.
Donc, le déclarant ne doit pas prendre l'entame de l'As, mais LAISSER PASSER le Roi de Pique maître en fournissant le 4 de Pique.
Ouest ayant fait la levée du Roi de Pique, continue l'affranchissement de la couleur en rejouant la Dame de Pique sur laquelle Est fournit son dernier Pique : le déclarant fait alors la levée de l'As.
Au moment où Est fera la levée de l'As de Cœur, il n'aura plus de Pique, **les communications d'Est et d'Ouest seront coupées** dans cette couleur et Ouest ne fera qu'une levée à Pique : le Roi, que le déclarant a laissé passer à l'entame.

PRINCIPE 1
Ne jamais rejouer dans la couleur d'entame des adversaires.

PRINCIPE 2
Le laisser-passer consiste à ne pas prendre immédiatement dans la couleur d'entame, pour épuiser les cartes détenues dans cette couleur par la main courte adverse, afin de couper les communications.

VI. - Application.  12.1

Reproduisez le diagramme ci-contre à l'aide de votre jeu de cartes :

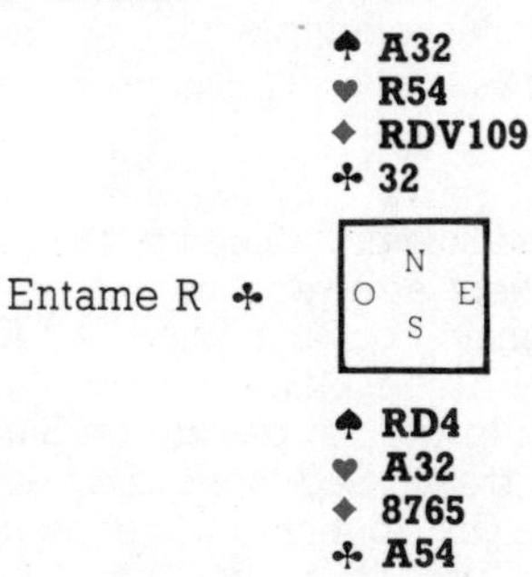

Sud joue 3 SA, Ouest entame le Roi de Trèfle.
Sud compte dans chaque couleur le nombre de levées qu'il doit faire :
— A Pique, il a trois levées potentielles dont trois cartes maîtresses.
— A Cœur, il a trois levées potentielles dont deux cartes maîtresses.

Conclusion : avant même le début du jeu de la carte, Sud est assuré de faire cinq levées dans ces deux couleurs mais pas plus.
Pour faire neuf levées, il devra réaliser quatre levées entre les Carreaux et les Trèfles.
— A Trèfle, Sud a trois levées potentielles dont une carte maîtresse : il fera une levée.
— A Carreau, il a cinq levées potentielles, les adversaires ont une carte supérieure : Sud fera quatre levées après avoir donné la levée de l'As de Carreau aux adversaires.
Sud doit donc redonner la main aux adversaires avant d'avoir fait neuf levées. Le camp adverse après avoir fait la levée de l'As de Carreau rejouera Trèfle et Sud perdra plusieurs levées ; ce nombre de levées est déterminé par la distribution des Trèfles dans le camp adverse.
Supposez qu'Est (main courte à Trèfle) fasse la levée de l'As de Carreau.
Les Trèfles peuvent être répartis :
— 4-4 dans le camp adverse, dans ce cas Sud perdra quatre levées (l'As de Carreau et trois Trèfles) et gagnera 3SA,
— 5-3 dans le camp adverse, dans ce cas Sud perdra cinq levées (l'As de Carreau et quatre Trèfles) et chutera son contrat d'une levée, sauf si Sud fait en sorte qu'Est n'ait plus de Trèfle au moment où il reprend la main à l'As de Carreau : pour cela Sud doit laisser passer deux fois les Trèfles.

Bien sûr, Sud ne connaît pas la distribution des Trèfles chez les adversaires, il doit cependant toujours envisager la distribution qui fera chuter le contrat, puis laisser passer l'entame un nombre de fois suffisant pour que si la main courte dans la couleur d'entame reprend la main dans une autre couleur elle ne puisse plus en rejouer.

♣ 632

	N	
O		E
	S	

♣ A54

Remarque : imaginez que dans l'exemple ci-contre, le camp du déclarant possède à Trèfle :

Sud aurait fait le raisonnement suivant : le camp de la défense a sept cartes à Trèfle, ceux-ci peuvent être répartis :
— 4-3, dans ce cas, si Est (main courte à Trèfle) a l'As de Carreau, Sud perdra quatre levées : l'As de Carreau et trois Trèfles ; donc cette distribution ne met pas le contrat de Sud en danger.
— 5-2, si Est a l'As de Carreau, Sud perd cinq levées : l'As de Carreau et quatre Trèfles. La distribution 5-2 met donc le contrat en danger sauf si Sud prend la précaution de laisser passer une fois l'entame.

PRINCIPE 3
Pour connaître le nombre de fois qu'il faut laisser passer l'entame, le déclarant doit envisager la distribution adverse de la couleur d'entame qui met le contrat en danger.

Remarque :
1. Un laisser-passer ne s'applique que lorsque le déclarant arrête la couleur des adversaires avec l'As.

Il serait en effet stupide de laisser passer avec le Roi :

Sur l'entame du 8 de Trèfle, Est fournit la Dame : si Sud laisse passer, Est rejouera Trèfle et Sud ne fera aucune levée dans cette couleur.
Donc, Sud doit prendre avec son Roi à la première levée.

	♣ 62	
♣ AV987	N O E S	♣ D103
	♣ R54	

2. Nous verrons plus tard que le laisser-passer est une manœuvre qui pourra parfois être adoptée par le camp de la défense.

LA DONNE COMMENTEE

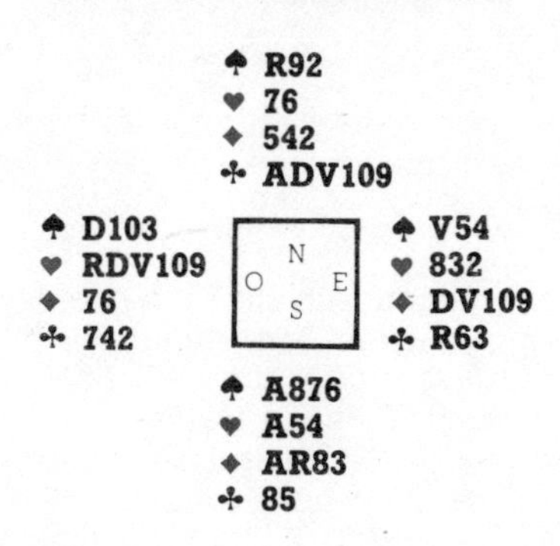

Sud joue 3 SA.

1. Dans quelle couleur Ouest doit-il entamer ?
2. Quelle carte doit-il entamer ?
3. Combien de levées le déclarant doit-il réaliser ?
4. Combien le déclarant a-t-il de levées sûres à Trèfle, à Carreau, à Cœur et à Pique ?
5. Combien le déclarant possède-t-il de levées sûres dans l'ensemble des quatre couleurs ?
6. Combien de levées manque-t-il au déclarant pour réaliser son contrat ?
7. Trouvez la couleur qui permettrait au déclarant de faire une ou deux levées supplémentaires.
8. Comment le déclarant doit-il jouer cette couleur ?

Répondez aux questions, puis écoutez la [cassette] 12.2
pour vérifier vos réponses et jouer la donne.

LEÇON N° 13
Le plan de jeu à Sans Atout

13.1

Les enchères terminées, le déclarant reçoit l'entame, le mort étale son jeu sur la table ; puis, avant de jouer la première carte du mort, le déclarant prend connaissance du jeu du mort et examine toutes les possibilités de faire des levées entre le mort et son jeu.

Le choix entre ces différentes possibilités et l'ordre dans lequel le déclarant les choisit s'appelle établir un PLAN DE JEU.

> *PRINCIPE*
> Ne jouez pas la première carte du mort avant d'avoir fait votre plan de jeu.

Reproduisez le diagramme ci-contre à l'aide de votre jeu de cartes :

♠ **RDV10**
♥ **A32**
♦ **A32**
♣ **432**

Entame 6 de Cœur

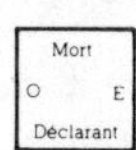

♠ **765**
♥ **RD54**
♦ **865**
♣ **R98**

Le déclarant joue 1 SA, sur l'entame du 6 de Cœur.
Pour faire un plan de jeu, le déclarant doit se poser des questions dans un ordre bien déterminé, sans jamais y déroger.

Le déclarant doit :

1. Compter les levées immédiates qu'il possède dans chaque couleur, sans jamais redonner la main à l'adversaire.

— A Pique, sans jamais redonner la main à l'adversaire, le déclarant n'a pas de levée immédiate.
— A Cœur, le déclarant a trois levées immédiates, puisqu'il n'a pas besoin de redonner la main aux adversaires dans cette couleur pour les réaliser.
— A Carreau, le déclarant a une levée immédiate.
— A Trèfle, le déclarant n'a pas de levée immédiate.
Au total, sans jamais redonner la main à l'adversaire, le déclarant a quatre levées immédiates.

2. Faire une déduction du nombre de levées immédiates du nombre de levées qu'il s'est engagé à réaliser.

Le résultat de cette soustraction donne le nombre de levées que le déclarant doit affranchir.
Le déclarant s'est engagé à réaliser sept levées.
Il possède quatre levées immédiates.
Le déclarant fait la soustraction : 7 – 4 = 3, il doit donc affranchir trois levées.

3. Choisir la ou les couleurs à affranchir.

Le déclarant n'a pas de levée immédiate à Pique. En revanche, en redonnant la main à l'As de Pique, il affranchit trois levées. Ces trois levées suffisent au déclarant pour gagner son contrat.

Remarque : au bridge, il faut toujours traiter le problème le plus rapidement possible. Dans la donne le problème est à Pique, donc dès que le déclarant prend la main, il doit jouer Pique pour l'affranchissement.

4. Regarder le maniement de la couleur d'affranchissement.

Dans la donne proposée, il n'y a pas de maniement de couleur ; il suffit de jouer un Pique quelconque des deux mains.

5. S'assurer qu'il y a les communications suffisantes pour affranchir la couleur.

Le déclarant dans l'exemple choisi n'a pas de problème de communication. En effet, même si les adversaires prennent de l'As de Pique au troisième tour de Pique, le déclarant peut toujours remonter au mort par l'As de Cœur ou l'As de Carreau.

6. Changer le maniement de couleur classique si les communications ne sont pas suffisantes.

Le déclarant, dans la donne proposée, ne doit pas se poser cette question puisqu'il n'a pas de problème de communication.

7. Examiner la couleur d'entame, puis déterminer s'il doit laisser passer l'entame ou non.

Dans l'exemple choisi, cette question n'a pas été abordée.

Reproduisez le diagramme ci-contre à l'aide de votre jeu de cartes :

♠ 432
♥ A32
♦ V2
♣ V10987

Mort
O E
Déclarant

Entame 6 de Pique

♠ AR5
♥ D874
♦ D63
♣ AR5

Le déclarant joue 1 SA sur l'entame du 6 de Pique.

Le déclarant fait son plan de jeu et doit :

1. Compter les levées immédiates qu'il possède dans chaque couleur, sans jamais redonner la main à l'adversaire.

— A Pique, il a deux levées immédiates.
— A Cœur, il a une levée immédiate.
— A Carreau, il n'a pas de levée immédiate.
— A Trèfle, il a deux levées immédiates.
Au total, sans jamais redonner la main à l'adversaire, le déclarant a cinq levées immédiates.

2. Faire une déduction du nombre de levées immédiates du nombre de levées qu'il s'est engagé à réaliser.

Le déclarant s'est engagé à réaliser sept levées.
Il possède cinq levées immédiates.
Le déclarant fait la soustraction : 7 – 5 = 2, il doit affranchir deux levées.

3. Choisir la (ou les) couleur(s) d'affranchissement.

A Trèfle, le déclarant a cinq levées potentielles dont deux levées sûres (As et Roi).
Le déclarant remarque que les Trèfles forment une séquence dans laquelle il manque la Dame.

Conclusion : L'affranchissement des Trèfles apporte deux ou trois levées supplémentaires.

Deux levées d'affranchissement lui suffisent pour gagner son contrat.

4. Regarder le maniement de la couleur d'affranchissement.

A Trèfle, les honneurs de la fourchette sont séparés entre les deux mains.
Le déclarant est donc dans la situation d'une impasse forçante puisque le plus petit des honneurs (le Valet) est accompagné de l'honneur immédiatement inférieur (le 10).

Pour faire l'impasse Trèfle, le déclarant doit remonter au mort dans une autre couleur, puis jouer le Valet de Trèfle pour le 5 de sa main :
Premier cas : Est a la Dame de Trèfle, le déclarant fera cinq levées de Trèfle.
Deuxième cas : Est n'a pas la Dame de Trèfle, le déclarant ne fera que quatre levées.

5. S'assurer qu'il y a les communications suffisantes pour affranchir la couleur.

Pour faire l'impasse à la Dame de Trèfle, le déclarant doit :
— remonter une première fois au mort pour jouer le Valet de Trèfle ;
— puis, que l'impasse à la Dame réussisse ou non, il doit jouer l'As et le Roi de Trèfle. A ce stade du coup, les Trèfles du mort sont affranchis, et le déclarant en main devra remonter au mort dans une autre couleur pour jouer les Trèfles maîtres. Il a donc besoin de communiquer deux fois avec le mort.
Comptez les communications que le déclarant possède pour aller au mort :
— A Pique : aucune communication.
— A Cœur : une communication.
— A Carreau : aucune communication.
— A Trèfle : aucune communication.
Le déclarant n'a qu'une seule remontée vers le mort et n'a donc pas assez de communications pour faire l'impasse Trèfle.

6. Changer le maniement de couleur classique si les communications ne sont pas suffisantes.

Puisque, par manque de communication, le déclarant ne peut pas faire l'impasse à Trèfle, il va devoir changer le maniement de la couleur en jouant As de Trèfle, puis Roi de Trèfle, puis le 5 de Trèfle vers le Valet du mort : l'adversaire prendra de la Dame (sauf si celle-ci était sèche ou seconde), puis rejouera Pique pour le Roi du déclarant. Le déclarant remontera au mort grâce à l'As de Cœur pour jouer les deux Trèfles affranchis.

Une dame sèche est appelée ainsi lorsque c'est la seule carte qu'un joueur possède dans une couleur.
Une dame seconde est appelée ainsi lorsqu'elle fait partie des deux cartes qu'un joueur possède dans une couleur.

7. Examiner la couleur d'entame, puis déterminer s'il doit laisser passer ou non.

L'entame n'est pas dangereuse pour le déclarant, puisqu'il possède l'As et le Roi de Pique. Le déclarant ne doit donc pas laisser passer.

8. Jouer. 13.2

LA DONNE COMMENTEE

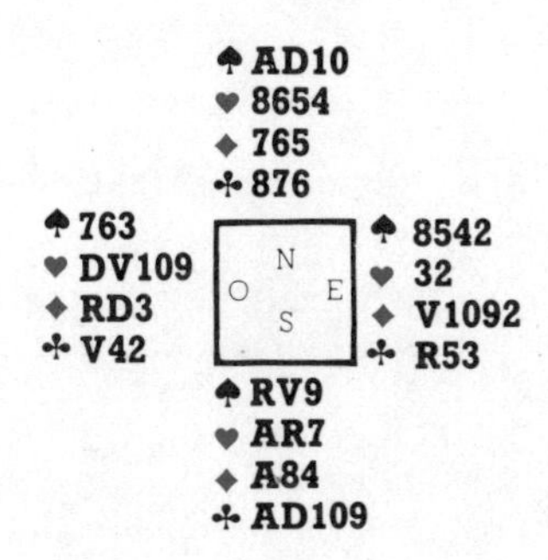

Sud joue 3 SA.

1. Quelle est la couleur d'entame d'Ouest ?
2. Quelle carte doit-il entamer dans cette couleur ?
3. Prenez la fiche du plan de jeu à sans atout et répondez aux questions dans l'ordre.

Puis, écoutez la 13.3 pour vérifier vos réponses et jouer la donne.

♥ ♥ ♥ ♥ ♥ ♥ ♥

LEÇON N° 14
Révisions

14.1

Dans le jeu à Sans Atout, jouer les cartes maîtresses au début du jeu ne constitue pas (dans tous les sens) l'objectif du contrat. Il est donc nécessaire, pour le déclarant, d'avoir recours à une ou plusieurs manœuvres. Parmi celle-ci : l'Impasse.

L'impasse étant conditionnée par le placement d'une carte, sa réussite représente donc . . . chance sur . . . . . ; lorsqu'un Honneur est isolé dans une main, il faut jouer . . . . cet Honneur. De la même façon lorsqu'il existe une fourchette, il faut jouer . . . . l'Honneur . . . . de la . . . . Dans le cas de plusieurs Honneurs équivalents, il est nécessaire de jouer . . . . . vers les . . . .

Par ailleurs, lorsqu'une combinaison représente une double fourchette, il faut alors jouer en vue de faire l'impasse au . . . . de la fourchette. Pour réaliser une impasse forçante, il est nécessaire de posséder un Honneur de plus que le nombre de levées à réaliser.

Le coup à blanc est une . . . . qui consiste à livrer aux . . . . les . . . . . . auxquelles ils ont droit dans une couleur avant de tirer ses . . . . et ce, dans le but de . . . . à l'intérieur de la couleur.

Le Laisser Passer consiste à ne pas . . . . immédiatement une . . . . . dans une couleur où l'on détient pourtant une carte . . . . , afin de . . . . les . . . . entre les adversaires.

LA DONNE COMMENTEE

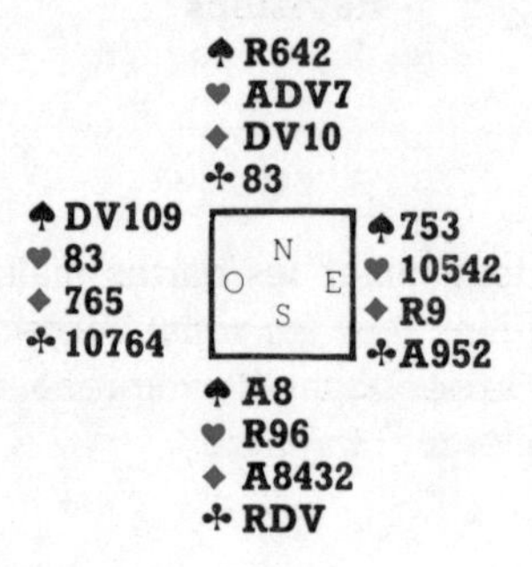

Sud joue le contrat de 6 SA

1. Dans quelle couleur Ouest doit-il entamer ?
2. Quelle carte Ouest doit-il entamer ?
3. Combien de levées le déclarant doit-il réaliser ?
4. Combien le déclarant a-t-il de levées sûres à Trèfle, à Carreau, à Cœur et à Pique ?
5. Combien possède-t-il de levées sûres dans l'ensemble des quatre couleurs ?
6. Combien de levées manque-t-il au déclarant pour réaliser son contrat ?
7. Trouvez la couleur qui permettrait au déclarant de réaliser une levée supplémentaire.

Répondez aux questions, puis [cassette] 14.2 pour vérifier vos réponses et jouer la donne.

LEÇONS 15 à 21

L'ATOUT

15. La notion d'atout - Le choix de l'atout - L'évaluation

16. Le jeu à l'atout - La coupe, l'entame

17. Le plan de jeu à l'atout - La coupe

18. Le plan de jeu à l'atout - L'affranchissement

19. Le plan de jeu à l'atout - Les défausses

20. Le plan de jeu à l'atout - Le jeu d'honneur

21. Révisions

LEÇON N° 15
L'Atout

DEFINITION
L'atout est une des quatre couleurs que l'on privilégie.

Le privilège de l'atout est **LA COUPE.**
Lorsqu'un joueur ne peut pas fournir de la couleur demandée faute d'en avoir dans sa main, nous avons vu qu'il pouvait se défausser.
Si une des couleurs a été choisie comme atout, ce même joueur peut alors couper (ce n'est toutefois pas une obligation).
S'il coupe, il joue alors n'importe quelle carte de la couleur d'atout, cette dernière l'emporte sur toute carte d'une autre couleur.

PRINCIPE
A l'inverse de la défausse qui ne permet pas de remporter la levée, la coupe est un acte offensif qui produit une levée pour son camp.

EXEMPLE

Le camp Nord-Sud joue à l'atout Pique. Est joue l'As de Carreau, Sud fournit le 2 et Ouest le 3 ; Nord QUI N'A PLUS DE CARREAU joue le 3 de Pique et remporte la levée.

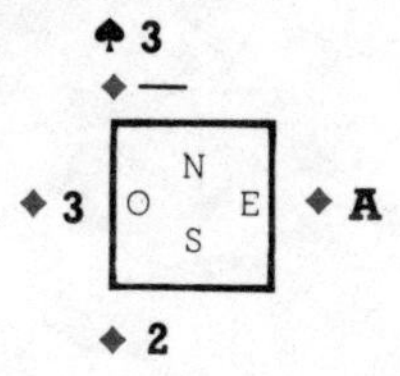

REMARQUE :

— dans un contrat à l'atout, fournir dans la couleur demandée reste une obligation,
— l'ordre des cartes dans la couleur d'atout est le même que dans les autres couleurs,
— couper n'est pas une obligation,
— si un joueur placé avant vous, a coupé, vous pouvez surcouper, en fournissant un atout supérieur si vous ne pouvez pas fournir à la couleur demandée,

— si couper n'est pas une obligation, surcouper ne l'est pas davantage.

Comparez les trois cas suivants, l'atout étant Pique :

1	**2**	**3**
♠ 32	**♠ 32**	**♠ 32**
♥ —	**♥ 3**	**♥ 32**
N O E S	N O E S	N O E S

Si l'adversaire joue Cœur et reste maître, que se passe-t-il ?

1. Nord peut couper au premier tour, n'ayant pas de Cœur.
2. Nord peut couper au deuxième tour, puisqu'il n'aura plus de Cœur à cette levée.
3. Nord peut couper au troisième tour pour la même raison.

Ces situations sont issues de la distribution (façon dont les 13 cartes sont réparties dans chaque main).

Ces diagrammes permettent de mesurer à quel point, lorsque l'on joue à l'atout, l'absence ou le peu de cartes dans une couleur est un avantage :

— une CHICANE (absence de cartes) permet de couper à la première levée ;
— un SINGLETON (une carte dans la couleur) permet de couper à la seconde levée ;
— un DOUBLETON (deux cartes dans la couleur) permet de couper à la troisième levée.

Cette distribution avantageuse à l'atout contribue à l'évaluation de la main lorsqu'un atout a été choisi. Ainsi les points D (distribution) se comptent de la façon suivante :

chicane = 3 points D.
singleton = 2 points D.
doubleton = 1 point D.

LE CHOIX DE L'ATOUT

CE SONT LES ANNONCES OU ENCHERES QUI PERMETTRONT DE SAVOIR SI LE CONTRAT SE JOUE A L'ATOUT OU A SANS ATOUT (leçon 22).

Toutefois, pour choisir valablement un atout, le camp doit être **fité.**

> *PRINCIPE*
> Si le total des cartes du camp dans une couleur est égal ou supérieur à huit, cette couleur peut être valablement choisie comme atout, on dit alors que le camp est fité dans cette couleur.

LA DONNE COMMENTEE

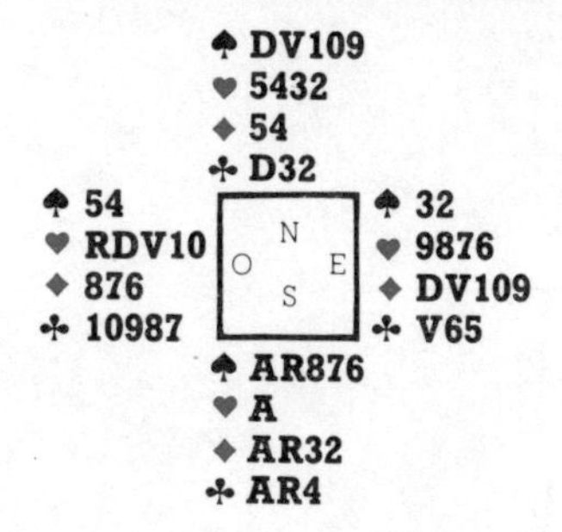

Sud joue 7♠, Ouest entame le Roi de Cœur.

Etablissez votre plan de jeu et jouez la donne avant de vérifier sur 15.1

LEÇON Nº 16
Le jeu à l'atout

 16.1

I. - PRINCIPE

Le jeu à l'atout apporte quelques nouveautés dans la création de levées.

DANS LA COULEUR D'ATOUT

C'est une couleur dont les maniements (affranchissements, impasses) respectent les mêmes principes que dans les autres couleurs.
La seule différence réside dans le fait qu'aucune carte de cette couleur ne peut être coupée.

Il faut jouer atout chaque fois que l'on ne souhaite pas être coupé par les adversaires et conserver ses atouts chaque fois que des coupes s'avèrent nécessaires.

DANS LES AUTRES COULEURS

LE JEU DANS LES AUTRES COULEURS DEPEND DE LA FACULTE QUE L'ON A DE FAIRE INTERVENIR LE POUVOIR DE L'ATOUT.

L'atout sera utilisé pour réaliser des levées de coupe.

> *PRINCIPE*
> Seules les coupes de la main courte en atout sont réellement productives.

La coupe doit être utilisée pour effacer des cartes perdantes.

Dans le cas où les deux camps fournissent ou si les atouts sont épuisés, les couleurs se joueront comme à Sans Atout.

EXEMPLE

La donne se joue à l'atout Pique. Sud ayant épuisé les atouts de la défense, il va pouvoir jouer les Carreaux comme à Sans Atout en répétant deux fois l'impasse vers A D V.

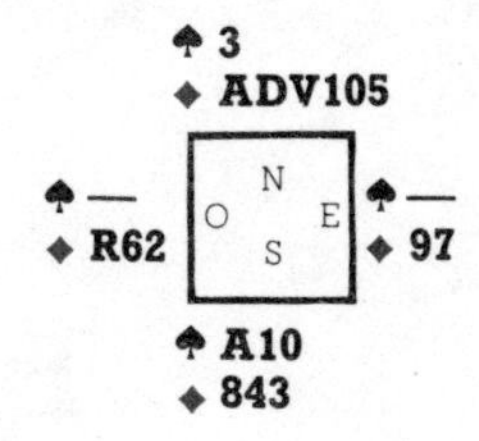

 16.2

II. - L'ENTAME DANS LES CONTRATS A L'ATOUT

Trois grands principes sont à appliquer :

1. Rechercher la réalisation des levées d'honneur

Affranchir, tirer en tête : aussi, entamez volontiers une tête de séquence (deux cartes qui se suivent sont suffisantes).

EXEMPLES

Vous entamez dans les deux cas contre un contrat à l'atout Pique.

1	2
♠ **D63** ♥ **RD84** ♦ **543** ♣ **A32**	♠ **R2** ♥ **AD4** ♦ **V1095** ♣ **5432**
Entamez le Roi de Cœur	Entamez le Valet de Carreau

16.3

2. Utiliser le pouvoir de la coupe quand c'est possible

Entamez donc une couleur courte (singleton ou doubleton) à condition d'avoir des atouts à promouvoir en coupe.

EXEMPLES

Vous entamez dans les deux cas suivants contre un contrat à l'atout Pique.

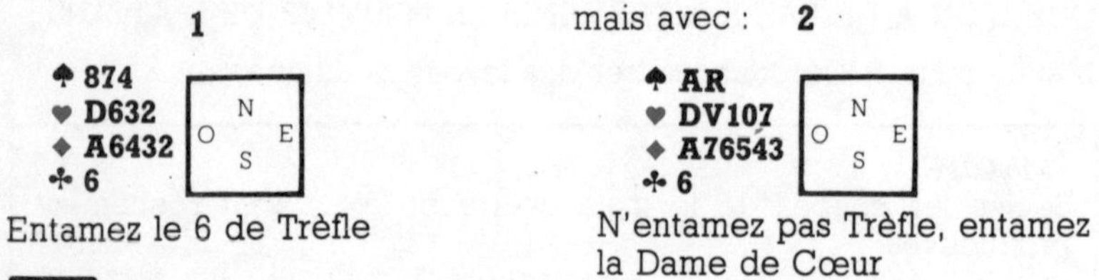

1	mais avec : 2
♠ **874** ♥ **D632** ♦ **A6432** ♣ **6**	♠ **AR** ♥ **DV107** ♦ **A76543** ♣ **6**
Entamez le 6 de Trèfle	N'entamez pas Trèfle, entamez la Dame de Cœur

16.4

3. Ne pas livrer au déclarant plus de levées que celles auxquelles il a droit

Donc ne pas lui permettre d'effacer des perdantes en :
— entamant sous un As,
— entamant dans une fourchette.

EXEMPLES

Vous entamez dans les deux cas contre un contrat à l'atout Pique.

Vous constatez que l'entame Cœur livre toujours une levée !! Il en va de même pour l'entame Pique.

Seule l'entame Pique ne livre aucune levée ; il ne faut pas craindre l'entame atout dans ce cas.

LA DONNE COMMENTEE

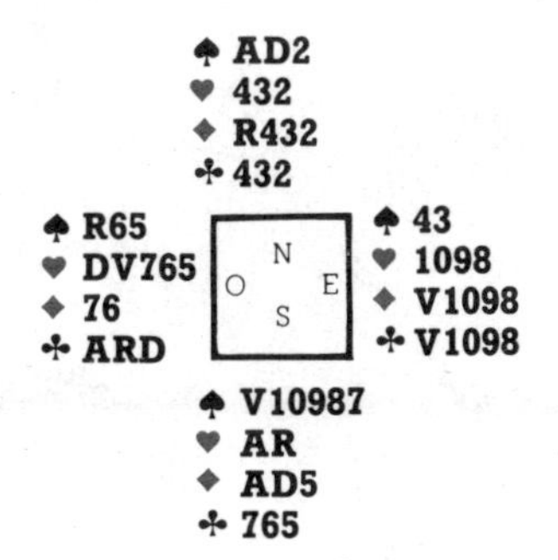

Sud joue 4 ♠.
1. Quelle carte Ouest doit-il entamer ?
2. Combien de levées Sud doit-il réaliser ?

Etablissez votre plan de jeu et jouez la donne avant de vérifier sur

 16.6

Cent mille Anglais se sont jetés dans la Tamise
pour avoir joué atout.

LEÇON N° 17
Le plan de jeu à la couleur

Vous avez appris dans les leçons précédentes le plan de jeu à Sans Atout dont le principe consiste pour le déclarant à compter les levées immédiates qu'il détient dans chaque couleur.
Le plan de jeu à la couleur est bien sûr différent puisqu'un nouvel élément intervient : l'atout. Dans un plan de jeu à la couleur, le principe est de compter les levées que les adversaires peuvent faire dans chaque couleur, ces levées sont appelées PERDANTES.
Le but du plan de jeu à la couleur sera d'éliminer ces perdantes. Nous verrons qu'il existe quatre possibilités d'éliminer des perdantes :

- par la coupe (traité dans cette leçon)
- par l'affranchissement (leçon n° 18)
- par la défausse (leçon n° 19)
- par les maniements de couleur (leçon n° 20).

ELIMINATION DES PERDANTES PAR LA COUPE

Reproduisez le diagramme suivant à l'aide de votre jeu de cartes.

1. Compter les levées perdantes de sa main

 17.1

Récapitulons :
Sud a
- 0 levée perdante Pique
- 2 levées perdantes Cœur
- 0 levée perdante Carreau
- 0 levée perdante Trèfle

au total Sud a deux levées perdantes

♠ 6543
♥ 2
♦ 65432
♣ RD2

	N	
O		E
	S	

♠ ARDV97
♥ A54
♦ A
♣ A65

2. Compter les levées perdantes du mort

 17.2

Récapitulons :
le mort a
- 0 levée perdante Pique
- 0 levée perdante Cœur
- 4 levées perdantes Carreau
- 0 levée perdante Trèfle

au total le mort a quatre levées perdantes

3. Examiner le moyen d'éliminer des perdantes de sa main

Pour gagner le contrat de 7♠ , Sud doit tenter d'éliminer les deux perdantes Cœur qu'il a dans sa main.

Le déclarant constate qu'à Cœur il possède A 5 4 et que le mort est singleton.

Conclusion : lorsque Sud aura joué l'As, il ne restera :
— aucun Cœur au mort
— que deux cartes à Cœur chez Sud.
Donc Sud pourra couper les deux perdantes Cœur. On dit qu'il élimine les perdantes par la coupe.

4. Examiner le moyen d'éliminer des perdantes du mort

Le mort a quatre perdantes à Carreau, lorsque le déclarant aura joué un tour de Carreau, il ne restera :
— que quatre Carreaux au mort
— aucun Carreau dans sa main.
Donc Sud pourra couper les quatre Carreaux perdants.

5. Choisir la main de base

La main de base peut être la main du déclarant, ou la main du mort.
La main de base est la main où le déclarant a :
— soit le moins de perdantes
— soit les perdantes les plus faciles à éliminer.

Remarque 1
Une fois la main de base choisie, le déclarant doit éliminer les perdantes de la main de base, et ignorer les perdantes de l'autre main.

Remarque 2
En général la main de base est la main la plus longue en atout.

Dans le diagramme proposé, si le déclarant choisit comme main de base :
— sa main, il doit couper deux Cœurs,
— le mort, il doit couper quatre Carreaux.

La solution la plus simple est bien sûr de couper deux Cœurs : le déclarant choisit donc comme main de base sa main.
(A ce stade, il doit oublier complètement les perdantes du mort, et ne doit donc pas couper les Carreaux.)

6. Se demander à quel moment il faut faire tomber les atouts adverses

En règle générale, un déclarant doit faire tomber les atouts adverses le plus vite possible afin d'éviter de se faire couper une carte maîtresse.
En revanche, dans le cas d'une élimination de perdantes par la coupe, le déclarant a besoin des atouts pour couper les perdantes et devra parfois attendre de les avoir coupées avant de faire tomber les atouts adverses.
Dans la donne proposée, la main de base est celle du déclarant. Sud doit couper les deux perdantes de sa main, à l'aide des atouts du mort. Le mort a quatre atouts : le déclarant doit jouer deux tours d'atouts seulement, afin d'en garder deux au mort pour couper les deux Cœurs.

7. Réaliser son contrat 17.3

LEÇON N° 18
Elimination des perdantes par l'affranchissement

Reproduisez le diagramme à l'aide de votre jeu de cartes.

♠ 10987
♥ 2
♦ 5432
♣ 5432

	N	
O		E
	S	

♠ ARDV32
♥ A6543
♦ A
♣ A

Sud joue 7 ♠ , Ouest entame le Roi de Cœur.
Avant de jouer la première carte du mort, Sud fait son plan de jeu ; pour cela il doit :

1. Compter les levées perdantes de sa main

 18.1

Récapitulons :
Sud n'a
- aucune levée perdante Pique
- que trois ou quatre levées perdantes Cœur
- aucune levée perdante Carreau
- aucune levée perdante Trèfle

au total Sud a 3 ou 4 levées perdantes

2. Compter les levées perdantes du mort

 18.2

Récapitulons :
le mort n'a
- aucune levée perdante Pique
- aucune levée perdante Cœur
- que trois levées perdantes Carreau
- que trois levées perdantes Trèfle

au total le mort a six levées perdantes

3. Examiner le moyen d'éliminer des perdantes de sa main

Sud a trois ou quatre perdantes à Cœur suivant que les Cœurs sont répartis 4-3 ou 5-2 chez les adversaires.
A Cœur, il a cinq cartes dans sa main, le mort une : lorsque Sud aura joué l'As de Cœur, il ne restera :

— que quatre Cœurs chez le déclarant,
— aucun Cœur au mort.
Sud pourra donc couper trois Cœurs ou quatre : pour cela il doit avoir un nombre de communications suffisant :
— pour couper trois Cœurs, Sud doit jouer trois fois un Cœur perdant de sa main ; pour les couper, Sud a donc besoin de :
 • trois atouts au mort pour couper,
 • trois communications pour jouer trois fois une perdante Cœur de sa main (ce n'est pas un problème puisque Sud possède l'As de Cœur, l'As de Carreau et l'As de Trèfle) ;
— pour couper quatre Cœurs, Sud doit jouer quatre fois un Cœur perdant de sa main, il a donc besoin de :
 • quatre atouts pour couper,
 • quatre communications pour jouer quatre fois une perdante Cœur de sa main (Sud possède quatre communications : l'As de Cœur, les deux As mineurs et un Trèfle ou un Carreau coupé de sa main).

Sud peut donc éliminer toutes les perdantes de sa main.

4. Examiner le moyen d'éliminer des perdantes de la main du mort

Le mort a six perdantes : trois à Trèfle et trois à Carreau.
Pour éliminer toutes ces perdantes, il faut couper trois Trèfles et trois Carreaux.
Pour couper trois Trèfles, le mort doit avoir trois communications.
Pour couper trois Carreaux, le mort a besoin de trois communications.
Le déclarant a donc besoin de remonter six fois au mort, malheureusement il ne peut remonter que quatre fois en coupant quatre Cœurs.
Il manque à Sud deux communications, il ne peut donc pas éliminer toutes les perdantes.

5. Choisir la main de base

Les perdantes de la main du mort étant impossibles à éliminer, Sud choisit sa main comme main de base.

6. Se demander à quel moment il faut faire tomber les atouts

La main de base étant celle du déclarant, Sud doit couper trois ou quatre Cœurs : donc les quatre atouts du mort lui seront utiles pour éliminer les perdantes : il ne doit surtout pas jouer atout pour faire tomber les atouts adverses, avant d'avoir coupé les Cœurs.

7. Réaliser le contrat

 18.3

LA DONNE COMMENTEE

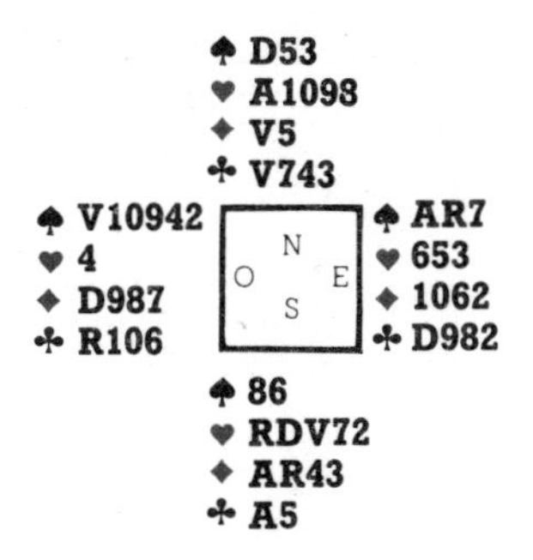

Sud joue 4 ♥.

1. Quelle carte Ouest doit-il entamer ?
2. Combien de levées Sud doit-il réaliser ?

Etablissez votre plan de jeu et jouez la donne avant de vérifier sur

 18.4

LEÇON N° 19
Plan de jeu à la couleur
Elimination des perdantes par la défausse

Reproduisez le diagramme suivant à l'aide de votre jeu de cartes.

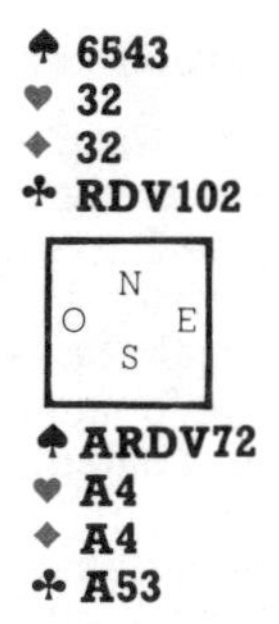

Sud joue 7 ♠, Ouest entame le 8 de Pique.
Avant de jouer la première carte du mort, Sud fait son plan de jeu ; pour cela il doit :

1. Compter les levées perdantes de sa main

 19.1

Récapitulons :
Sud a
- 0 levée perdante Pique
- 1 levée perdante Cœur
- 1 levée perdante Carreau
- 0 levée perdante Trèfle

au total Sud a deux levées perdantes

2. Compter les levées perdantes de la main du mort

 19.2

Récapitulons :
le mort a
- 0 levée perdante Pique
- 1 levée perdante Cœur
- 1 levée perdante Carreau
- 0 levée perdante Trèfle

au total le mort a deux levées perdantes

3. Examiner le moyen d'éliminer des perdantes de sa main

Sud, pour gagner le contrat de 7 ♠, doit tenter d'éliminer la perdante Cœur et la perdante Carreau.

a) Sud peut-il éliminer les perdantes par la coupe ?
C'est impossible car le déclarant a les mêmes nombres de Cœurs et Carreaux que le mort.

b) Sud peut-il défausser les deux perdantes sur les cartes maîtresses du mort ?

Lorsque Sud aura joué trois tours de Trèfle, il n'aura plus de Trèfle dans sa main ; en revanche, il restera au mort deux cartes maîtresses sur lesquelles il pourra défausser ses deux perdantes.

4. Examiner le moyen d'éliminer les perdantes du mort

Le mort a deux perdantes : une à Cœur et une à Carreau. Il est impossible de procéder à une élimination de perdantes par la coupe puisqu'il y a le même nombre de Carreaux dans les deux mains. Il est également impossible de procéder à une élimination de perdantes par la défausse sur les cartes maîtresses de la main du déclarant. En effet, pour défausser dans une couleur, il faudrait que le mort ait moins de cartes dans cette couleur (autre que l'atout) que le déclarant :

— à Trèfle, le mort a plus de cartes que le déclarant,

— à Cœur et à Carreau, le mort a autant de cartes.

Conclusion : le déclarant ne peut donc éliminer les perdantes du mort.

Cent mille Anglais se sont jetés dans la Tamise pour ne pas avoir joué atout.

5. Choisir la main de base

Le déclarant n'a pas le choix puisque seule une élimination des perdantes de sa main est réalisable.

Donc la main de base est celle du déclarant.

6. Se demander à quel moment il faut faire tomber les atouts adverses

Le déclarant pour réaliser son contrat doit défausser la perdante Carreau et la perdante Cœur sur le quatrième et le cinquième Trèfle. Pour éviter de se faire couper un Trèfle maître, il doit faire tomber tous les atouts adverses avant de jouer Trèfle.

Remarque : en règle générale, il faut toujours faire tomber les atouts adverses, sauf dans le cas d'une élimination de perdantes par la coupe.

7. Réaliser le contrat

 19.3

LA DONNE COMMENTEE

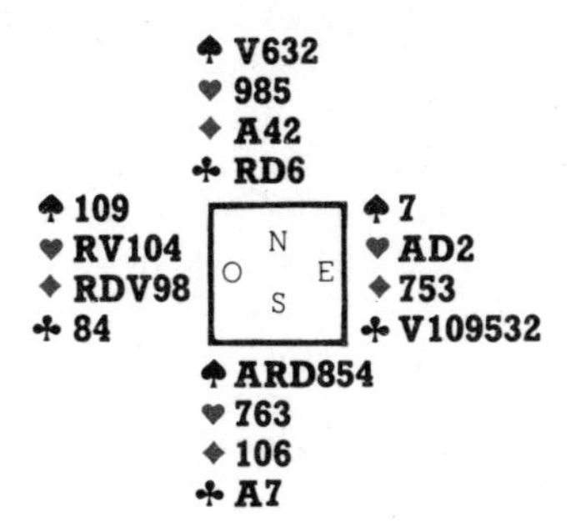

Sud joue 4 ♠.

1. Quelle carte Ouest doit-il entamer ?
2. Combien de levées Sud doit-il réaliser ?

Etablissez votre plan de jeu et jouez la donne avant de vérifier sur

 19.4

VIVEMENT QUE D'ARTAGNAN ARRIVE, QUE L'ON PUISSE FAIRE UN BRIDGE

LEÇON N° 20
Plan de jeu à la couleur
Elimination de perdantes par les maniements de couleur

Reproduisez le diagramme suivant à l'aide de votre jeu de cartes.

♠ 65432
♥ D32
♦ 32
♣ AR2

♠ ARDV7
♥ AR6
♦ AD
♣ 654

Sud joue 6 Piques, Ouest entame le 10 de Pique.
Avant de jouer la première carte du mort, Sud fait son plan de jeu ; pour cela il doit :

1. Compter les levées perdantes de sa main

 20.1

Récapitulons :
Sud a
- 0 levée perdante Pique
- 0 levée perdante Cœur
- 1 levée perdante Carreau
- 1 levée perdante Trèfle

au total Sud a deux levées perdantes

2. Compter les levées perdantes de la main du mort

 20.2

Récapitulons :
le mort a
- 0 levée perdante Pique
- 0 levée perdante Cœur
- 1 levée perdante Carreau
- 1 levée perdante Trèfle

au total le mort a deux levées perdantes

3. Examiner le moyen d'éliminer des perdantes de sa main

Le déclarant a une perdante Carreau et une perdante Trèfle.

a) Il regarde le moyen d'éliminer la perdante Carreau
— Une élimination par la coupe est impossible puisque le mort a autant de Carreau que le déclarant.

— Il est impensable d'envisager une élimination de perdante par la défausse, puisqu'aucune couleur du mort n'est plus longue que celle du déclarant.
— En revanche, Sud remarque que les Carreaux forment une fourchette, et qu'il est possible d'éliminer la perdante Carreau en faisant l'impasse au Roi.

b) Puis Sud regarde le moyen d'éliminer la perdante Trèfle
— Sud a trois cartes, le mort aussi, il n'a donc aucun espoir de coupe.
— Une élimination par la défausse n'est pas possible.
— Aucun maniement de couleur ne permet d'affranchir le 2 de Trèfle.
Donc, Sud peut seulement espérer éliminer une perdante Carreau, si l'impasse au Roi réussit.

4. Examiner le moyen d'éliminer les perdantes du mort

Le déclarant remarque que le mort a les mêmes perdantes que celles de sa main.
Il a également le même nombre de cartes dans chaque couleur :
— le mort a cinq Piques comme le déclarant,
— le mort a trois Cœurs comme le déclarant,
— le mort a deux Carreaux comme le déclarant,
— le mort a trois Trèfles comme le déclarant.
Dans ce cas, on dit que les deux mains (mort et déclarant) sont "MIROIR", l'élimination des perdantes d'une main ou d'une autre est identique.

5. Choisir la main de base

Le déclarant choisit indifféremment comme main de base sa main ou celle du mort, l'essentiel étant d'en choisir une. Admettons que dans la donne proposée Sud choisisse sa main.

6. Se demander à quel moment il faut faire tomber les atouts adverses

Le déclarant, n'ayant pas d'élimination de perdantes par la coupe, doit en priorité faire tomber les atouts adverses avant de faire l'impasse Carreau.

7. Réaliser son contrat

 20.3

LEÇON N° 21
Révision à travers une donne

Remarque : les commentaires de cette donne ne sont pas sur cassette.

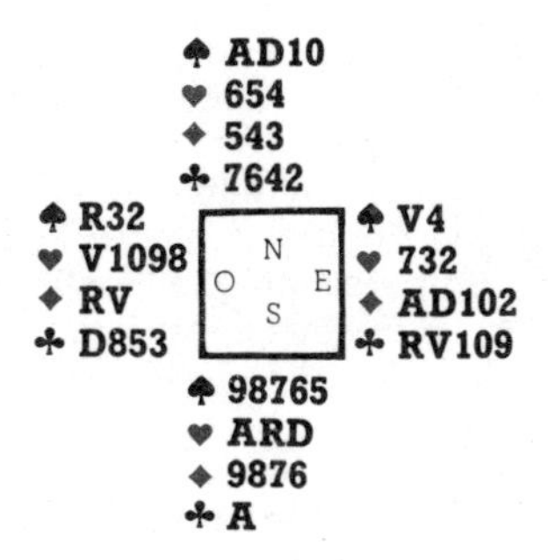

Sud joue 2 ♠
1. Quelle carte Ouest doit-il entamer ?
2. Combien de levées Sud doit-il réaliser ?
3. Faites le plan de jeu de Sud.

1. Ouest possède une séquence à Cœur et entame donc le Valet de Cœur.
2. Pour gagner 2 ♠ , Sud doit réaliser huit levées.
3. Plan de jeu.

Sud a cinq atouts en main, le mort en a trois ; Sud ne compte que les perdantes de sa main, elle sera la main de base.

— **à Pique :** Sud a cinq cartes, le nombre de levées perdantes potentielles est cinq.
Le camp du déclarant a une carte maîtresse.
Le camp du déclarant a huit cartes, le camp des adversaires possède cinq cartes pouvant être réparties :
- 3-2 : dans ce cas, Sud fait une levée avec l'As, plus deux levées de longueur, il a donc deux levées perdantes.
- 4-1 : dans ce cas, Sud ne fait qu'une levée de longueur en plus de l'As, il a donc trois levées perdantes.
- 5-0 : Sud n'ayant pas de levée de longueur, il a quatre levées perdantes.

Bien sûr, Sud doit être optimiste dans des limites raisonnables, il ne doit donc pas envisager la distribution 5-0 ou 4-1 au moment où il fait son plan de jeu.

— **à Cœur :** Sud a trois cartes toutes maîtresses, il n'a donc pas de levée perdante.

— **à Carreau :** Sud a quatre cartes, le camp du déclarant n'ayant pas de carte maîtresse, Sud a donc quatre levées perdantes.

— **à Trèfle :** Sud a l'As de Trèfle sec, il n'a pas de levée perdante.

Au total, Sud a six levées perdantes : deux à Pique et quatre à Carreau. Pour gagner son contrat, il doit donc éliminer une perdante.

Sud examine le moyen d'éliminer des perdantes de sa main :
— Sud ne peut éliminer les perdantes Carreaux ni par la coupe, ni par la défausse, ni par un maniement de couleur.
— L'atout étant Pique, Sud ne peut pas éliminer les perdantes Pique par la coupe, ni par la défausse.
En revanche, il peut tenter une élimination de perdante par un maniement de couleur : la double impasse. Pour cela, le déclarant doit faire en premier l'impasse au plus petit des honneurs, puis, qu'elle réussisse ou non, le déclarant tentera l'impasse au plus gros des honneurs.
Donc Sud doit faire l'impasse au Valet avant l'impasse au Roi. Il a deux raisons de commencer par jouer atout :
— il n'y a pas d'élimination de perdante par la coupe ;
— l'atout est la seule couleur permettant d'éliminer des perdantes.

Jeu

1re levée : sur l'entame du Valet de Cœur d'Ouest, le mort fournit le 4, Est le 2, Sud prend de l'As.

2e levée : Sud joue le 5 de Pique, Ouest le 2, le mort le 10, Est fait la levée du Valet : l'impasse vient d'échouer.

3e levée : Est contre-attaque du 3 de Cœur, Sud prend du Roi, Ouest fournit le 8, le mort le 5.

4e levée : Sud joue le 6 de Pique de sa main, Ouest le 3, le mort la Dame, Est le 4 : l'impasse au Roi a réussi.

5e levée : Sud tire l'As de Pique du mort, Est défausse le 2 de Carreau, Sud fournit le 7 de Pique, Ouest le Roi : les adversaires n'ont plus de Pique, les deux atouts du déclarant sont maîtres.

6e levée : Sud tire la Dame de Cœur, Ouest fournit le 9, le mort le 6, Est le 7.

7e et 8e levées : Sud tire ses deux atouts maîtres.

9e levée : Sud encaisse l'As de Trèfle.

10e, 11e, 12e, 13e levées : Sud donne la main aux adversaires à Carreau, le camp de la défense fait le reste des levées.

Résultat : 2 Piques juste faits.

LEÇONS 22 à 28

INTRODUCTION AUX ENCHERES

22. Le mécanisme des enchères
23. Les ouvertures

LES DEVELOPPEMENTS SUR L'OUVERTURE DE 1 SA

24. Réponses quand la manche est exclue
25. Réponses quand la manche est certaine
26. Réponses quand la manche est envisageable
27. Le stayman
28. Révisions

LEÇON N° 22

 22.1

I. - LE MECANISME DES ENCHERES

Une enchère s'exprime comme un contrat : elle comporte donc deux éléments :
— un nombre compris entre 1 et 7 (le palier),
— une couleur ou SA.

L'ordre des enchères respecte l'ordre croissant des paliers. A palier égal, l'ordre croissant des couleurs est :

♣ ♦ ♥ ♠

Trèfle - Carreau - Cœur - Pique et SA

L'enchère la plus basse est : 1 Trèfle.
L'enchère la plus élevée : 7 Sans Atout.
Le donneur est le premier à parler ; puis c'est au joueur suivant dans le sens des aiguilles d'une montre, et ainsi de suite.

Le premier joueur qui exprime une enchère est l'ouvreur.
A son tour de parole, chaque joueur peut :
— passer
— enchérir.
Son enchère doit alors être supérieure à l'enchère précédente.
— contrer une enchère adverse lorsque l'on pense que le contrat va chuter
— surcontrer une enchère de son camp qui a été contrée par l'adversaire.

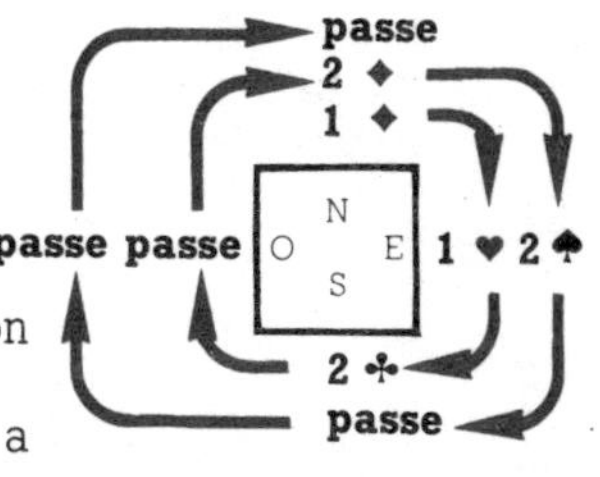

Les différentes enchères effectuées constituent une séquence d'enchères. La séquence d'enchères s'arrête quand la dernière enchère a été suivie de trois "Passe" consécutifs (ou si les 4 joueurs ont passé au départ ; on est alors en présence d'un PASSE GENERAL : il n'y a plus qu'à redistribuer les cartes).
Cette dernière enchère constitue le CONTRAT final, qui détermine l'engagement du camp et ses objectifs au jeu de la carte :

— le camp attaquant est celui du joueur qui a fait la dernière enchère,
— le déclarant est le joueur du camp attaquant qui, le premier, a annoncé la couleur de l'atout, ou Sans Atout, objet du contrat final,
— l'entameur est le joueur placé à la gauche du déclarant.

La première enchère exprimée s'appelle l'OUVERTURE.

Dans notre situation, Nord a ouvert de 1 ♦ Le contrat final est 2 ♠ déclaré par Est.

EXERCICE

Après une séquence d'enchères, déterminer :

- le donneur
- le contrat
- le camp attaquant
- le déclarant
- l'entameur
- le nombre total de levées à réaliser
- éventuellement, l'erreur dans le déroulement des enchères.

1.

N	E	S	O	
Passe	1♥	Passe	2 SA	Donneur :
3♠	3 SA	4♠	Passe	Erreur :
Passe	Passe			Contrat :
				Déclarant :
				Camp attaquant :
				Entameur :
				Nombre de levées :

2.

E	S	O	N	
Passe	1♥	Passe	2♦	Donneur :
Passe	2♣	Passe	3♦	Erreur :
Passe	3♥	Passe	4♣	Contrat :
Passe	Passe	Passe		Déclarant :
				Camp attaquant :
				Entameur :
				Nombre de levées :

3.

O	N	E	S	
1 SA	Passe	2♦	Passe	Donneur :
2♥	Passe	3♠	Passe	Erreur :
4♠	Passe	5♣	Passe	Contrat :
5♥	Passe	5 SA	Passe	Déclarant :
6♦	Passe	6♥	Passe	Camp attaquant :
7♣	Passe	7♠	Passe	Entameur :
Passe	Passe			Nombre de levées :

4.

N	E	S	O	
Passe	Passe	Passe	1 SA	Donneur :
Passe	2♣	Contre	2♥	Erreur :
3♣	Passe	Passe	Contre	Contrat :
Passe	3♥	Passe	Passe	Déclarant :
Passe				Camp attaquant :
				Entameur :
				Nombre de levées :

22.2 pour vérifier vos réponses et commentaires.

II. - LE BUT DES ENCHERES

La détermination du contrat

Toute enchère faite peut constituer un contrat ; mais pour déterminer un contrat satisfaisant, les joueurs ont besoin de renseignements.

Aussi, la séquence d'enchère est un DIALOGUE CODIFIE, chaque enchère devant véhiculer un MESSAGE particulier.

Attention : Le sens d'une enchère doit toujours être précisé dans son contexte, c'est-à-dire dans une séquence donnée.

QUELS SONT LES RENSEIGNEMENTS DONT ON A BESOIN EN PRIORITE ?

Tout d'abord la force du camp. C'est elle qui déterminera le NIVEAU du contrat final, et aussi la possibilité d'enchérir pour obtenir de nouvelles informations sans être trop ''haut''.

Ensuite, la présence ou l'absence d'un fit (misfit). Un fit décelé permet de choisir un atout, alors qu'un misfit conduit à jouer à SA (en général).

En d'autres termes, la SEQUENCE D'ENCHERES est un acte de **communication** visant à **échanger** des informations sur la **force** et sur la **distribution** des deux jeux. Son objectif est la déclaration d'un **contrat final** prenant en compte deux facteurs essentiels : la FORCE COMBINEE en points et en distribution des deux jeux.

Le dialogue entre les deux joueurs d'un même camp a donc un objectif constructif.

Evaluation des mains

La main

1. Evaluation de la force : on compte des points, qui n'ont pas DE RAPPORT AVEC LE RESULTAT DE LA DONNE.
— En l'absence de fit, on compte seulement les points d'Honneur (H) et de Longueur (L).
Le calcul des points de longueur est très simple. Il suffit de compter, dans chaque couleur, un point par carte à partir de la cinquième.
Exemple : si vous avez à Trèfle A V 10 7 5 4, il faut compter 2 points de Longueur (L) : 1 point pour la 5e et 1 point pour la 6e carte.
Donc vous possédez au total 7 HL dans cette couleur (5 H + 2 L).
— En cas de fit, on rajoute alors des points de distribution.
(D) (cf. la leçon n° 15).

2. La distribution : il faut donner une image de la structure de la main. On classe les mains en différents types :

a) mains régulières :

4 3 3 3, 4 4 3 2, 5 3 3 2

b) mains unicolores : mains non régulières comportant une seule couleur d'au moins six cartes sans couleur de quatre cartes à côté.

6 3 2 2, 6 3 3 1, 7 3 2 1, etc.

c) mains bicolores : mains non régulières comportant deux couleurs d'au moins quatre cartes dans la deuxième couleur et au moins cinq cartes dans la première couleur.

5 4 3 1, 5 4 2 2, 5 5 2 1, 6 4 2 1, etc.

d) mains tricolores : trois couleurs d'au moins quatre cartes :

4 4 4 1 ou 5 4 4 0

EXERCICE

Evaluez les mains suivantes en points HL et en points HLD.

1.	2.	3.
♠ D V 10 ♥ A V 8 7 ♦ A D 4 ♣ R 7 4 HL HLD	♠ A D 8 3 2 ♥ V 7 ♦ R D 6 4 ♣ V 2 HL HLD	♠ A R V 7 4 3 ♥ A ♦ D V 10 9 ♣ 8 4 HL HLD
4.	**5.**	**6.**
♠ A R 8 7 6 ♥ — ♦ R D 6 2 ♣ V 7 5 3 HL HLD	♠ D 10 9 2 ♥ V 9 6 5 4 3 ♦ 8 3 ♣ 5 HL HLD	♠ A V 7 5 3 ♥ R D 8 ♦ V 7 2 ♣ 10 5 HL HLD

22.3

Le rapport à la marque

Le contrat à atteindre n'est pas fonction seulement des possibilités du camp. Il dépend aussi de la marque, c'est-à-dire des points accordés à l'un ou l'autre camp en cas de réussite ou d'échec du contrat.

A l'issue de chaque donne, l'un des deux camps marque des points :
— c'est le camp attaquant si le contrat est réussi,
— c'est le camp défenseur si le contrat est chuté.

Les points attribués sont de deux natures :
— les points de prime (voir annexe 1)
— les points de manche ou "points de contrat".

Contrat de manche

Pourquoi les points sanctionnant la réussite du contrat sont-ils appelés points de manche ?
Tout simplement parce que, si le déclarant a demandé et réussi un contrat rapportant au moins 100 de ces points, on dit qu'il a gagné une manche. Celle-ci permet de bénéficier d'une prime importante, dite "prime de manche", ce qui explique que le gain des manches constitue l'objectif prioritaire du jeu.
Pour avoir droit à cette prime de manche, il faut donc que soit demandé et réussi un contrat d'au moins :
— 3 Sans Atout = $(1 \times 40) + (2 \times 30) = 100$ points
— 4 Cœurs ou 4 Piques = $(4 \times 30) = 120$ points (couleurs majeures)
— 5 Trèfles ou 5 Carreaux = $(5 \times 20) = 100$ points (couleurs mineures).

La recherche de LA MANCHE, et particulièrement la Manche en Majeure (♠ ou ♥), sera l'objectif prioritaire du dialogue des enchères.

Remarque :
— Au début de la partie les deux camps sont dits "Non Vulnérable".
— Lorsqu'un camp a réussi une manche, il est dit "Vulnérable".
(Les pénalités qu'il risque en cas de chute deviennent plus importantes ; cf. la marque à la fin du livre.)

CHIFFRES CLES DE MANCHE ET DE CHELEM

Pour déclarer 3 SA, la force combinée doit atteindre 25/26 points HL et + .
Pour déclarer 4 ♥ ou 4 ♠ , la force combinée doit atteindre 26/27 points HLD et + .
Pour déclarer 5 ♣ ou 5 ♦ , la force combinée doit atteindre 29/30 points HLD et + .
Pour déclarer Petit Chelem, la force combinée doit atteindre 33 points HL ou HLD.
Pour déclarer Grand Chelem, la force combinée doit atteindre 37 points HL ou HLD.

LA DONNE COMMENTEE

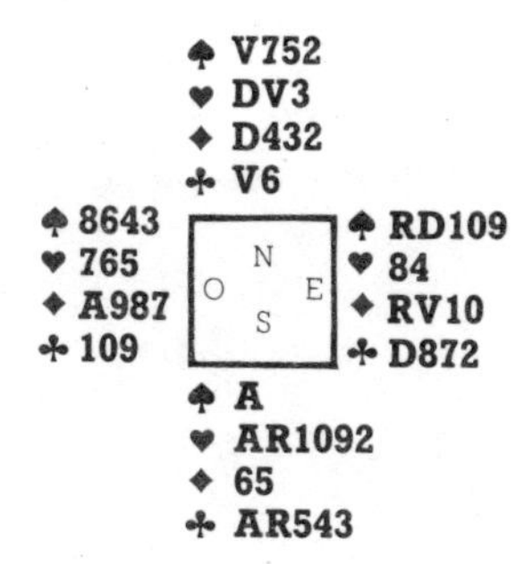

Sud est donneur
1. Trouvez le contrat final.
2. Le déclarant est Sud.
3. Quelle est l'entame ?

Etablissez votre plan de jeu et jouez la donne avant de vérifier sur

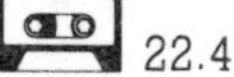 22.4

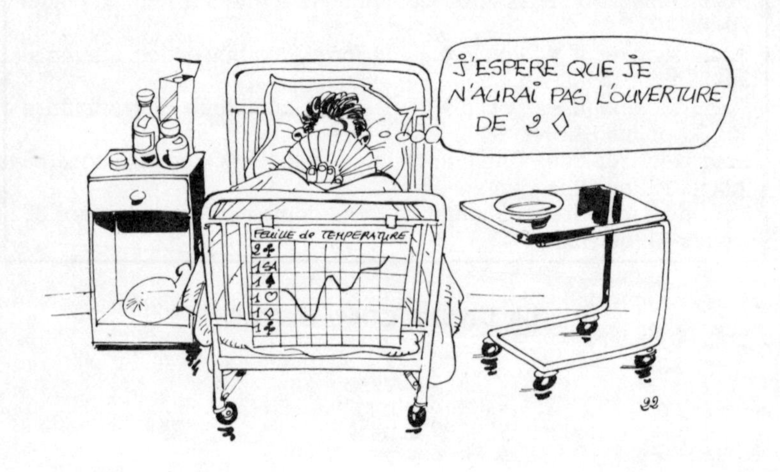
J'ESPERE QUE JE
N'AURAI PAS L'OUVERTURE
DE 2 ◊
FEUILLE de TEMPERATURE
2 ♣
1 SA
1 ♠
1 ♡
1 ◊
1 ♣

LEÇON N° 23
Les ouvertures

I. - LA LOGIQUE DES ENCHERES

Un joueur doit se poser à chaque tour d'enchères la question suivante : "Compte tenu de la force présumée de mon partenaire, est-il raisonnable de continuer à enchérir pour obtenir des renseignements supplémentaires, ou sommes-nous déjà trop haut ?"

La réponse à cette question est fonction de certains paramètres :

1. Le palier de sécurité

Chaque joueur, à son tour d'enchères, indique une zone de force. Le partenaire, compte tenu de sa propre force, peut toujours déterminer la FORCE MINIMUM DU CAMP. Cette force correspond à un palier d'enchère, appelé PALIER DE SECURITE.

 23.1

2. Le plafond

Chaque joueur peut également déterminer la force MAXIMUM du camp, en considérant que son partenaire est maximum et fité. Le palier d'enchère correspondant à cette force est appelé le PLAFOND.

 23.2

3. La décision d'enchérir

Elle dépend essentiellement de la position du palier de sécurité et du plafond par rapport à la manche, et au palier atteint par les enchères.

EXEMPLES :
a) Le palier de sécurité est le palier de 3. Les enchères sont au palier de 1 : on doit continuer à enchérir.
b) Le plafond est situé au palier de 2. Les enchères sont à ce même palier, il est exclu de poursuivre le dialogue.
c) Le problème délicat à résoudre est celui où continuer à enchérir dépasse le palier de sécurité, mais où le plafond dépasse le niveau de la manche. Il faut alors réagir avec circonspection. Tout est affaire de rapport entre le risque énorme (la chute !) et l'espérance de gain (la réussite du chelem).

Les ordres transmis par les enchères

Une fois prise la décision de continuer à enchérir ou d'arrêter le dialogue le plus vite possible, il faut encore transmettre cette décision à son partenaire. C'est pourquoi chaque enchère, en plus de sa signification quant à la force et à la distribution du joueur qui la produit, convoit un ordre concernant la poursuite éventuelle de la séquence.

1 - On peut obliger le partenaire à passer : il s'agira alors d'enchères de conclusion, que l'on utilisera si l'on est en possession d'éléments suffisants pour décider du contrat final, ou si la poursuite du dialogue est trop dangereuse.

Exemple :

N	E	S	O
1 ♥	Passe	Passe	Passe

ou

N	E	S	O
1 SA	Passe	3 SA	Passe

2 - On peut l'obliger à parler : on utilisera alors des enchères FORCING, dans le cas où de nouveaux renseignements sont indispensables, et où l'on ne craint pas que le partenaire dépasse, par une nouvelle enchère, le palier PLAFOND.

3 - Dans les cas où il faut laisser le partenaire décider, on utilisera des enchères PROPOSITIONNELLES, NON FORCING.

Remarque : C'est le joueur du camp qui, à un moment donné de la séquence d'enchères, possède toutes les informations sur la force combinée des deux jeux qui doit prendre la décision du contrat final. Il assure ainsi le capitanat de la donne.

II. - LE SYSTEME NATUREL

On voit qu'il est important de fixer, pour CHAQUE séquence d'enchères :
— la zone de force d'une enchère à un stade donné,
— l'indication de distribution qu'elle transmet,
— le caractère forcing, propositionnel ou d'arrêt de cette enchère.

A partir de principes liés au respect des règles énoncées plus haut, beaucoup d'enchères sont naturellement déterminées. Néanmoins, il est nécessaire d'adopter certaines conventions pour beaucoup de séquences.

L'adoption de ces conventions correspond à l'élaboration d'un système d'enchères.

Tout système d'enchères naturel part des principes suivants :
— l'annonce des couleurs les plus longues est prioritaire,
— l'annonce successive de deux couleurs correspond à une main bicolore,
— tout saut indique un supplément de force par rapport à la même enchère fait au palier inférieur,
— la répétition d'une couleur allonge, en principe, cette couleur d'une carte.

Par contre, du domaine des conventions relèvent, par exemple :
— la valeur de l'ouverture d'un Sans Atout,
— la valeur des ouvertures au palier de 2, etc.

Le système naturel retenu dans la suite du cours sera la majeure cinquième, meilleure mineure.

III. - LES OUVERTURES

Tableau des ouvertures

Définition : l'ouverture est la première enchère autre que Passe.

Points	Distribution	Ouverture
16-17-18 HL	Main régulière 4333 - 4432 - 5332 avec mineure cinquième	1 SA
21-22 HL	Main régulière 4333 - 4432 - 5332 avec mineure cinquième	2 SA
21 à 23 HLD	Main unicolore Belle couleur au moins sixième	2 ♦ - ou 2 ♥ - ou 2♠
13 à 23 HL	Toute distribution avec au moins 5 cartes à ♥ ou à ♠	1 ♥ - ou 1 ♠
	Toute distribution avec au moins 3 cartes à ♣ ou à ♦ : Ouvrir de la mineure la plus longue.	1♣ ou 1 ♦
23 HL et + 24 HLD et +	Toute distribution impérative de manche	2 ♣

Chaque fois que vous le pouvez, respectez les priorités suivantes :
— ouverture précise (1 SA, 2 SA, 2 ♦, 2 ♥, 2♠)
— ouverture de 1 majeure (1 ♥, 1♠)
— ouverture de 1 mineure (1♣ , 1 ♦)

23.3

Quelques principes concernant les ouvertures

1. Les mains 5332 avec une majeure cinquièmes sont régulières, mais ne s'ouvrent pas à 1 ou 2 SA. Elle doivent être ouvertes de 1 dans la majeure.

2. La meilleure mineure s'entend en quantité et non en qualité (concentration d'Honneurs). Il s'agit donc de la mineure la plus longue. En cas d'égalité :
3 Trèfles et 3 Carreaux, on ouvre de 1 Trèfle.
4 Trèfles et 4 Carreaux, on ouvre de 1 Carreau.

3. Pour les ouvertures de 1 à la couleur :
a) ouvrir dans sa couleur la plus longue,
b) à égalité de longueur (5/5 ou 6/6) ouvrir dans sa couleur la plus chère.

Exercices d'ouverture

Evaluez les différentes mains puis fixez-en l'ouverture.

VOUS ETES DONNEUR, QUELLE EST VOTRE OUVERTURE ?

1. ♠ A D 7 4
♥ V 8 2
♦ R D 5
♣ A V 3

2. ♠ A D 8 3
♥ V 7 4 2
♦ R 5 3
♣ A 2

3. ♠ A 8 3
♥ 6 5
♦ V 10 9 8
♣ A R D 4

4. ♠ A D 7 4
♥ D V 2
♦ R D 5
♣ A V 3

5. ♠ A D 7 4 2
♥ R V 8 4 3
♦ A
♣ 6 5

6. ♠ A D V 10 7 3
♥ R 8 5
♦ A 3
♣ A V

7. ♠ A V
♥ R D 10 5
♦ 4
♣ A V 9 8 7 4

8. ♠ R D 5
♥ D V 7
♦ A R 7 4 2
♣ D 5

9. ♠ 3
♥ R 5
♦ R D 6 4 2
♣ A V 7 4 3

10. ♠ A R 3
♥ A D V 4
♦ A R 3
♣ A R 2

11. ♠ A D 7
♥ A V 4 2
♦ R D 6
♣ A V 8

12. ♠ D V 7
♥ R 6 4 2
♦ A 10 7 4
♣ V 2

23.4

LEÇON N° 24

L'ouverture de 1 SA

Réponses quand la manche est exclue

 24.1

I. - L'OUVERTURE DE 1 SA

Définition : une main est dite régulière lorsque sa distribution est :
- soit 4.3.3.3
- soit 4.4.3.2
- soit 5.3.3.2

Remarque : Une main régulière ne comporte ni singleton, ni deux doubletons.

Principe d'ouverture

A RETENIR
L'ouverture de 1 SA promet :
1. une main régulière ne comportant pas de majeure cinquième,
2. une zone de points : 16-18 HL (c'est-à-dire soit 16, soit 17, soit 18 HL).

Seules ces deux conditions sont nécessaires et suffisantes pour ouvrir de 1 SA ; en revanche, il n'est pas nécessaire de posséder un honneur dans chacune des quatre couleurs.

Exemple d'ouverture :

	Main 1	Main 2	Main 3
♠	**A83**	**82**	**832**
♥	**ADV7**	**ADV3**	**ADV**
♦	**AV5**	**AV73**	**AV75**
♣	**D94**	**A76**	**A76**
	1 SA	1 SA : malgré l'absence d'honneur à Pique	1 SA

	Main 4	Main 5
♠	**ADV83**	**8**
♥	**82**	**ADV8**
♦	**AV7**	**AV74**
♣	**A76**	**A732**
	Il faut ouvrir de 1♠ cette main qui comporte une majeure cinquième.	Ouvrez de 1♦ cette main non régulière.

Réponses à l'ouverture de 1 SA

L'ouverture de 1 SA est très précise, en effet, le répondant connaît :
— la distribution de l'ouvreur,

— sa force à deux points près.
De ce fait, le répondant en fonction de sa force, peut déterminer dès l'ouverture si :
— la manche est exclue,
— la manche est envisageable,
— la manche est certaine,
— le chelem est envisageable,
— le chelem est certain.

La décision d'enchérir du répondant tiendra donc compte de sa force en points selon le tableau ci-dessous :

0 à 7 HL	8 HL	9 à 15 HL	16 HL	17 HL
Manche exclue Recherche du moins mauvais contrat partiel	Manche envisageable selon la force de l'ouvreur	Manche certaine	Chelem envisageable selon la force de l'ouvreur	Chelem certain
Arrêt	Proposer la meilleure manche	Imposer la meilleure manche	Proposer le meilleur chelem	Imposer le meilleur chelem

II. - LA MANCHE EST EXCLUE

Lorsque le répondant a 0-7 HL, la manche est exclue puisque la force combinée des deux jeux se situe entre 16 HL (16 + 0) et 23 HL (16 + 7).
Celui-ci doit alors imposer le moins mauvais contrat du camp, c'est-à-dire :
— soit accepter de jouer 1 SA,
— soit préférer un contrat au niveau de deux dans une couleur : c'est une enchère dite de "MISERE".
Dans les deux cas, le contrat final est une partielle. En tout état de cause, l'ouvreur n'a pas le droit de reparler, son ouverture étant une enchère précise et limitée.

A) Les enchères de Misère

Main de Nord

♠ V10987
♥ 3
♦ 5432
♣ 753

Sur l'ouverture de 1 SA de son partenaire, Nord connaît la force combinée des deux mains : 16 HL + 2 HL = 18 HL.
Sans raisonnement, il peut être tenté de passer sur l'ouverture. En

revanche, en ne dissociant pas les enchères du jeu de la carte, il s'aperçoit que, si le contrat est à SA, le déclarant ne pourra jamais remonter au mort, particulièrement si la main de Sud s'apparente à celle-ci :

Ouvreur Sud

♠ **AD**
♥ **A762**
♦ **A86**
♣ **R642**

En effet, il est impossible d'accéder au mort pour :

- faire l'impasse au Roi de Pique,
- jouer vers l'honneur isolé : le Roi de Trèfle.

Si bien qu'il n'aura aucune chance de faire la levée de la Dame de Pique, ni celle du Roi de Trèfle.
Résultat : Trois levées certaines donc 1 SA chute de 4.
Par contre, si Nord choisit le contrat de 2♠ , il aura deux remontées dans sa main (il lui suffit de couper deux Cœurs) pour exécuter les deux impasses et réaliser quatre levées d'atout.
Résultat : 6 ou 7 levées possibles donc 2♠ ne peuvent chuter que de 2 levées, au plus.

De ce fait, le contrat de 2♠ est nettement supérieur au contrat de 1 SA, à la condition bien sûr que la nomination des Piques au niveau de deux interdise à l'ouvreur de reparler : l'enchère de 2♠ est une enchère de MISERE.

En conclusion, dès que le répondant a une couleur au moins cinquième (sauf à Trèfle), il devra faire une enchère de misère dans la couleur qu'il possède, en nommant soit 2♦, soit 2♥, soit 2♠.
Remarque : L'enchère de misère à Trèfle n'existe pas.
La réponse de 2♣ est réservée à une convention (le Stayman) dont l'usage, bien plus fréquent, sera abordé à la leçon 27.

B) Le répondant passe sur 1 SA

Le répondant, sans couleur cinquième doit passer sur l'ouverture.

Exemple N° 1

♠ **832**
♥ **D743**
♦ **98**
♣ **D743**

Le répondant doit passer sur l'ouverture de 1 SA.

Exemple N° 2

♠ **83**
♥ **V74**
♦ **V95**
♣ **D7652**

Le répondant passe sur 1 SA puisqu'il ne peut faire une enchère de misère de 2 ♣

> *PRINCIPE*
> Sur une enchère de misère, l'ouvreur doit systématiquement passer.

24.2

LA DONNE COMMENTEE

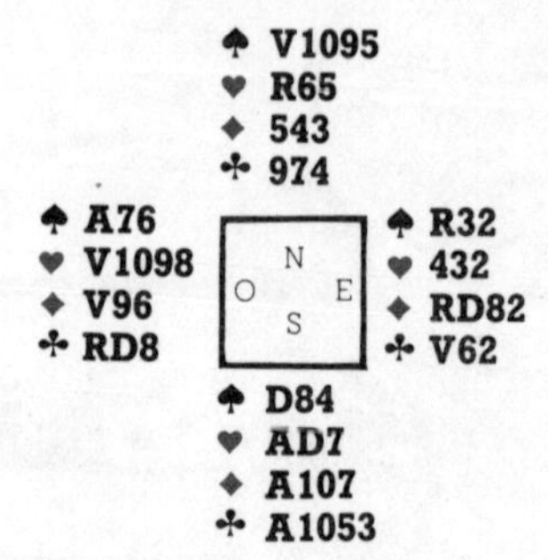

Sud est donneur

1. Faites la séquence d'enchères.
2. Qui est le déclarant ?
3. Quelle est l'entame ?

Etablissez votre plan de jeu et jouez la donne avant de vérifier sur

24.3

LEÇON N° 25
La manche est certaine

 25.1

Sur l'ouverture d'1 SA, le répondant reçoit deux indications précises, lui seul connaît la force combinée des deux mains. Capitaine du camp, il doit obliger son partenaire à jouer la manche, sous réserve de renseignements complémentaires quant à la distribution de l'ouvreur.

> *PRINCIPE*
> Le répondant doit rechercher par ordre de priorité décroissant la manche en majeure, la manche à sans atout, exceptionnellement la manche en mineure.

Remarque : Il est rare que l'on soit amené à rechercher une manche en mineure.
Il faut en effet préférer le contrat de 3 SA, qui ne nécessite que neuf levées, à ceux de 5 Trèfles ou de 5 Carreaux qui en réclament 11.

I. - LE REPONDANT PEUT ANNONCER DIRECTEMENT LA MANCHE DANS UNE MAJEURE AVEC 10 HLD-14 HLD

S	N	ou	S	N
1 SA	4 ♥		1 SA	4 ♠

Pour cette enchère, le répondant doit respecter les trois conditions suivantes :
— il faut un fit au moins huitième dans la majeure. L'ouverture de 1 SA pouvant comporter un doubleton, pour que ce fit huitième existe, le répondant doit posséder au moins six cartes (6 + 2 = 8) dans la couleur ;
— le chelem étant exclu, la main du répondant ne doit donc pas posséder plus de 14 HLD ;
— le palier de sécurité devant être observé, le minimum de points requis est de 10 HLD.

Exemple : main du répondant

	S	N
♠ **AD8743**		
♥ **D53**	**1 SA**	**4 ♠**
♦ **82**		
♣ **75**		
Main de Nord		

Nord dit 4 ♠ car il respecte les conditions :
— 6 cartes à Pique
— 12 HLD

Remarque : Le saut à la manche dans une majeure sur l'ouverture de 1 SA signifie : "Partenaire, les renseignements reçus me suffisent, je conclus à la meilleure manche et vous prie de me faire une entière confiance en passant sur mon enchère quel que soit votre jeu".

II. - LE REPONDANT PEUT ANNONCER DIRECTEMENT UNE MAJEURE CINQUIEME AU NIVEAU DE TROIS

Avec 9 HL et plus, le répondant connaissant la force combinée des deux jeux (16HL + 9HL = 25HL), est assuré de jouer une manche. Lorsqu'il possède une majeure cinquième dans son jeu, la manche dépend du nombre de cartes que possède l'ouvreur dans la majeure du répondant.

De ce fait, le saut dans une majeure au niveau de trois signifie :

1. Partenaire, nous devons jouer au minimum la manche : j'ai au moins 9 HL (enchère illimitée et donc forcing).
2. J'ai au moins cinq cartes dans la majeure nommée.
3. Je vous demande de me renseigner sur un fit éventuel en nommant : 4 de la majeure si nous sommes fités, 3 SA dans le cas contraire.

Exemple 1

Nord	Sud
♠ **A985**	♠ **RV762**
♥ **AD4**	♥ **96**
♦ **A872**	♦ **RV64**
♣ **R8**	♣ **D5**
1 SA	**3 ♠**
?	

L'ouvreur additionne le nombre de Piques promis par son partenaire (5) au nombre de Piques de sa main (4) : 5 + 4 = 9 : fité, il conclut à 4 ♠.

Exemple 2

Main de Nord	Main de Sud
♠ **A73**	♠ **DV8**
♥ **V2**	♥ **RD976**
♦ **A75**	♦ **R94**
♣ **AD863**	♣ **97**
1 SA	**3 ♥**
?	

L'ouvreur compte cinq cartes à Cœur chez son partenaire, deux dans sa main, au total sept cartes à Cœur, en l'absence d'un fit, il dit 3 SA.

Remarque : Les enchères de 3 ♥ ou 3 ♠ étant illimitées en points, peuvent être utilisées, soit pour la recherche d'une manche, soit pour la recherche d'un chelem, si le répondant possède au moins 15 HL.

III. - LE REPONDANT PEUT RECHERCHER UN FIT 4-4 MAJEUR

Cette recherche fera l'objet d'une leçon particulière sur la convention Stayman (leçon 27).

IV. - SANS ESPOIR DE JOUER UN CONTRAT EN MAJEURE, LE REPONDANT PEUT :

— nommer 3 SA si le chelem est exclu,
— conclure à 6 SA si le chelem est certain,
— proposer le chelem grâce à l'enchère de 4 SA si celui-ci est envisageable.

Pour jouer un petit chelem, la force combinée des deux jeux doit être comprise entre 33 HL et 36 HL.
De ce fait :
— le chelem est exclu lorsque le répondant a de 9 HL à 14 HL (en effet, même si l'ouvreur et le répondant sont tous deux au maximum de leur zone, les deux forces combinées ne représentent au mieux que : 18 HL + 14 HL = 32 HL),
— le chelem est quasiment certain lorsque le répondant a 17-18 HL (16 HL chez l'ouvreur et 17 HL chez le répondant suffisent pour parvenir aux 33 HL nécessaires),
— le chelem est donc envisageable lorsque le répondant a 15-16 HL.

a) La réponse de 3 SA signifie :
1. Partenaire, j'ai 9-14 HL, la manche est certaine, le chelem est exclu.
2. Je n'ai aucun espoir de jouer la manche en majeure, j'ai décidé que nous jouerons le contrat de 3 SA et vous prie de bien vouloir accepter ma décision en passant sur mon enchère.

Exemple : main de Sud

Main	Nord	Sud
♠ **82**		
♥ **A76**	**1 SA**	**3 SA**
♦ **9432**	**Passe**	
♣ **ADV8**		

Sans espoir de fit majeur (l'ouvreur de 1 SA déniant une majeure cinquième), Sud conclut, avec 12 HL, à 3 SA.

b) La réponse de 6 SA signifie :
1. Partenaire, j'ai 17-18 HL, nous avons donc les points pour jouer 6 SA.

2. Mon jeu est régulier, sans espoir de jouer un chelem en majeure ou en mineure. Je vous prie donc de bien vouloir accepter ma décision en passant sur mon enchère.

Exemple : main de Sud

♠ **A73**
♥ **AD8**
♦ **AV73**
♣ **R86**

Nord	Sud
1 SA	**6 SA**
Passe	

c) La réponse de 4 SA est quantitative, elle signifie :

1. Partenaire, j'ai 15-16 HL, une main régulière sans autre espoir que de jouer un chelem à SA.

2. Le chelem dépend de la force de votre ouverture et je vous prie de répondre :

— 6 SA : avec 18 HL (18 + 15 = 33 HL)

— 5 SA : avec 17 HL (sur lesquels le répondant dit 6 SA avec 16 HL, Passe avec 15 HL)

— Passe : avec 16 HL (16 + 16 = 32 HL)

Exemple : main de Sud

Main 1

♠ **AD73**
♥ **AD8**
♦ **D1097**
♣ **A3**

S	N
1 SA	**4 SA**
6 SA	

Main 2

♠ **AD73**
♥ **A98**
♦ **D1097**
♣ **A3**

S	N
1 SA	**4 SA**
Passe	

Remarque : Dans un but pédagogique, nous avons volontairement oublié les réponses de 3 Trèfles et 3 Carreaux sur l'ouverture de 1 SA. Celles-ci, rarissimes, ne s'emploient que pour la recherche d'un chelem en mineure. Elles promettent six cartes dans la mineure et au moins 13 HL.

25.2

LA DONNE COMMENTEE

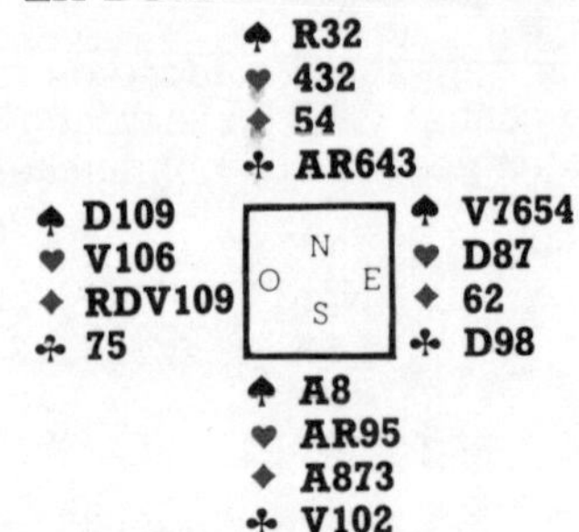

Sud est donneur

1. Faites la séquence d'enchères.
2. Qui est le déclarant ?
3. Quelle est l'entame ?

Etablissez votre plan de jeu et jouez la donne avant de vérifier sur

25.3

LEÇON N° 26
La manche est envisageable

 26.1

Nous avons appris au cours des leçons précédentes que le répondant :
— ne peut espérer jouer la manche dans la zone 0-7 HL,
— sait que la manche est certaine à partir de 9 H et plus.

Lorsque le répondant a 8 HL, la manche dépendra de la force de l'ouvreur. En effet, si l'ouvreur a :
— 16 HL : 16 + 8 = 24 HL : la manche est exclue
— 17 HL : 17 + 8 = 25 HL : la manche est certaine
— 18 HL : 18 + 8 = 26 HL : la manche est certaine

Le répondant aura donc pour mission :
1. de se renseigner sur la force de l'ouvreur,
2. de rechercher le meilleur contrat par ordre de priorité décroissant, c'est-à-dire :
- un contrat en majeure
- un contrat à sans atout.

I. - LE REPONDANT A UNE MAJEURE CINQUIEME

Les enchères au niveau de 2 étant réservées aux mains de 0-7 HL, les enchères au niveau de 3 étant réservées aux mains de 9 HL et plus, le répondant n'a plus d'enchères naturelles à sa disposition pour se décrire et aura alors recours à la convention STAYMAN (voir leçon n° 27).

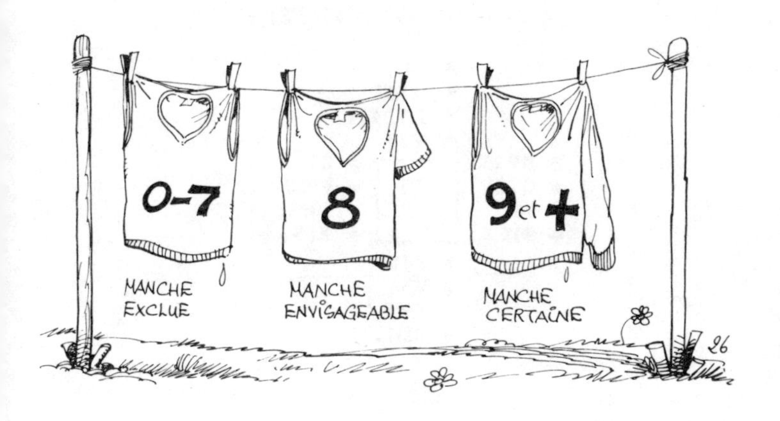

II. - LE REPONDANT A UNE MAJEURE QUATRIEME

Le répondant devra employer la convention STAYMAN (voir leçon n° 27).

III. - LE REPONDANT SANS ESPOIR DE JOUER EN MAJEURE FAIT L'ENCHERE DE 2 SA

La réponse de 2 SA signifie :

1. Partenaire, je n'ai aucun espoir de jouer un contrat en majeure.
2. J'ai 8 HL et ne peut donc décider seul de jouer la manche. Je vous demande donc :

- de passer avec 16 HL
- de dire 3 SA avec 17-18 HL.

Exemple 1

ouvreur	répondant
♠ **AD74**	♠ **82**
♥ **RV62**	♥ **D73**
♦ **A8**	♦ **DV53**
♣ **D73**	♣ **R842**
N	**S**
1 SA	**2 SA**
Passe	

Exemple 2

ouvreur	répondant
♠ **ADV7**	♠ **82**
♥ **AV3**	♥ **D74**
♦ **A82**	♦ **DV54**
♣ **D73**	♣ **R842**
N	**S**
1 SA	**2 SA**
3 SA	**Passe**

LA DONNE COMMENTEE

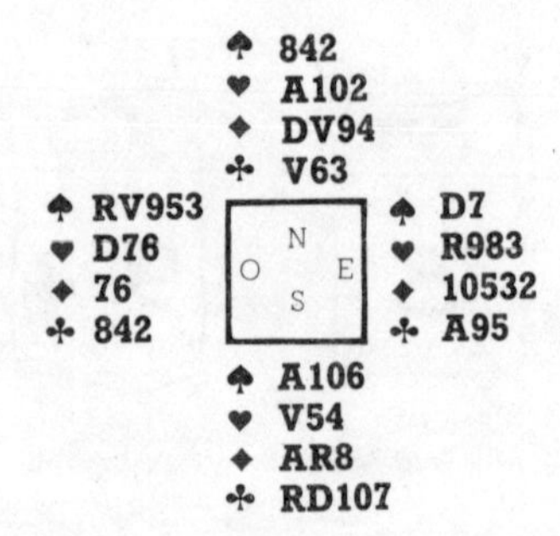

Sud est donneur

1. Faites la séquence d'enchères.
2. Qui est le déclarant ?
3. Quelle est l'entame ?

Etablissez votre plan de jeu et jouez la donne avant de vérifier sur

26.2

LEÇON N° 27
Le Stayman

I. - LE STAYMAN POUR LA RECHERCHE D'UN FIT 4-4 MAJEUR

A) Principe

L'expérience montre qu'avec un fit au moins huitième en majeure et le nombre de points suffisant pour gagner 3 SA (25 HL et plus), il est plus facile de faire dix levées en majeure que neuf à SA. (En effet, la possibilité de coupe ajoutera généralement une ou deux levées supplémentaires).

B) Les raisons de la convention Stayman

Votre main : ♠ **A654**
♥ **R9**
♦ **R762**
♣ **A83**

Votre partenaire ouvre de 1 SA, celui-ci vous promet une distribution régulière avec peut-être une ou deux majeures quatrièmes.
Vous avez quatre cartes à Pique, il est donc possible que votre camp possède un fit huitième dans cette couleur, et sur l'ouverture de votre partenaire, vous pourriez être tenté d'annoncer naturellement vos Piques. Malheureusement tous les paliers d'enchères naturelles à Pique ont déjà leur signification :
— 2 ♠ : enchère de misère, 0-7 HL
— 3 ♠ : au moins cinq cartes, 9 HL et plus
— 4 ♠ : au moins six cartes, 10-14 HLD.

Il est donc impossible de décrire votre jeu naturellement : une convention a été créée pour répondre à ce type de jeu : le 2♣ STAYMAN.

 27.1

Situation :

S	O	N	E
1 SA	–	2 ♣	–

L'enchère de 2♣ dans cette situation est une question posée à l'ouvreur. Elle a perdu son sens naturel et est donc forcing.

Définition du Stayman

La convention 2♣ Stayman est une enchère artificielle demandant à l'ouvreur :
- s'il a une ou deux majeures quatrièmes
- de nommer sa force dans le cas contraire.

Réponses au Stayman

Ouvreur	Répondant
1 SA	2 ♣
?	

L'ouvreur doit répondre à la question posée.
Premier cas : l'ouvreur a une ou deux majeures quatrièmes, il répond alors :

- 2 : j'ai 4 cartes à Cœur, mais pas 4 cartes à Pique
- 2 ♠ : j'ai 4 cartes à Pique, mais pas 4 cartes à Cœur
- 3 ♣ : j'ai 4 cartes à Cœur et 4 cartes à Pique.

Deuxième cas : l'ouvreur n'a pas de majeure quatrième, il doit donc préciser la force de son jeu, en répondant :

- 2 : j'ai 16 HL, sans majeure quatrième
- 2 SA : j'ai 17-18 HL, sans majeure quatrième.

Les conditions du Stayman

Pour faire un Stayman, il faut :

- au moins 8 HL ; en effet, au-dessous le palier de sécurité serait dépassé
- une ou deux majeures précisément quatrièmes.

Remarque : Jouer un contrat en majeure est avantageux lorsque l'on apporte au partenaire des levées de coupe ; dans le cas contraire, il est préférable de jouer un contrat à SA. Conclusion : ne faites pas de Stayman avec une distribution 4.3.3.3.

Attitude du répondant sur la réponse de l'Ouvreur

Sur la réponse de l'ouvreur, le répondant peut conclure, sauf s'il a 8 HL, auquel cas il propose le contrat de 2 SA, 3 ou 3♠ , et l'ouvreur décide suivant sa force.

Ouvreur	Répondant
1 SA	2 ♣
2	2 SA
?	

L'ouvreur sait que son partenaire n'a que 8 HL. Etant donné que pour jouer 3 SA il faut un minimum de 25 HL dans la ligne, il :

- passe avec 16 HL (16HL + 8HL = 24HL)
- conclut à 3 SA avec 17-18 HL (17HL + 8HL = 25HL)

Ouvreur	Répondant
1SA	2 ♣
2	2 SA
?	

L'ouvreur sait que son partenaire n'a que 8 HL sans fit à Cœur. De la même manière que ci-dessus, il :

- passe avec 16 HL
- conclut à 3 SA avec 17-18 HL

Ouvreur	Répondant
1 SA	2 ♣
2	3
?	

L'enchère de 3 du répondant montre un fit à Cœur, et un jeu de 8 HL, l'ouvreur dit :

- passe avec 16 HL
- 4 avec 17-18 HL

Ouvreur	Répondant	
1 SA	2 ♣	En faisant le même raisonnement que dans le cas précédent l'ouvreur dit :
3 ♣	3	• passe avec 16 HL
?		• 4 avec 17-18 HL

27.2

ATTENTION : La recherche d'un fit 4-4 en majeure est prioritaire sur toute autre enchère : la réponse de 3 ♠ sur l'ouverture de 1 SA dénie quatre cartes à Cœur : en effet, le répondant avec quatre cartes à Cœur et cinq cartes à Pique, ou l'inverse, doit faire un Stayman.

II. - LE STAYMAN POUR LA RECHERCHE D'UN FIT 5-3 EN MAJEURE

Lorsque le répondant possède 8 HL et une majeure cinquième, il n'a pas d'enchère naturelle à sa disposition pour se décrire et doit donc utiliser la convention Stayman.

ATTENTION : Le Stayman n'est utilisé avec une majeure cinquième, sans l'autre majeure quatrième, qu'avec 8 HL précisément.

Main du répondant : ♠ **AD872**
83
V74
♣ **762**

1.

Ouvreur	Répondant
1 SA	**2 ♣**
2	**?**

Le répondant dit 2 ♠ , cette enchère signifie :

a) Partenaire, j'ai 8 HL, étant donné que vous n'avez que 16 HL, la manche est maintenant exclue.

b) J'ai cinq cartes à Pique et vous demande donc de :

- passer avec trois cartes à Pique
- dire 2 SA avec deux cartes à Pique.

2. Ouvreur — Répondant

Ouvreur	Répondant
1 SA	**2 ♣**
2 ♥	**?**

Le répondant dit 2 ♠ , cette enchère signifie :
a) Partenaire, j'ai 8 HL.
b) J'ai cinq cartes à Pique, je vous demande :
• si vous avez trois cartes à Pique : de passer avec 16 HL, dire 4 avec 17-18 HL
• si vous n'avez que deux cartes à Pique de dire :
- 2 SA avec 16 HL
- 3 SA avec 17-18 HL.

3.

Ouvreur	Répondant
1 SA	**2 ♣**
2 ♠	**?**

Le répondant dit 3 ♠ , cette enchère signifie :
a) Partenaire, j'ai 8 HL.
b) J'ai quatre ou cinq cartes à Pique, je vous demande donc de :
• passer sur 3 ♠ avec 16 HL
• dire 4 ♠ avec 17-18 HL.

EXERCICES

Faites la séquence complète des jeux avec les mains suivantes :

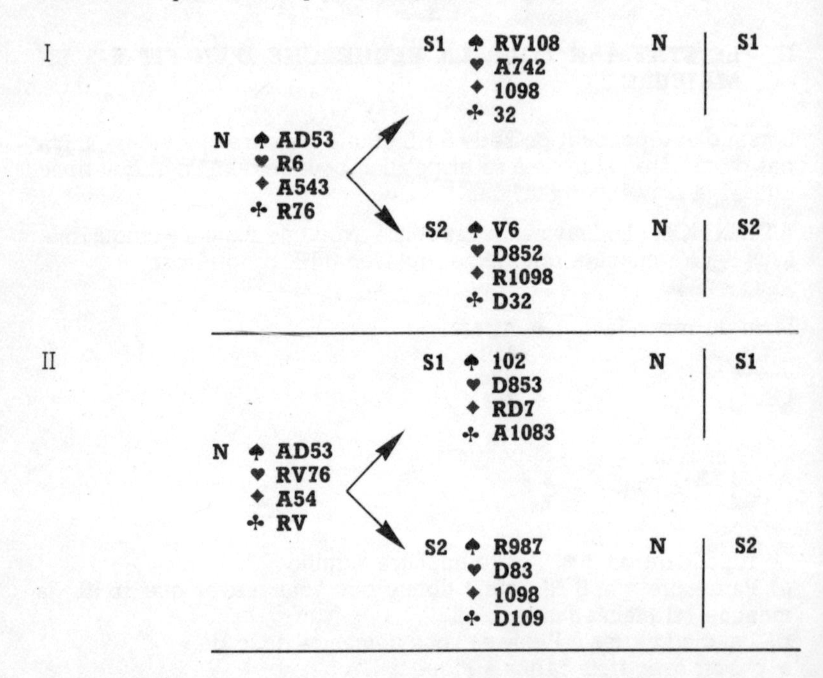

III

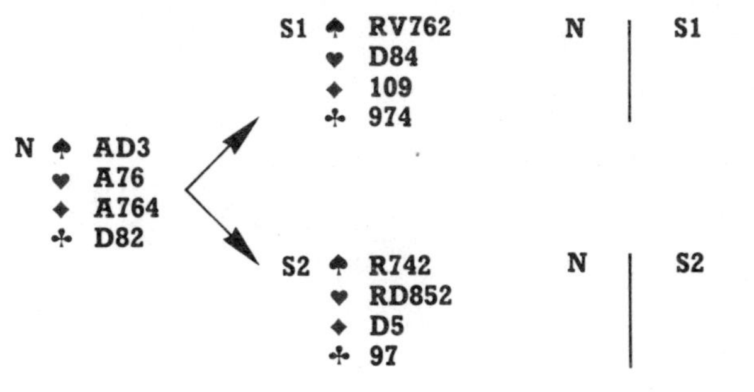

27.3

LA DONNE COMMENTEE

Sud est donneur.

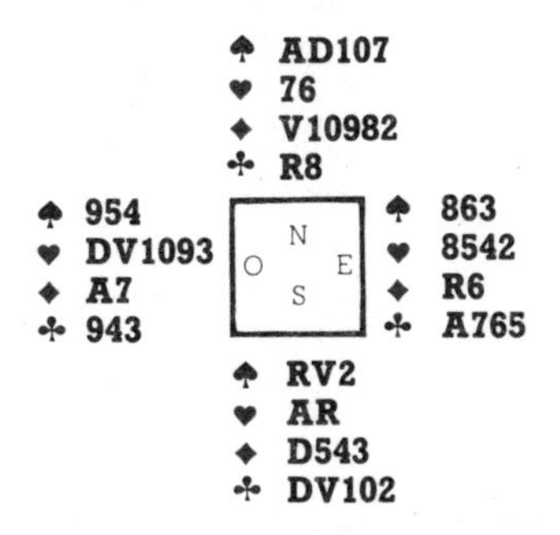

Sud est donneur
1. Faites la séquence d'enchères.
2. Qui est le déclarant ?
3. Quelle est l'entame ?

Etablissez votre plan de jeu et jouez la donne avant de vérifier sur

27.4

♣ ♣ ♣

LEÇON N° 28
Révisions

TABLEAU DES REPONSES SUR L'OUVERTURE DE 1 SA

Réponses	Nombre de points	①	Nombre de cartes	Distribution
Passe	0-7 HL	A	Pas de couleur 5e, peut-être 5 cartes à Trèfle	Imprécise
2 ♣ Stayman	8 HL et +	F	Au moins une majeure 4e	Imprécise sauf 4.3.3.3
2 ♦	0-7 HL	A	Au moins 5 cartes à ♦	Imprécise
2 ♥	0-7 HL	A	Au moins 5 cartes à ♥	Imprécise
2 ♠	0-7 HL	A	Au moins 5 cartes à ♠	Imprécise
2 SA	8 HL	NF	Pas de majeure 4e ou 4.3.3.3	Imprécise
3 ♣	13 HL et +	F	Au moins 6 cartes à ♣	Unicolore
3 ♦	13 HL et +	F	Au moins 6 cartes à ♦	Unicolore
3 ♥	9 HL et +	F	Au moins 5 cartes à ♥, pas 4 cartes à ♠	Imprécise
3 ♠	9 HL et +	F	Au moins 5 cartes à ♠, pas 4 cartes à ♥	Imprécise
3 SA	9-14 HL	NF	Pas de majeure 4e ou 4.3.3.3	Régulière
4 ♥	10-14 HLD	NF	Au moins 6 cartes à ♥, pas 4 cartes à ♠	Irrégulière
4 ♠	10-14 HLD	NF	Au moins 6 cartes à ♠, pas 4 cartes à ♥	Irrégulière
4 SA	15-16 HL	NF	Pas de majeure 5e pas de majeure 4e	Régulière
6 SA	17-18 HL	NF	Pas de majeure 5e pas de majeure 4e	Régulière

① Forcing (F) ou Non Forcing (NF) ou Arrêt (A)

TABLEAU DE REPONSES AU 2 ♣ STAYMAN

Réponses	Significations
2 ♦	Pas de majeure quatrième et 16 HL
2 ♥	4 cartes à Cœur, sans 4 cartes à Pique
2 ♠	4 cartes à Pique, sans 4 cartes à Cœur
2 SA	Pas de majeure quatrième et 17-18 HL
3 ♣	Les deux majeures quatrièmes

Révision 1

Votre partenaire ouvre de 1 SA. Que répondez-vous avec les mains suivantes ?

1. ♠ 732 ♥ D63 ♦ 72 ♣ RV632	11. ♠ 1098 ♥ D6 ♦ V3 ♣ R109642
2. ♠ AD32 ♥ 983 ♦ V74 ♣ V32	12. ♠ A96 ♥ R102 ♦ DV3 ♣ AR109
3. ♠ 9843 ♥ DV63 ♦ 32 ♣ AV5	13. ♠ 10984 ♥ ARV5 ♦ D1032 ♣ 5
4. ♠ RD10872 ♥ 73 ♦ A1062 ♣ 9	14. ♠ A10962 ♥ RV9 ♦ D10 ♣ V75
5. ♠ 987 ♥ A2 ♦ D109872 ♣ 93	15. ♠ AV9 ♥ 98765 ♦ 764 ♣ V2
6. ♠ A92 ♥ RDV32 ♦ D962 ♣ 9	16. ♠ AR7 ♥ DV10 ♦ RV109 ♣ D76
7. ♠ AV73 ♥ D1052 ♦ V42 ♣ D3	17. ♠ 832 ♥ V53 ♦ 1098432 ♣ 4
8. ♠ 87654 ♥ ADV10 ♦ AR7 ♣ 6	18. ♠ DV10984 ♥ R5 ♦ DV2 ♣ V2
9. ♠ AV1093 ♥ R76 ♦ AD ♣ 962	19. ♠ AV8 ♥ RD75 ♦ DV3 ♣ R82
10. ♠ DV3 ♥ R642 ♦ V72 ♣ V84	20. ♠ RV743 ♥ AD842 ♦ 8 ♣ 53

28.1

LEÇONS 29 à 35

L'OUVERTURE DE 1 A LA COULEUR
ET SES REPONSES

29. L'ouverture de 1 à la couleur

30. Les réponses à l'ouverture, le soutien majeur

31. Le soutien mineur

32. Les enchères à SA à saut

33. Les changements de couleur

34. L'enchère de 1 SA

35. Synthèse - Révisions

LEÇON N° 29
Principe de l'ouverture de 1 à la couleur

Lorsque vous ne remplissez pas les conditions d'une ouverture précise au niveau de deux (2♣, 2♦, 2♥, 2♠, 2 SA) ou de 1 Sans Atout, vous devez ouvrir de 1 dans une couleur avec 13 HL et plus. La limite supérieure des points pour une ouverture de 1 à la couleur dépend de la distribution du jeu :
— avec les mains unicolores et régulières, l'ouverture de 1 à la couleur est limitée à 20 HL, puisque avec 21 HL, il faut faire une ouverture précise au niveau de deux (cf. leçons n° 43 et 44) ;
— avec les mains bicolores, elle est limitée à 23 HL (puisque avec 24 HL, il faut ouvrir de 2♣ Albarran : cf. leçon n° 45).

Le choix de la couleur d'ouverture est déterminé par le principe suivant :
• **lorsque vous avez une Majeure au moins cinquième,** ouvrez dans cette Majeure, d'où le nom du système français que vous étudiez : la Majeure Cinquième ;
• **sans Majeure cinquième,** l'ouverture se fera dans la Mineure la plus longue.

I. - LA MAIN DE L'OUVREUR COMPORTE UNE OU DEUX MAJEURES CINQUIEMES

a) **Avec une seule Majeure cinquième,** le principe est simple :
* avec cinq cartes à Cœur : ouvrez de 1♥
* avec cinq cartes à Pique : ouvrez de 1♠

Exemple : l'ouverture de 1♥ se fait avec la main suivante :

♠ 73
♥ AD853
♦ A72
♣ R54

b) **Avec cinq cartes à Cœur et cinq cartes à Pique,** ouvrez de 1♠.

Exemple : ouvrez de 1♠ la main suivante :

♠ AD743
♥ AV862
♦ V2
♣ 3

PRINCIPE A RETENIR
Avec deux couleurs cinquièmes, ouvrez de la couleur la plus chère*.

* Remarque : pour déterminer qu'une couleur est plus chère qu'une autre, vous devez vous souvenir uniquement de l'ordre des couleurs au Bridge : Trèfle, Carreau, Cœur, Pique : les Piques étant plus chers que les Cœurs, avec cinq Cœurs et cinq Piques : ouvrez de 1♠

II. - LORSQUE LA MAIN DE L'OUVREUR NE COMPORTE PAS DE MAJEURE CINQUIEME, OUVREZ DANS LA MINEURE LA PLUS LONGUE

a) **La main comporte une Mineure au moins cinquième**

— **Avec une Mineure cinquième,** vous devez ouvrir :
- de 1♣, avec au moins cinq cartes à Trèfle
- de 1♦, avec au moins cinq cartes à Carreau

Exemple d'ouverture de 1♣ : **♠ D83**
♥ A2
♦ 84
♣ AD8753

— **Avec deux Mineures cinquièmes** (cinq Trèfles et cinq Carreaux), vous devez ouvrir de la couleur la plus chère, c'est-à-dire de 1♦.

Exemple d'ouverture de 1♦ : **♠ 3**
♥ A2
♦ DV842
♣ AD763

b) **La main comporte au moins une Mineure quatrième**

— **Avec une seule Mineure quatrième,** vous devez ouvrir :
- de 1♣, avec quatre cartes à Trèfle
- de 1♦, avec quatre cartes à Carreau

Exemple d'ouverture de 1♦ : **♠ AD83**
♥ 82
♦ AD64
♣ 763

— **Avec deux Mineures quatrièmes,** ouvrez de la mineure la plus chère, c'est-à-dire de 1♦.

c) **La main ne comporte ni Majeure cinquième, ni Mineure quatrième ou plus**

— **Ouvrez en priorité de 1♣,** si vous avez trois cartes à Trèfle.

Exemple d'ouverture de 1♣ : **♠ A763**
♥ A102
♦ AV3
♣ 842

— **Ouvrez de 1♦ dans trois cartes** si vous n'avez que deux cartes à Trèfle.

L'ouverture de 1♦ dans trois cartes est très rare car elle correspond à une seule distribution.

En effet, pour ouvrir de 1♦ dans trois cartes seulement, vous avez obligatoirement deux cartes à Trèfle. Il reste donc huit cartes en Majeure. Etant donné que vous auriez ouvert de 1♥ ou de 1♠ avec cinq cartes à Cœur ou à Pique, vous n'avez ni cinq cartes à Cœur, ni cinq à Pique. En conséquence, vous avez forcément quatre cartes à Cœur et quatre cartes à Pique.

L'ouverture de 1♦ dans trois cartes correspond à la distribution : 4.4.3.2, avec quatre cartes à Pique, quatre cartes à Cœur, trois cartes à Carreau et deux cartes à Trèfle.

Exemple d'ouverture de 1♦ dans trois cartes seulement :

♠ **AD82**
♥ **A764**
♦ **R53**
♣ **97**

> *PRINCIPE A RETENIR*
> Pour ouvrir de 1 à la couleur, choisissez d'ouvrir par ordre de priorité décroissant :
> - dans une Majeure au moins cinquième
> - dans la Mineure la plus longue

Remarque : l'ouverture de 1 à la couleur est très imprécise :
— sur la distribution, puisqu'elle promet simplement un minimum de cartes dans la couleur d'ouverture ;
— sur la zone de points puisqu'elle varie entre 13 HL et 23 HL.

Exemple : l'ouverture de 1♣ promet :
— de 13 à 23 HL
— au moins trois cartes à Trèfle.

LA DONNE COMMENTEE

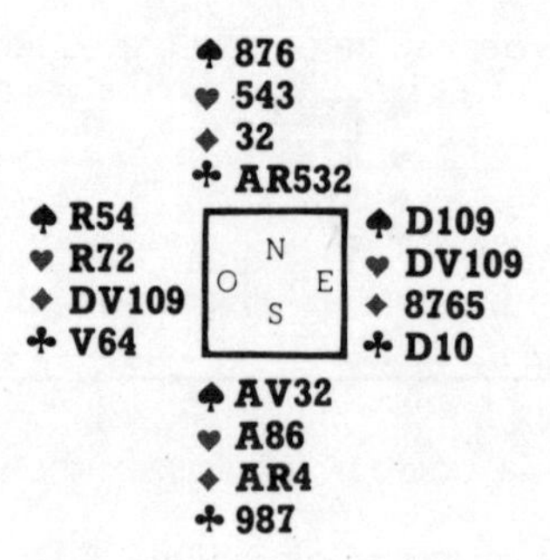

Sud est donneur

1. Faites la séquence d'enchères.
2. Qui est le déclarant ?
3. Quelle est l'entame ?

Etablissez votre plan de jeu et jouez la donne avant de vérifier sur 29.1

LEÇON N° 30
La première enchère du répondant
Les enchères de soutien en majeure

I. - PRINCIPE DE LA PREMIERE ENCHERE DU REPONDANT

Comme l'ouvreur, le répondant peut faire :
1. Des enchères précises en force et en distribution : ce sont les enchères de soutien et les enchères à Sans Atout.
Ces réponses limitées en force (le répondant indiquant le minimum et le maximum de ses points) ne sont pas forcing pour l'ouvreur.
Celui-ci connaissant la force combinée des deux mains, prend le capitanat puisque lui seul connaît les possibilités de son camp, c'est-à-dire si la manche est exclue, possible ou certaine.

2. Les enchères imprécises en force et en distribution (elles sont comparables aux ouvertures de un à la couleur) : ce sont les changements de couleur.
Les changements de couleur sont forcing pour l'ouvreur, celui-ci n'a pas le droit de passer sur la réponse de son partenaire, puisqu'il ne connaît pas la force combinée des deux mains.

Le répondant doit lors de sa première enchère :
1. Passer avec 0-5 HL
2. Soutenir l'ouvreur dans sa Majeure d'ouverture
3. Rechercher un fit majeur en faisant un changement de couleur
4. Soutenir l'ouvreur dans sa mineure d'ouverture
5. Indiquer à l'ouvreur que seul un contrat à Sans Atout lui paraît envisageable.

Pour cela, le répondant doit par ordre de priorité décroissant, en respectant les conditions :
1. Soutenir la Majeure d'ouverture (leçon 30)
2. Soutenir la mineure d'ouverture (leçon 31)
3. Annoncer 2 SA ou 3 SA (leçon 32)
4. Faire un changement de couleur (leçon 33)
5. Faire l'enchère de 1 SA (leçon 34)

II. - LE SOUTIEN

Le soutien est la façon d'exprimer, pour un joueur, qu'il existe un fit au moins huitième dans le camp et donc, qu'un contrat à la couleur peut être envisagé.

Pour exprimer le soutien de la couleur d'ouverture, le répondant fera une enchère dans cette même couleur, à un palier variable selon sa force en points HLD.

EXEMPLES

1

S	O	N	E
1♠	Passe	2♠	

Soutien au palier de 2

2

S	O	N	E
1♥	Passe	3♥	

Soutien au palier de 3

3

S	O	N	E
1♠	Passe	4♠	

Soutien à la manche

A - Principe

L'annonce d'une couleur est toujours une proposition pour jouer le contrat dans cette couleur.
Les ouvertures en mineure et en majeure au niveau de un ne promettant pas le même nombre de cartes, il est donc nécessaire de différencier le soutien d'une ouverture majeure du soutien d'une ouverture mineure.

B - Le soutien d'une ouverture majeure

Nous ne répéterons jamais assez le principe suivant : la recherche d'un contrat se fait dans l'ordre de priorité décroissant :
1. contrat en majeure
2. contrat à Sans Atout
3. contrat en mineure

Le soutien d'une ouverture majeure est donc prioritaire sur toute autre enchère.
Pour jouer un contrat à la couleur, il faut être assuré d'un minimum de huit atouts dans la ligne : l'ouverture d'une majeure promettant un minimum de cinq cartes, le répondant aura besoin d'un minimum de trois cartes pour soutenir l'ouvreur.
Dès que le fit est connu, la force combinée des deux mains prend une valeur supplémentaire du fait de l'apparition des levées de coupe ; il est donc normal que le répondant et l'ouvreur réévaluent chacun leur jeu en comptant les points de distribution.

Rappel. Les points de distribution (D) sont comptés de la manière suivante :
- dans les couleurs courtes : chicane : 3 D ; singleton : 2 D ; doubleton : 1 D
- dans la couleur d'atout : 1 D par atout à partir du neuvième atout.

> *PRINCIPE*
> Pour gagner une manche en majeure, la force combinée des deux mains doit être d'au moins 27 HLD.

1. Les conditions du soutien
Le répondant précise sa force suivant les différents paliers de soutien :

— **le soutien simple au niveau de 2** (ouvreur : 1♠, répondant : 2♠), promet :
- au moins trois cartes dans la couleur d'ouverture
- 6-10 HLD

EXEMPLE
Main du répondant : ♠ **A654**
♥ **62**
♦ **R972**
♣ **872**

Sur l'ouverture de 1♠, le répondant a 4 atouts ; pour soutenir il compte ses points HLD, il a : 7 H, 0 L, 2 D (1 D pour le quatrième atout - c'est-à-dire le neuvième de son camp - et 1 D pour le doubleton). Le soutien à 2♠ est convenable avec 9 HLD.

— **le soutien au niveau de 3** (ouvreur : 1♥, répondant : 3♥), promet :
- au moins trois cartes dans la majeure d'ouverture
- 11-12 HLD

EXEMPLE
Main du répondant : ♠ **A2**
♥ **AD74**
♦ **843**
♣ **7653**

Sur l'ouverture d'1♥, le répondant avec 4 atouts peut soutenir. Il réévalue donc son jeu en comptant les points D : 1 D pour le quatrième atout, 1 D pour le doubleton.
Avec 12 HLD, le soutien à 3♥ est convenable.

REMARQUE : Le bridge actuel de compétition réserve le soutien au niveau de trois aux mains comportant au moins quatre atouts (et non trois), ce qui complique beaucoup le développement des enchères pour les mains fitées seulement avec trois atouts.
Dans un souci pédagogique et afin de vous permettre de jouer dans la majorité des cas un contrat sain, nous avons décidé de vous permettre de soutenir au niveau de trois avec seulement trois cartes.

— **le soutien au niveau de 4** (ouvreur : 1♠, répondant : 4♠).

Pour soutenir au niveau de 4, il est nécessaire d'avoir quatre atouts ; la force combinée des deux mains, sur cette séquence d'enchères, sera parfois proche des points requis pour jouer un chelem, l'ouvreur aura ainsi l'assurance d'un fit au moins neuvième (donc des possibilités de coupe supplémentaires).

Le soutien au niveau de 4 (ouvreur : 1♠, répondant : 4♠), promet donc :
- au moins quatre cartes dans la couleur d'ouverture
- 13-14HLD

EXEMPLE
Main du répondant : **♠ AD84**
♥ A652
♦ 8753
♣ 8

Sur l'ouverture d'1♠, le répondant avec 4 atouts peut soutenir.
Il réévalue son jeu en comptant les points : 1 D (pour le quatrième atout), 2 D (pour le singleton).
Avec 13 HLD, le soutien à 4♠ est convenable.

2. La deuxième enchère de l'ouvreur après un soutien
Les soutiens du répondant sont des enchères précises en force et ne sont donc pas forcing pour l'ouvreur.
L'ouvreur connaissant la force combinée des deux mains, décidera du palier du contrat dans la majeure fitée.

1.

Ouvreur	Répondant
1♥	2♥
?	

Le répondant a limité sa force à 6-10 HLD
Sachant que pour jouer :
- 4♥, il faut un minimum de 27 HLD dans la ligne
- 6♥, il faut un minimum de 33 HLD dans la ligne,

l'ouvreur doit :
- dire 4♥ avec 21-22 HLD
- passer avec 12-16 HLD (16 HLD + 10 HLD ne feront jamais 27 HLD)
- dire 3♥ avec 17-20 HLD, cette enchère propose au répondant de jouer la manche s'il est maximum de l'enchère de 2♥ ; celui-ci doit :
  * passer avec 6-8 HLD
  * nommer la manche avec 9-10 HLD (voir exemple 2).

EXEMPLE 1

Main de l'ouvreur :	Main de l'ouvreur :
♠ AD843	**♠ AD843**
♥ A72	**♥ AR2**
♦ R93	**♦ AD8**
♣ 82	**♣ 82**

Ouvreur	Répondant	Ouvreur	Répondant
1♠	2♠	1♠	2♠
Passe		4♠	Passe

EXEMPLE 2

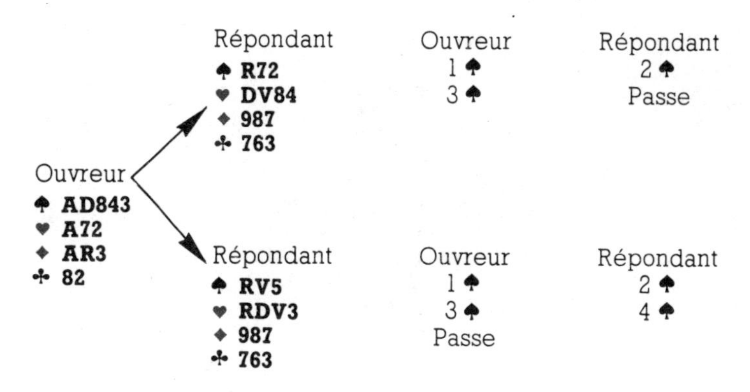

2.

Ouvreur	Répondant
1♥	3♥
?	

Le répondant a limité sa main à 11-12 HLD.
Sachant que pour jouer 4♥, la force combinée des deux mains doit être au minimum de 27 HLD, l'ouvreur :

- passe avec 13-14 HLD
- dit 4♥ avec 15 HLD et plus (bien sûr, avec 21 HLD et plus, il faut envisager un chelem).

3.

Ouvreur	Répondant
1♥	4♥
?	

L'ouvreur passe la plupart du temps, sauf avec des ambitions de chelem ; il fera alors des enchères de chelem (voir leçon 53 sur les enchères de chelem).
Pour jouer un chelem, il faut un minimum de 33 HLD dans la ligne, donc l'ouvreur pour espérer un chelem doit avoir un minimum de 20 HLD, le répondant ayant promis au moins 13 HLD.

> *PRINCIPE A RETENIR*
> Après l'annonce d'un fit dans une couleur, il est impossible de chercher un fit dans une autre couleur.

LA DONNE COMMENTEE

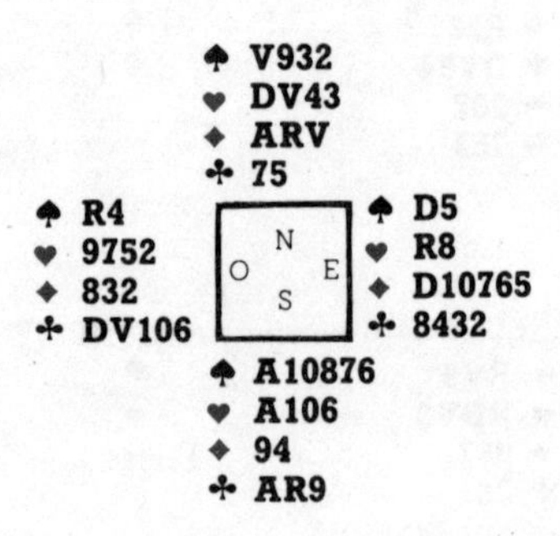

Sud est donneur

1. Faites la séquence d'enchères.
2. Quelle est l'entame ?

Etablissez votre plan de jeu et jouez la donne avant de vérifier sur

30.1.

LEÇON N° 31
Le Soutien Mineur

L'ouverture d'une couleur mineure ne promettant qu'un minimum de trois cartes, le répondant pour soutenir doit avoir au moins cinq cartes.
Le répondant doit donner le soutien direct dans une mineure avec beaucoup de prudence, car une fois ce soutien donné, il sera impossible de rechercher un fit majeur.
L'ouverture d'1 ♣ ou d'1 ♦ ne dénie pas l'existence d'une majeure quatrième, donc le répondant avec une ou deux majeures quatrièmes dans son jeu doit, avant de soutenir en mineure, rechercher en priorité un éventuel fit 4-4 dans sa (ou ses) majeure(s), même si celle(s)-ci ne comporte(nt) aucun honneur.

Conditions du soutien mineur :

— le soutien simple au niveau de 2 (1♣ , 2♣), promet :
- au moins cinq cartes
- 6-10 HLD

dénie : une majeure quatrième.

Mains du répondant :

1	2
♠ 972 ♥ 83 ♦ 765 ♣ AD876	♠ 9872 ♥ 83 ♦ 76 ♣ AD876

Ouvreur	Répondant	Ouvreur	Répondant
1♣	2♣	1♣	1♠

— le soutien au niveau de 3 (1♦ , 3♦), promet :
- au moins cinq cartes
- 11-12 HLD

dénie : une majeure quatrième.

— le soutien au niveau de 4 (1♦ , 4♦)

Le répondant doit être très prudent pour soutenir au niveau de 4. En effet, ce soutien enlève la possibilité de jouer 3 SA et implique une main très irrégulière avec un minimum de six cartes dans la mineure.

Ce soutien promet :

- au moins six cartes
- un singleton ou une chicane
- 13-14 HLD

dénie : une majeure quatrième.

Sur 1 ♦ , le répondant soutient à 4 ♦ avec la main suivante :

EXEMPLES

Que répondez-vous sur l'ouverture de 1 ♦ de votre partenaire avec les deux jeux suivants ?

Main n° 1 :

♠ V6
♥ V87
♦ AD832
♣ R43

Faites un soutien à 3 ♦ , car
— vous n'avez pas de Majeure au moins quatrième
— vous êtes fité avec cinq cartes
— vous avez 11 HLD.

Main n° 2 :

♠ V1053
♥ 98
♦ AD832
♣ R2

Vous ne pouvez soutenir l'ouvreur, car vous avez quatre cartes à Pique, il faut donc répondre 1 ♠ .

LA DONNE COMMENTEE

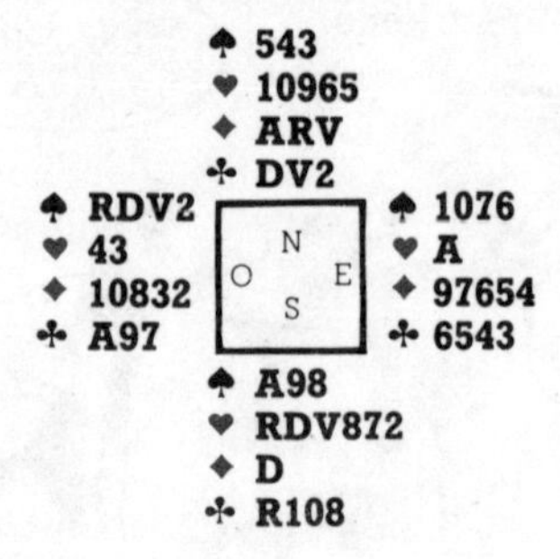

Sud est donneur

1. Faites la séquence d'enchères.
2. Quelle est l'entame ?

Etablissez votre plan de jeu et jouez la donne avant de vérifier sur

 31.1.

LEÇON N° 32
Les réponses de 2 et de 3 SA sur l'ouverture de 1 à la couleur

Les réponses de 2 et de 3 SA sur l'ouverture de 1 à la couleur sont très précises en force et en distribution.
Elles dénient toutes deux la possibilité d'annoncer une majeure quatrième au niveau de un pour la recherche d'un fit 4-4 en majeure.

I. - LA REPONSE DE 2 SA SUR UNE OUVERTURE DE UN A LA COULEUR

La réponse de 2 SA :
1 - **promet :**
- une distribution 4.3.3.3 ou 4.4.3.2
- 11-12 HL

2 - **dénie :**
- le fit dans la couleur d'ouverture
- une majeure quatrième déclarable au niveau de 1

3 - **ne dénie pas :**
- quatre cartes à Cœur sur l'ouverture d'1 ♠.

En effet, la réponse de 2♥ sur l'ouverture d'1 ♠ promet au moins cinq cartes à Cœur. Donc pour pouvoir annoncer sur l'ouverture d'1♠ , son jeu régulier de 11-12 HL, le répondant peut répondre 2 SA avec ou sans quatre cartes à Cœur.

Main du répondant n° 1 :

♠ D97
♥ D76
♦ R84
♣ A983

Ouvreur	Répondant
1♣	?

Le répondant ne pouvant soutenir l'ouvreur, respecte l'ordre de priorité décroissant des réponses qu'il peut faire. Il dispose des conditions requises pour dire 2 SA, c'est-à-dire :
- une distribution 4.3.3.3
- 11 HL
- l'absence de majeure déclarable au niveau de un.

Il peut donc faire l'enchère de 2 SA.

Main du répondant n° 2 :

♠ AD84
♥ R72
♦ D86
♣ 743

Séquence n° 1

Ouvreur	Répondant
1♠	?

Le répondant doit soutenir en priorité la majeure d'ouverture. Avec 12 HLD, il déclare 3 ♠.

	Séquence n° 2	
	Ouvreur	Répondant
	1♦	?

Le répondant ne doit ni soutenir l'ouverture, ni annoncer 2 SA puisqu'il a une majeure quatrième déclarable au niveau de 1 : il répond simplement 1♠.

Main du répondant n° 3 :

	Ouvreur	Répondant
♠ **A7**		
♥ **A872**	1♠	?
♦ **R842**		
♣ **V43**		

Le répondant ne pouvant soutenir l'ouverture, les conditions pour répondre 2 SA sont remplies :
- une distribution 4.4.3.2
- 11 HL
- pas de majeure quatrième déclarable au niveau de 1.

En conclusion, il dit 2 SA.

II. - LA REPONSE DE 3 SA SUR L'OUVERTURE DE UN A LA COULEUR

Cette réponse doit satisfaire aux mêmes conditions que la réponse de 2 SA, à savoir :
- une distribution 4.3.3.3 ou 4.4.3.2
- 13-14 HL
- pas de fit dans la couleur d'ouverture
- pas de majeure quatrième déclarable au niveau de 1.

Main du répondant

	Ouvreur	Répondant
♠ **A72**		
♥ **AD8**	1♣	?
♦ **A862**		
♣ **973**		

Le répondant ne pouvant soutenir l'ouvreur, répond 3 SA puisque son jeu respecte les conditions de cette réponse.

REMARQUE : Avec un minimum de 13 HL, le répondant est assuré de ne pas dépasser le palier de sécurité puisque l'ouvreur a un minimum de 12 HL : 13 HL + 12 HL = 25 HL, nombre de points suffisant pour nommer la manche directement.

REMARQUE : Les réponses de 2 SA et 3 SA sont très précises; en effet, l'ouvreur connaît :
- la distribution du répondant
- la force du répondant à un point près.

Comme toute enchère précise, ces deux réponses ne sont pas forcing; l'ouvreur devient alors le capitaine de son camp, puisque lui seul possède les éléments lui permettant de prendre la décision de choix du contrat final.

LA DONNE COMMENTEE

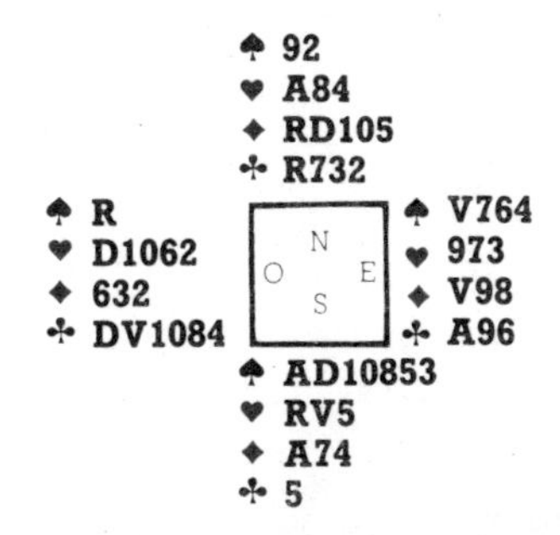

Sud est donneur
1. Faites la séquence d'enchères.
2. Quelle est l'entame ?

Etablissez votre plan de jeu et jouez la donne avant de vérifier sur

 32.1.

LEÇON N° 33
Les réponses en changement de couleur

I - PRINCIPE

Lorsque la main du répondant ne remplit pas les conditions requises pour faire les réponses précises que vous connaissez (soutien, 2 SA, 3 SA), il doit envisager d'annoncer sa couleur la plus longue dans le but de proposer à l'ouvreur de jouer dans cette couleur.
Suivant la hauteur de la couleur d'ouverture, le déclarant annoncera sa couleur sans faire de saut :
- soit au niveau de 1
- soit au niveau de 2

Exemple : supposons que la couleur longue du répondant soit à Carreau :
* sur l'ouverture de 1♣, le répondant dira 1♦
* sur l'ouverture de 1♠, le répondant est obligé de dire 2♦.

Il existe donc deux catégories de changement de couleur sans saut :
— le changement de couleur un sur un (ouvreur : 1♣, répondant : 1♠), promet :
  - au moins quatre cartes dans la couleur annoncée
  - au moins 6 HL

Le changement de couleur un sur un étant une réponse imprécise en force et en distribution, est forcing.

— le changement de couleur deux sur un sans saut (ouvreur : 1♠, répondant : 2♣), promet :
  - au moins quatre cartes dans la mineure annoncée
  - au moins cinq cartes à Cœur sur l'ouverture de 1♠
  - au moins 11 HL

Le changement de couleur deux sur un étant illimité en points, et assurant un minimum de 24 HL dans le camp, est AUTOFORCING : c'est-à-dire que le répondant s'engage à reparler, quelle que soit la réponse de l'ouvreur.

II. - CHOIX DE LA COULEUR DE REPONSE

1. Le répondant a une seule couleur

Pour l'annoncer, il devra respecter les conditions nécessaires pour faire un changement de couleur.

Mains du répondant :

Exemple 1 :

Main	Ouvreur	Répondant
♠ **R72**		
♥ **AD63**	1♦	?
♦ **984**		
♣ **943**		

Le répondant ne pouvant pas faire les réponses précises de soutien à 2 ou 3 SA, dit 1♥ :
- au moins 6 HL
- au moins 4 cartes à Cœur

Exemple 2 :

	Ouvreur	Répondant
♠ **94**		
♥ **A86**	1 ♦	?
♦ **653**		
♣ **AV854**		

Le répondant ne pouvant ni soutenir, ni annoncer 2 SA ou 3 SA, examine la possibilité de faire un changement de couleur à Trèfle. Pour cela, il serait obligé sur l'ouverture d'1 ♦ d'annoncer 2 ♣. Or, avec 9 HL, il est absolument interdit de faire un changement de couleur deux sur un; il devra donc envisager une autre réponse (voir leçon 34).

Exemple 3 :

	Ouvreur	Répondant
♠ **RD3**		
♥ **ADV7**	1 ♣	?
♦ **A84**		
♣ **R72**		

Le répondant ne pouvant ni soutenir, ni annoncer 2 SA ou 3 SA, examine alors les conditions d'un changement de couleur sans saut. Pour dire 1 ♥, il faut :

- au moins 6 HL (le répondant ayant 19 HL, cette condition est respectée)
- au moins quatre cartes à Cœur (c'est le cas)

Les deux conditions d'un changement de couleur 1 sur 1 étant respectées : le répondant dit 1 ♥.

2. Le répondant a plusieurs couleurs déclarables

Les principes à respecter sont les suivants :

a) Avec deux couleurs d'inégales longueurs, le répondant annonce en priorité la plus longue.

♠ **AD84**
♥ **84**
♦ **D8752**
♣ **82**

Sur l'ouverture d'1 ♣, le répondant avec 5 cartes à Carreau et 4 cartes à Pique, dit 1 ♦ promettant ainsi :

- au moins 6 HL
- au moins 4 cartes à Carreau

Sur l'ouverture d'1 ♥, le répondant devrait monter au palier de deux pour annoncer ses Carreaux, ce qu'il ne peut pas faire puisque le changement de couleur au niveau de deux nécessite au moins 11 HL. En revanche, il peut nommer les Piques au niveau de 1, l'enchère de 1 ♠ promettant :

- au moins 6 HL
- au moins quatre cartes à Pique

b) Avec deux couleurs cinquièmes, le répondant doit annoncer la couleur la plus chère en priorité.

♠ **AD875**
♥ **AV732**
♦ **84**
♣ **2**

Sur l'ouverture d'1 ♣ (ou de 1 ♦), le répondant dit 1♠, promettant ainsi :
- au moins quatre cartes à Pique
- au moins 6 HL

REMARQUE : Dans l'ordre hiérarchique des couleurs (♣, ♦, ♥, ♠), les Piques sont plus chers que les Cœurs sur l'ouverture d'1 ♣ ou d'1 ♦.

c) Avec deux couleurs quatrièmes, le répondant doit annoncer la couleur la moins chère en priorité.

♠ AD84
♥ 87
♦ AV85
♣ 985

Avec quatre Carreaux et quatre Piques, après l'ouverture d'un Trèfle, la couleur la moins chère est Carreau. En revanche, après l'ouverture d'un Cœur, les Piques deviennent la couleur la moins chère :

Donc :
- sur 1 ♣ le répondant dit 1 ♦
- sur 1 ♥ le répondant dit 1 ♠

PRINCIPE A RETENIR
1. Le changement de couleur un sur un est forcing et montre au moins 6 HL sans limite supérieure.
2. Le changement de couleur deux sur un sans saut est autoforcing et montre 11 HL et plus.

REMARQUE : Dans un souci pédagogique, nous n'étudierons pas les changements de couleur avec saut; ils sont d'ailleurs peu fréquents.

EXERCICE

Votre partenaire ouvre de 1♣, que répondez-vous avec les jeux suivants ?

Votre main	Votre main
1 ♠ **R962** ♥ **V103** ♦ **D52** ♣ **983**	**4** ♠ **RV765** ♥ **V963** ♦ **A10** ♣ **95**
2 ♠ **96** ♥ **RV102** ♦ **DV109** ♣ **765**	**5** ♠ **R62** ♥ **D73** ♦ **V98** ♣ **AV107**
3 ♠ **RD106** ♥ **V6543** ♦ **A10** ♣ **93**	**6** ♠ **R62** ♥ **RD2** ♦ **D76** ♣ **DV93**

 33.1

LEÇON Nº 34
L'enchère de 1 SA

La réponse de 1 SA s'utilise en dernier ressort lorsque la main du répondant ne remplit pas les conditions pour faire
- des enchères précises (soutien, 2 SA ou 3 SA),
- des enchères imprécises (les changements de couleur).

La réponse de 1 SA correspond donc à des distributions très variables.
Bien que totalement imprécise sur la distribution du répondant, elle limite sa main à 6-10 HL ; c'est donc une enchère non forcing.

Exemples :

♠ 8
♥ ADV74
♦ 65432
♣ 82

Sur l'ouverture de 1♠, le répondant ne peut :
- ni soutenir
- ni annoncer 2 SA ou 3 SA
- ni dire 2♥ avec seulement 9 HL

Il ne pourra donc que dire 1 SA.

♠ A73
♥ 842
♦ D64
♣ D642

Sur l'ouverture de 1♣ ou 1♦, le répondant répond 1 SA.

♠ 84
♥ 2
♦ 862
♣ AD85432

Sur l'ouverture de 1♦, 1♥ ou 1♠, le répondant n'a pas assez de points pour dire 2♣, il dira également 1 SA.

> *PRINCIPE A RETENIR*
> La réponse de 1 SA est non forcing. Elle promet 6-10 HL. La distribution de la main est très imprécise.

REMARQUE : Sur l'ouverture de 1♣, la réponse de 1 SA promet 8-10 HL.

EXERCICE

Vous êtes assis en Nord, que répondez-vous avec les mains suivantes sur l'ouverture de votre partenaire (Sud) ?

Main de Nord — Séquence d'enchères

1.
♠ D1097
♥ R82
♦ A754
♣ V3

S	O	N	E
1♠	Passe	?	

2.
♠ A876
♥ 82
♦ RD63
♣ V72

S	O	N	E
1♥	Passe	?	

3.
♠ 82
♥ AD63
♦ V732
♣ 654

S	O	N	E
1♠	Passe	?	

4.
♠ V83
♥ R874
♦ D642
♣ D6

S	O	N	E
1♣	Passe	?	

5.
♠ 1092
♥ D83
♦ 86
♣ RD875

S	O	N	E
1♣	Passe	?	

6.
♠ D1092
♥ 82
♦ 86
♣ RD875

S	O	N	E
1♦	Passe	?	

7.
♠ D1092
♥ 83
♦ RD875
♣ 86

S	O	N	E
1♦	Passe	?	

8.
♠ V62
♥ D10976
♦ V97
♣ 42

S	O	N	E
1♥	Passe	?	

34.1

LA DONNE COMMENTEE

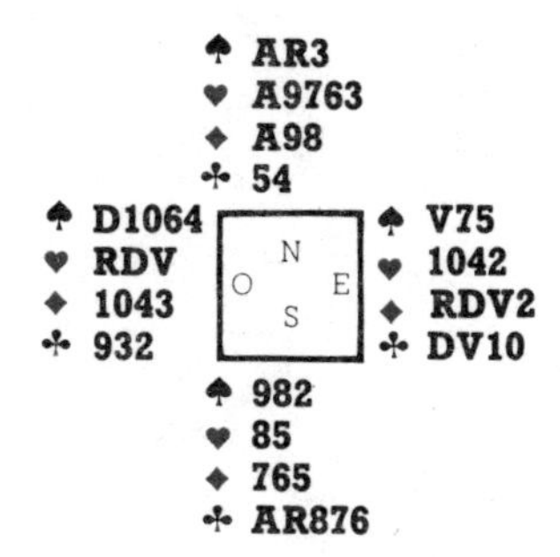

Sud est donneur
1. Faites la séquence d'enchères.
2. Quelle est l'entame ?

Etablissez votre plan de jeu et jouez la donne avant de vérifier sur

 34.2

LEÇON N° 35
Révisions

SYNTHESE DES REPONSES APRES OUVERTURE DE 1 A LA COULEUR

Signification des différentes réponses sur l'ouverture d'1 ♣

Réponses	Forcing (F) Non Forcing (NF)	Nombre de points	Nombre de cartes	Distribution
Passe		0-5 HL		
1 ♦	F	Au moins 6 HL	Au moins 4 cartes à ♦	Imprécise
1 ♥	F	Au moins 6 HL	Au moins 4 cartes à ♥	Imprécise
1 ♠	F	Au moins 6 HL	Au moins 4 cartes à ♠	Imprécise
1 SA	NF	6-10 HL	Dénie une (ou deux) Majeure quatrième	Imprécise
2 ♣	NF	6-10 HLD	Au moins 5 cartes à ♣	Imprécise
2 SA	NF	11-12 HL	Pas de majeure 4e ou plus	Régulière
3 ♣	NF	11-12 HLD	Au moins 5 cartes à ♣	Irrégulière
3 SA	NF	13-14 HL	Pas de majeure 4e ou plus	Régulière
4 ♣	NF	13-14 HLD	Au moins 6 cartes à ♣	Irrégulière

Signification des différentes réponses sur l'ouverture d'1 ♥

Réponses	Forcing (F) Non Forcing (NF) Autoforcing (AF)	Nombre de points	Nombre de cartes	Distribution
Passe		0-5 HL		
1 ♠	F	Au moins 6 HL	Au moins 4 cartes à ♠	Imprécise
1 SA	NF	6-10 HL	Pas 4 cartes à ♠	Imprécise
2 ♣	AF	11 HL et +	Au moins 4 cartes à ♣	Imprécise
2 ♦	AF	11 HL et +	Au moins 4 cartes à ♦	Imprécise
2 ♥	NF	6-10 HLD	Au moins 3 cartes à ♥	Imprécise
2 SA	NF	11-12 HL	Pas 4 cartes à ♠	Régulière
3 ♥	NF	11-12 HLD	Au moins 3 cartes à ♥	Imprécise
3 SA	NF	13-14 HL	Pas 4 cartes à ♠	Régulière
4 ♥	NF	13-14 HLD	Au moins 4 cartes à ♥	Imprécise

REMARQUE : La force des enchères de soutien est comparable à celle des enchères à Sans Atout. (cf. tableau de la page suivante).

COMPAREZ

Ouvreur	Répondant		
1 ♥	2 ♥	montre	6-10 HLD
Ouvreur	Répondant		
1 ♥	1 SA	montre	6-10 HL
Ouvreur	Répondant		
1 ♥	3 ♥	montre	11-12 HLD
Ouvreur	Répondant		
1 ♥	2 SA	montre	11-12 HL
Ouvreur	Répondant		
1 ♥	4 ♥	montre	13-14 HLD
Ouvreur	Répondant		
1 ♥	3 SA	montre	13-14 HL

EXERCICE

Vous êtes assis en Nord, votre partenaire (Sud) ouvre, que répondez-vous ?

Main de Nord — Séquence d'enchères

1.
♠ **D32**
♥ **AD8**
♦ **RV7**
♣ **V1042**

S	O	N	E
1 ♦	Passe	?	

2.
♠ **AD1087**
♥ **R8**
♦ **A7**
♣ **R532**

S	O	N	E
1 ♠	Passe	?	

3.
♠ **DV3**
♥ **1097**
♦ **A5**
♣ **R10532**

S	O	N	E
1 ♣	Passe	?	

4.
♠ **A973**
♥ **V4**
♦ **AR842**
♣ **52**

S	O	N	E
1 ♦	Passe	?	

5.
♠ **6**
♥ **DV97**
♦ **RDV**
♣ **V5432**

S	O	N	E
1 ♥	Passe	?	

6.
♠ **ADV10**
♥ **R542**
♦ **R32**
♣ **AR**

S	O	N	E
1 ♣	Passe	?	

35.1

LEÇONS 36 à 42

LA 2e ENCHERE DE L'OUVREUR

LEÇON N° 36
La deuxième enchère de l'ouvreur

A - Imaginons la séquence d'enchères suivante :

Ouvreur	Répondant
1♣	1♠
?	

B - Quelle est la signification de cette séquence d'enchères ?

1. L'ouvreur a
— au moins 13 HL
— au moins trois cartes à Trèfle.

2. Le répondant
— promet au moins 6 HL et au moins quatre cartes à Pique
— oblige l'ouvreur à reparler, du fait de son enchère d'1♠ illimitée en points HL.

C - Cette séquence d'enchères est très imprécise, mais rassurez-vous, dans la majorité des cas, l'ouvreur, par sa deuxième enchère, donne trois précisions :
1. l'ouvreur situe sa force en points HL ;
2. l'ouvreur précise s'il est fité dans la couleur du répondant ;
3. l'ouvreur, sans fit, décrit sa distribution : régulière, unicolore ou bicolore.

LE SOUTIEN DE L'OUVREUR

Le soutien de l'ouvreur est prioritaire sur toute autre enchère. L'ouvreur peut être amené à soutenir le répondant dans deux situations différentes :
— le répondant a fait un changement de couleur 1 sur 1
— le répondant a fait un changement de couleur 2 sur 1

I. - LE REPONDANT A FAIT UN CHANGEMENT DE COULEUR 1 SUR 1

A - Imaginons la séquence suivante :

Ouvreur	Répondant
1♣	1♠
?	

Le répondant pouvant n'avoir que quatre cartes à Pique, il faudra donc à l'ouvreur quatre cartes dans cette couleur pour soutenir le répondant.
Ce soutien peut être fait à différents niveaux en respectant le palier de sécurité :

1. Soutien au niveau de 4♠ (20-23 HLD)

Ouvreur	Répondant
1♣	1♠
4♠	

Pour gagner 4♠, la force combinée des deux mains doit être de 27 HLD. Le répondant ayant promis au moins 6 HL a maintenant du fait du fit au moins 1 point D, donc 7 HLD.
Conclusion : pour nommer la manche directement dans la couleur du répondant, l'ouvreur doit avoir au moins 20 HLD.

2. Soutien au niveau de 2♠ (13-16 HLD)

Ouvreur	Répondant
1♣	1♠
2♠	

Pour jouer le contrat de 3♠, la force combinée des deux mains doit être de 23 HLD minimum.
Le répondant pouvant n'avoir que 6 HL, il doit dire 2♠ lorsque ses points sont compris dans la zone 13-16 HLD.

3. Soutien au niveau de 3♠ (17-19 HLD)

Ouvreur	Répondant
1♣	1♠
3♠	

La force nécessaire pour ce soutien est intermédiaire entre les enchères de 2♠ et 4♠, c'est-à-dire 17-19 HLD.

B - EXEMPLES

Main de l'ouvreur	Séquence d'enchères		Deuxième enchère de l'ouvreur
♠ AD72 ♥ A83 ♦ A752 ♣ 84	Ouvreur 1 ♦ ?	Répondant 1 ♠	Avec 4 cartes à Pique l'ouvreur doit soutenir le répondant. Pour déterminer le palier de soutien, l'ouvreur compte ses points HLD : 14 H + 0 L + 1 D = 15 HLD. Donc l'ouvreur dit 2 ♠.
♠ ARV2 ♥ A83 ♦ A ♣ 85432	Ouvreur 1 ♣ ?	Répondant 1 ♠	L'ouvreur a : — quatre cartes à Pique — 19 HLD (16 H + 1 L + 2 D) L'ouvreur soutient à 3 ♠.
♠ AD3 ♥ ARV2 ♦ 85432 ♣ A	Ouvreur 1 ♦ ?	Répondant 1 ♥	L'ouvreur a : — quatre cartes à Cœur — 21 HLD (18 H + 1 L + 2 D) L'ouvreur soutient à 4 ♥.

II. - LE REPONDANT A FAIT UN CHANGEMENT DE COULEUR 2 SUR 1

Ce soutien est différent du précédent puisque le répondant a promis au moins 11 HL.
Du fait que seule la séquence (Ouvreur : 1 ♠, Répondant : 2 ♥) promet cinq cartes à Cœur, il est nécessaire de dissocier cette séquence des changements de couleur 2 sur 1 en mineure qui eux promettent seulement quatre cartes.

A - Soutien de l'ouvreur après la séquence (Ouvreur : 1 ♠, Répondant : 2 ♥)

Le répondant a promis au moins cinq cartes à Cœur, l'ouvreur peut donc le soutenir dès qu'il a au moins trois cartes.
Ce soutien peut être fait à différents niveaux en respectant, bien sûr, le palier de sécurité.

1. Soutien au niveau de 4 (16-21 HLD)

Main de l'ouvreur	Séquence d'enchères		
♠ ADV63 ♥ AD82 ♦ RV4 ♣ 2	Ouvreur 1 ♠ 4 ♥	Répondant 2 ♥	Pour jouer 4 ♥, la force combinée des deux mains doit être de 27 HLD. Donc, pour annoncer la manche directement, l'ouvreur étant assuré d'un minimum de 11 HL chez son partenaire, doit avoir un minimum de 16 HLD et un maximum de 21 HLD. (En effet, au-dessus de cette zone de points, un chelem est très probable.)

2. Soutien au niveau de 3

Main de l'ouvreur	**Séquence d'enchères**		
♠ **ADV63**	Ouvreur	Répondant	L'ouvreur n'a pas assez de points pour annoncer la manche directement, sa force est limitée à 13-14 HLD.
♥ **AV6**	1♠	2♥	
♦ **742**	3♥		
♣ **82**			

B - **Soutien de l'ouvreur après un changement de couleur 2 sur 1 en mineure**

EXEMPLE

Ouvreur	Répondant
1♠	2♣
?	

Le répondant a promis au moins quatre cartes à Trèfle ; pour soutenir, l'ouvreur doit donc avoir quatre cartes dans cette couleur.
Ce soutien doit être fait la plupart du temps au palier de trois pour ne pas dépasser le palier de 3 SA.
Le soutien à 3♣ promet donc quatre cartes et au moins 13 HLD.

LA DONNE COMMENTEE

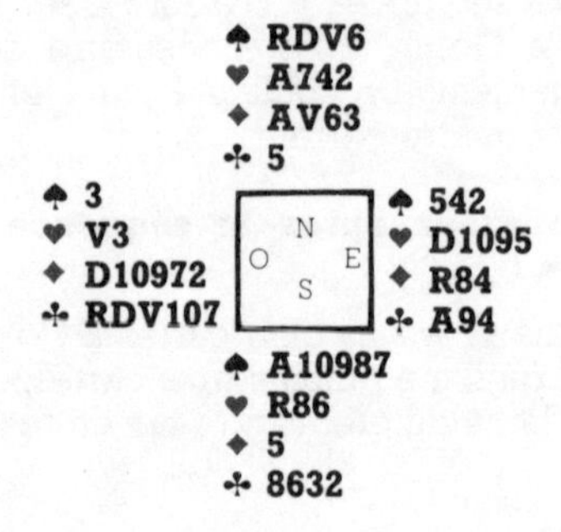

Sud est donneur
1. Faites la séquence d'enchères.
2. Quelle est l'entame ?

Etablissez votre plan de jeu et jouez la donne avant de vérifier sur

 36.1.

LEÇON N° 37
Description des mains unicolores de l'ouvreur

I. - DEFINITION

Une main est dite unicolore lorsqu'elle possède une couleur au moins sixième, les trois autres couleurs étant au plus troisièmes.

II. - PRINCIPE

Pour annoncer une main unicolore, il suffit à l'ouvreur de répéter sa couleur d'ouverture avec saut ou sans saut suivant sa force.
L'ouverture de un à la couleur étant limitée à 20 HLD pour les mains unicolores, nous distinguerons seulement deux zones de points :

— **Avec un jeu de 13-17 HLD,** l'ouvreur doit répéter sa couleur sans faire de saut.

EXEMPLE

Sud	Nord	Main de Sud :
1♥	1♠	♠ A2
2♥		♥ AD8754
		♦ D43
		♣ 76

— **Avec un jeu de 18-20 HLD,** l'ouvreur répète sa couleur en faisant un saut simple.

EXEMPLE

Sud	Nord	Main de Sud :
1♠	2♣	♠ ADV432
3♠		♥ A2
		♦ R54
		♣ R4

III. - REMARQUE

Nous verrons dans la leçon 44 que les unicolores à Pique, à Cœur ou à Carreau de 21-23 HLD, font l'objet d'une ouverture précise.
En revanche, l'ouverture de 2 Trèfles est artificielle (voir leçon 45), et n'est donc pas réservée au main unicolore à base de Trèfle de 21-23 HLD.
L'ouvreur sera alors dans l'obligation d'ouvrir de 1 ♣ les unicolores à base de Trèfle, puis de faire une enchère forcing manche sur la réponse de son partenaire, c'est-à-dire de nommer sa plus belle couleur de trois cartes au palier de 2 (avec ou sans saut).

EXEMPLE

Sud	Nord	Main de Sud :
1 ♣	1 ♥	♠ AR4
2 ♠		♥ AD
		♦ 92
		♣ AD7654

EXEMPLE

Sud	Nord	Main de Sud :
1 ♣	1 ♠	♠ AD
2 ♥		♥ AR4
		♦ 92
		♣ AD7654

Remarque : avec les mains unicolores, bien que le fit ne soit pas acquis, il est préférable de compter les points D.

LA DONNE COMMENTEE

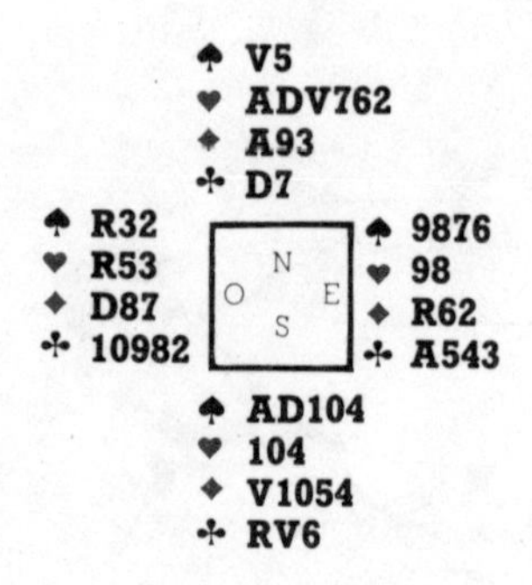

Sud est donneur
1. Faites la séquence d'enchères.
2. Quelle est l'entame ?

Etablissez votre plan de jeu et jouez la donne avant de vérifier sur

 37.1

LEÇON N° 38
Description des mains régulières de l'ouvreur

I. - DEFINITION

Une main est dite régulière lorsque sa distribution est 4.3.3.3 ou 4.4.3.2 ou 5.3.3.2.

II. - PRINCIPE

Pour annoncer dès l'ouverture une main régulière, l'ouvreur a à sa disposition trois ouvertures précises :
— l'ouverture de 1 SA montrant 16-18 HL
— l'ouverture de 2 SA montrant 21-22 HL
— l'ouverture de 2 ♣ Albarran pouvant décrire une main régulière de 23 HL et plus.

En conclusion, lorsque l'ouvreur a une main régulière dont la zone de points ne correspond pas aux trois ouvertures précises (c'est-à-dire 13-15 HL ou 19-20 HL), celui-ci après avoir ouvert de un à la couleur, devra, DANS L'ORDRE DE PRIORITE DECROISSANT :
1. fiter la majeure du répondant
2. annoncer une majeure au niveau de 1
3. nommer des Sans Atout.

III. - L'OUVREUR POUR SE DECRIRE DOIT DISTINGUER LES QUATRE SITUATIONS SUIVANTES

1. Le répondant a fait un changement de couleur un sur un.
2. Le répondant a fait un changement de couleur deux sur un.
3. Le répondant a fait une enchère à Sans Atout.
4. Le répondant a fait une enchère de soutien (voir chapitre sur le soutien du répondant : leçons 30 et 31).

A - **Le répondant a fait un changement de couleur un sur un**

1. Imaginez la séquence suivante :

Ouvreur	Répondant
1 ♣	1 ♠
?	

Main n° 1 de l'ouvreur :		Main n° 2 :	
	♠ A73		**♠ A73**
	♥ AD84		**♥ AD84**
	♦ R62		**♦ AD2**
	♣ 753		**♣ R54**

L'ouvreur ne pouvant ni soutenir les Piques, ni annoncer ses quatre cartes à Cœur au niveau de un, décrit sa distribution régulière en nommant :
— main n° 1 : 1 SA, montrant une main régulière de 13-15 HL
— main n° 2 : 2 SA, montrant une main régulière de 19-20 HL

> *PRINCIPE A RETENIR*
> Après un changement de couleur un sur un, sans fit, ni majeure quatrième déclarable au niveau de un, l'ouvreur, pour décrire une distribution régulière, dit :
> - 1 SA avec 13-15 HL
> - 2 SA avec 19-20 HL

 38.1

REMARQUE : Les redemandes à Sans Atout de l'ouvreur sont limitées en points et ne sont donc pas forcing.

2. Imaginez la séquence suivante :

Ouvreur	Répondant
1♣	1♥
?	

Main de l'ouvreur : ♠ **AD62**
♥ **A5**
♦ **984**
♣ **A763**

Sur la séquence d'enchères, le répondant promet :
— au moins 6 HL
— au moins quatre cartes à Cœur, mais ne dénie pas quatre cartes à Pique. En effet, avec quatre Cœurs et quatre Piques le répondant dit 1♥.

Conclusion : avant de décrire sa distribution régulière, en nommant ses Sans Atout, l'ouvreur doit continuer la recherche du fit majeur en faisant l'enchère de 1♠.
Le répondant comprendra alors que son partenaire a :
— au moins 13 HL
— au moins trois cartes à Trèfle et quatre cartes à Pique.

L'ambiguïté quant à la force et à la distribution de l'ouvreur persiste toujours ; l'enchère de 1♠ étant illimitée en force, est forcing.
Le répondant par sa deuxième enchère donnera des précisions sur la force et la forme de son jeu (voir chapitre sur la deuxième enchère du répondant, leçon 41).

B - **Le répondant a fait un changement de couleur deux sur un**

Le répondant en faisant un changement de couleur deux sur un a promis :
— au moins 11 HL
— de reparler sur la deuxième enchère de l'ouvreur puisque le changement de couleur deux sur un est autoforcing.

Compte tenu du nombre de points minimum promis par le répondant, l'ouvreur a un grand espoir de manche.
Il est de plus assuré que le répondant ne passera pas sur sa deuxième enchère (si celle-ci n'atteint pas la manche), l'ouvreur ne doit donc pas élever le palier des enchères trop rapidement.

L'ouvreur, sans fit dans la couleur du répondant :

		Ouvreur	Répondant
1. répète sa couleur	avec 12-14 HL	Ouvreur 1 ♥ 2 ♥	Répondant 2 ♣
2. dit 2 SA	avec 15-18 HL	Ouvreur 1 ♥ 2 SA	Répondant 2 ♣
3. dit 3 SA	avec 19-20 HL	Ouvreur 1 ♥ 3 SA	Répondant 2 ♣

REMARQUE : La deuxième enchère de l'ouvreur après un changement de couleur 2 sur 1 est toujours forcing du fait que le répondant a fait une enchère autoforcing, à moins que le palier de la manche ne soit atteint.

Exception : imaginons la séquence suivante :

Ouvreur	Répondant
1 ♦	2 ♣
?	

Main de l'ouvreur : ♠ **AD62**
♥ **AD63**
♦ **A73**
♣ **82**

En appliquant le principe expliqué ci-dessus, l'ouvreur devrait répéter sa couleur, c'est-à-dire faire l'enchère de 2 ♦, mais il a seulement trois cartes dans cette couleur.
Pour éviter une telle absurdité, l'ouvreur sur la séquence :

Ouvreur	Répondant
1 ♦	2 ♣
2 SA	

promet 13-15 HL.

C - Le répondant a fait une enchère à Sans Atout

1. Imaginons la séquence suivante :

Ouvreur	Répondant
1 ♦	1 SA
?	

Main n° 1 de l'ouvreur	Main n° 2 de l'ouvreur
♠ **AD74**	♠ **AD74**
♥ **AD83**	♥ **A1083**
♦ **853**	♦ **A85**
♣ **32**	♣ **AV**

L'ouvreur n'ayant pas fait une ouverture précise à Sans Atout, a :
— soit 13-15 HL (main n° 1)
— soit 19-20 HL (main n° 2)

Le répondant par son enchère de 1 SA a limité sa main à 6-10 HL, il a fait une enchère non forcing.
De plus il a indiqué à l'ouvreur l'absence de majeure quatrième dans son jeu, donc le seul contrat jouable est à Sans Atout.
Pour gagner le contrat de 3 SA, la force combinée des deux mains est de 25 HL et plus, en conclusion :
— l'ouvreur (main n° 1) avec 13-15 HL n'a aucun espoir de manche et doit alors passer
— l'ouvreur (main n° 2) avec 19-20 HL, assuré de la manche (19 HL + 6 HL = 25 HL), la nomme directement en faisant l'enchère de 3 SA.

2. Imaginons la séquence suivante :

Ouvreur	Répondant
1♦	2 SA
?	

Le répondant, par son enchère de 2 SA non forcing, promet 11-12 HL et dénie une majeure quatrième.
En conséquence, seul un contrat à Sans Atout est envisageable.
L'ouvreur avec :
— 13 HL, Passe, puisqu'il n'est pas assuré d'avoir les 25 HL minimum requis pour jouer 3 SA
— 14 HL et plus, dit 3 SA (14 HL + 11 HL = 25 HL).

LA DONNE COMMENTEE

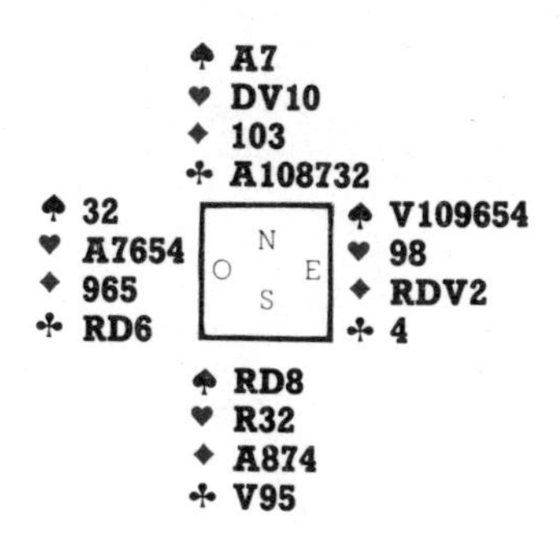

Sud est donneur

1. Faites la séquence d'enchères.
2. Quelle est l'entame ?

Etablissez votre plan de jeu et jouez la donne avant de vérifier sur

 38.2

LEÇON N° 39
Les bicolores

Une main bicolore est une main comportant une couleur au moins cinquième et une autre couleur au moins quatrième. Lorsque l'ouvreur a une main bicolore, il n'annoncera sa deuxième couleur que lorsque son partenaire n'est pas fité dans la première couleur, dans l'espoir de trouver un fit.

EXEMPLE :

Sud : ♠ **AD542**
♥ **AD43**
♦ **R2**
♣ **54**

Sud	Nord
1 ♠	1 SA
2 ♥	

> *PRINCIPE*
> Lorsque l'ouvreur annonce deux couleurs à des paliers différents, il décrit une main bicolore.

EXEMPLE 1

Sud	Nord
1 ♥	1 ♠
2 ♦	

Sud a annoncé : — les Cœurs au niveau de 1
— les Carreaux au niveau de 2

Donc Sud a décrit un bicolore montrant que sa main comporte au moins cinq cartes à Cœur, et au moins quatre cartes à Carreau.

EXEMPLE 2

Sud	Nord
1 ♦	1 ♠
3 ♣	

Sud a annoncé : — les Carreaux au niveau de 1
— les Trèfles au niveau de 3

Donc Sud a décrit une main bicolore comprenant au moins cinq cartes à Carreau et au moins quatre cartes à Trèfle.

EXEMPLE 3

Sud	Nord
1 ♣	1 ♥
1 ♠	

Sud a annoncé les Trèfles et les Piques au niveau de 1.
Sud promet : — au moins trois cartes à Trèfle
— quatre cartes à Pique.

Sud ne décrit pas précisément son jeu, celui-ci peut être : régulier ou bicolore.

> *PRINCIPE*
> Lorsque l'ouvreur a une main bicolore, son ouverture doit respecter les critères d'ouverture.

EXEMPLES : Lorsque l'ouvreur a cinq cartes à Pique et cinq cartes à Cœur : il doit ouvrir d'1 ♠ quel que soit son nombre de points.
Avec cinq cartes à Carreau et cinq cartes à Trèfle : il doit ouvrir d'1 ♦.

Comparez les deux séquences suivantes :

Séquence 1		Séquence 2	
Sud	Nord	Sud	Nord
1 ♦	1 SA	1 ♣	1 SA
2 ♣		2 ♦	

Première remarque :

Séquence 1 : L'ouvreur montre une main bicolore comprenant au moins cinq cartes à Carreau et au moins quatre cartes à Trèfle.

Séquence 2 : L'ouvreur montre une main bicolore comprenant au moins cinq cartes à Trèfle et au moins quatre cartes à Carreau.

Deuxième remarque :

Supposez que Nord (le répondant) soutienne, à ce stade des enchères, l'ouvreur dans sa première couleur :
Séquence 1 : Nord dit 2 ♦
Séquence 2 : Nord dit 3 ♣
Dans la première séquence, Nord n'élève pas le palier des enchères, mais dans la deuxième séquence, Nord élève le palier des enchères puisqu'il soutient la deuxième couleur au palier de 3.
Dans la séquence 1, l'annonce du bicolore permet donc une économie de paliers : **le bicolore est dit "économique".**
Dans la séquence 2, l'annonce du bicolore ne permet pas d'économie de paliers : **le bicolore est dit "cher".**

> *DEFINITION 1*
> On dit qu'un bicolore est économique lorsque, l'ouvreur annonçant sa deuxième couleur au niveau de deux, le répondant peut revenir dans la première couleur de l'ouvreur au niveau de deux.

> *DEFINITION 2*
> On dit qu'un bicolore est cher, lorsque l'ouvreur annonce sa deuxième couleur au niveau de trois ou lorsque le répondant est obligé, pour soutenir la première couleur, d'enchérir au niveau de trois.

Apprenez à définir la nature de votre bicolore.

Voici la distribution de votre main (la valeur des cartes est sans importance)

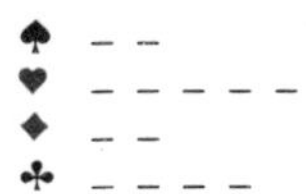

1. Déterminez votre ouverture suivant les critères de l'ouverture : vous ouvrez de 1♥.
2. Attendez la première enchère de votre partenaire pour déterminer la nature de votre bicolore :

Premier cas	votre ouverture	votre partenaire répond
	1♥	1 SA
	?	

Pour annoncer votre deuxième couleur, vous devez dire 2♣.
Pour revenir à Cœur, votre partenaire peut dire 2♥ : votre bicolore est donc économique.

Deuxième cas	votre ouverture	votre partenaire répond
	1♥	2♦
	?	

Pour annoncer votre deuxième couleur, vous devez dire 3♣ : votre bicolore est donc cher.

> *PRINCIPE*
> Pour déterminer la nature de son bicolore, l'ouvreur doit attendre la première enchère du répondant.

Voici la distribution de votre main :

♠ – –
♥ – – – –
♦ – –
♣ – – – – –

1. Déterminez votre ouverture suivant les critères de l'ouverture : vous ouvrez de 1♣.
2. Attendez la première enchère de votre partenaire pour déterminer la nature de votre bicolore.

Premier cas	votre ouverture	votre partenaire répond
	1♣	1♦
	?	

Pour annoncer votre deuxième couleur, vous devez dire 1♥ : vous avez annoncé vos Cœurs au même palier que les Trèfles : vous n'avez pas fait l'annonce d'un bicolore.

Deuxième cas	votre ouverture	votre partenaire répond
	1♣	1♠
	?	

Pour annoncer votre deuxième couleur, vous devez dire 2♥.
Pour vous soutenir à Trèfle, votre partenaire doit dire 3♣ : votre bicolore est donc cher.

REMARQUE : Les notions qui ont été développées dans cette leçon sur les bicolores sont particulièrement importantes. Plutôt que de vous proposer une donne commentée, nous vous invitons à relire cette leçon.

LEÇON N° 40
La redemande de l'ouvreur avec une main bicolore

I. - LE BICOLORE ECONOMIQUE - LE BICOLORE A SAUT

Vous avez appris qu'en principe la deuxième enchère de l'ouvreur précise :
— la forme du jeu de l'ouvreur
— la force du jeu de l'ouvreur.
Lorsque l'ouvreur ouvre de 1♥ , il promet au moins cinq cartes et au moins 13 HL.
Conclusion : lorsque l'ouvreur fait l'annonce d'un bicolore économique, celui-ci, tout en précisant la forme de son jeu, décrit sa force :
— en annonçant la deuxième couleur sans saut, l'ouvreur montre une main de 13-18 HL
— en annonçant la deuxième couleur avec saut, l'ouvreur montre une main de 19 HL et plus : pour le différencier, on appelle ce bicolore : **bicolore à saut.**

EXEMPLE 1

Main de l'ouvreur	Ouvreur	Répondant
♠ **AD542**	1♠	1 SA
♥ **52**	2♦	
♦ **RV64**		
♣ **A3**		

L'enchère de 2♦ n'est pas forcing puisque l'ouvreur annonce une zone de points (13-18 HL).

EXEMPLE 2

Main de l'ouvreur	Ouvreur	Répondant
♠ **ARD64**	1 ♠	1 SA
♥ **R3**	3 ♦	
♦ **ARV6**		
♣ **42**		

L'enchère de 3♦ est forcing puisque l'ouvreur n'a annoncé que le minimum de ses points (19 HL et plus).

EXEMPLE 3

Main de l'ouvreur	Ouvreur	Répondant
♠ **AD542**	1 ♠	2 ♣
♥ **52**	2 ♦	
♦ **RV64**		
♣ **A3**		

L'enchère de 2♦ est forcing du fait que le répondant a fait une enchère autoforcing.

> *PRINCIPE*
> L'annonce d'un bicolore économique (sans saut) n'est jamais forcing, sauf lorsque le répondant a fait une enchère autoforcing.

II. - LE BICOLORE CHER

Vous avez appris qu'un bicolore cher élève le palier des enchères ; vous savez d'autre part que l'ouvreur ne doit jamais dépasser le palier de sécurité. Conclusion : lorsque l'ouvreur a un bicolore cher, il ne pourra annoncer sa deuxième couleur que si son jeu a une certaine force en points : cette force est fixée à 18 HL et plus.
Avec moins de points (13-17 HL) l'ouvreur doit répéter sa couleur d'ouverture.

EXEMPLE 1

Main de l'ouvreur	Ouvreur	Répondant
♠ **ARV4**	1 ♥	1 SA
♥ **AD432**	2 ♠	
♦ **A7**		
♣ **43**		

L'ouvreur peut dire 2 ♠, car il a 19 HL.
L'enchère de 2 ♠ est forcing puisque l'ouvreur n'a annoncé que le minimum de ses points (18 HL et plus).

EXEMPLE 2

Main de l'ouvreur	Ouvreur	Répondant
♠ **ARV4**	1 ♥	1 SA
♥ **A6432**	2 ♥	
♦ **76**		
♣ **43**		

L'ouvreur n'a que 13 HL et n'a donc pas la possibilité d'annoncer ses Piques. Il répète donc sa couleur en faisant l'enchère de 2 ♥. L'enchère de 2 ♥ n'est pas forcing puisque l'ouvreur annonce une zone de points 13-17 HL.

EXEMPLE 3

Main de l'ouvreur	Ouvreur	Répondant
♠ **ARV4**	1 ♥	2 ♣
♥ **A6432**	2 ♥	
♦ **76**		
♣ **43**		

L'enchère de 2 ♥ est forcing du fait que le répondant a fait une enchère autoforcing.

Rappel : les points D ne se comptent pas en l'absence d'un fit.

LA DONNE COMMENTEE

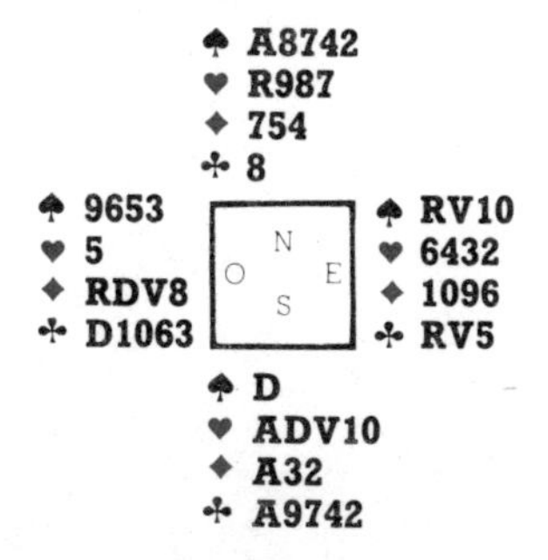

Sud est donneur
1. Faites la séquence d'enchères.
2. Quelle est l'entame ?

Etablissez votre plan de jeu et jouez la donne avant de vérifier sur

 40.1.

LEÇON N° 41
La deuxième enchère du répondant

Nous allons partir de deux situations :

1. Votre partenaire ouvre de 1 SA

Vous connaissez à deux points près le total des points de votre camp ; vous savez donc, dès le début des enchères, si la manche est exclue, envisageable ou certaine.

2. Votre partenaire ouvre de 1 ♠

Vous avez 11 H ; votre camp a donc de 23 à 32 points d'honneurs : vous savez donc pas si vous allez jouer une partielle, une manche ou un chelem ; il va donc falloir que votre partenaire précise sa force, pour que vous connaissiez à trois (ou mieux) points près la force de votre camp ; pour cela, vous allez faire des enchères forcing, sur lesquelles votre partenaire donnera des précisions.

EXEMPLE : si sur 1 ♠ vous dites 2 ♣ :

si votre partenaire dit :2 ♦ il a de 13 à 18 HL avec 4 cartes à Carreau,
2 ♥ il a de 13 à 18 HL avec 4 cartes à Cœur,
2 ♠ il a de 13 à 15 HL sans 4 cartes à Trèfle, Carreau ou Cœur,
2 SA il a de 15 à 17 HL régulier,
3 ♣ il a de 13 à 16 HLD, fité Trèfle,
3 ♦ il a de 19 HL et plus avec 4 cartes à Carreau,
3 ♥ il a de 19 HL et plus avec 4 cartes à Cœur,
3 ♠ il a de 18 à 20 HL unicolore sixième,
3 SA il a de 18 à 20 HL régulier.

Comme vous le voyez, par sa deuxième enchère, votre partenaire a déjà énormément précisé sa main ; vous connaissez généralement à trois points près la force de votre camp.

Le principe sera donc généralement le suivant : lorsque vous voudrez à la fois faire préciser la force de votre partenaire et annoncer la vôtre, vous ferez des changements de couleur forcing ou vous soutiendrez votre partenaire si vous êtes fité...
Cet échange d'informations ne doit pas être à sens unique ; vous faites préciser la force de votre partenaire, mais il faut en même temps préciser la vôtre.

EXEMPLE 1

Ouvreur	Répondant	Ouvreur	Répondant
♠ **ARV752**	♠ **6**	1 ♠ (NF)	2 ♣ (AF)
♥ **D8**	♥ **A963**	2 ♠	2 SA
♦ **V54**	♦ **R862**	3 SA	Passe
♣ **R6**	♣ **AV84**		

Sur l'ouverture de 1 ♠, le répondant ne peut ni soutenir, ni annoncer 2 SA, car son jeu n'est pas régulier. Avec 12 HL, il fait un changement de couleur forcing, en nommant la couleur la moins chère au niveau de 2.
Sur 2 ♣, l'ouvreur répète sa couleur sans saut puisqu'il a 16 HL.
Le répondant sait maintenant que l'ouvreur a 13-17 HL sans couleur quatrième, il nomme donc 2 SA, montrant ainsi un jeu de 11-12 HL ne respectant pas les conditions pour dire 2 SA directement sur l'ouverture.
L'ouvreur avec 16 HL sait que la force combinée des deux jeux comporte un minimum de 27 HL (16 + 11), il conclut à 3 SA.

EXEMPLE 2

Ouvreur	Répondant	Ouvreur	Répondant
♠ **A973**	♠ **RV82**	1 ♣ (NF)	1 ♥ (F)
♥ **6**	♥ **A9743**	1 ♠ (F)	3 ♠ (NF)
♦ **87**	♦ **V96**	4 ♠ (NF)	Passe
♣ **AR8763**	♣ **5**		

Sur l'ouverture de 1 ♣, le répondant annonce sa couleur la plus longue pour montrer qu'il a au moins 6 HL et un minimum de quatre cartes à Cœur.
L'ouvreur sans fit à Cœur continue la description de son jeu par l'enchère de 1 ♠, montrant ainsi une main de 13 HL au moins, avec un minimum de trois cartes à Trèfle et quatre cartes à Pique.
Sur 1 ♠, le répondant est fité puisqu'il a quatre cartes, avec 11-12 HLD il dit 3 ♠.
La main de l'ouvreur, du fait du fit Pique, doit être réévaluée en points de distribution (3 D).
L'ouvreur avec 16 HLD sait que la force combinée des deux jeux comporte 27 ou 28 HLD, il conclut à 4 ♠.

EXEMPLE 3

Ouvreur	Répondant	Ouvreur	Répondant
♠ **R86**	♠ **A74**	1 ♦	1 ♥ (F)
♥ **AD4**	♥ **V985**	2 SA (NF)	3 SA
♦ **ADV73**	♦ **964**	Passe	
♣ **R9**	♣ **D86**		

L'ouvreur a une main régulière de 20 HL ; il ouvre de 1 ♦.
Le répondant fait l'enchère forcing de 1 ♥, promettant ainsi au moins 6 HL et un minimum de 4 cartes à Cœur.
L'ouvreur, sans fit Cœur, continue la description de sa main, il dit 2 SA.
Le répondant connaît maintenant la force combinée des deux mains (19 ou 20 + 7 = 26 ou 27 HL) ; n'ayant plus l'espoir de trouver un fit en majeure, il conclut à 3 SA.

EXEMPLE 4

Ouvreur	Répondant	Ouvreur	Répondant
♠ **RV102**	♠ **AD84**	1 ♥	1 ♠ (F)
♥ **RDV52**	♥ **93**	4 ♠ (NF)	Passe
♦ **A2**	♦ **D10864**		
♣ **A3**	♣ **72**		

Sur l'ouverture d'1 ♥, le répondant ne peut pas annoncer sa couleur la plus longue, car il a moins de 11 HL ; il fait l'enchère forcing de 1 ♠ promettant ainsi au moins 6 HL et au moins quatre cartes à Pique.
L'ouvreur fité réévalue son jeu en points D (2 D). Avec 21 HLD l'ouvreur sait que la manche est certaine, il dit 4 ♠ montrant une main de 20 HLD et plus.
Le répondant avec 11 HLD ne peut pas espérer jouer un chelem : il passe.

EXEMPLE 5

Ouvreur	Répondant	Ouvreur	Répondant
♠ **AD32**	♠ **764**	1 ♥	1 SA (NF)
♥ **RDV102**	♥ **83**	2 ♠ (F)	2 SA (NF)
♦ **R2**	♦ **DV103**	3 SA (NF)	Passe
♣ **A2**	♣ **RV54**		

Sur l'ouverture de 1 ♥, le répondant ne peut ni soutenir, ni faire un changement de couleur 2/1 ; il dit 1 SA pour montrer qu'il a 6-10 HL.
L'ouvreur fait l'enchère forcing de 2 ♠ annonçant ainsi un bicolore cher de 18 HL et plus. Le répondant, sans fit, a les arrêts à Carreau et à Trèfle : il dit 2 SA.
L'ouvreur n'a plus d'espoir de jouer un contrat en majeure. Il connaît la force combinée des deux mains : 20 + (6 ou 8) HL et conclut donc à 3 SA.

EXEMPLE 6

Ouvreur	Répondant	Ouvreur	Répondant
♠ **DV1032**	♠ **74**	1♠	2 SA (NF)
♥ **R874**	♥ **ADV10**	3♥ (F)	4♥
♦ **A**	♦ **V652**	Passe	
♣ **R63**	♣ **DV4**		

Sur l'ouverture de 1♠, le répondant, sans fit, dit 2 SA : l'enchère de 2 SA ne dénie pas quatre cartes à Cœur sur l'ouverture de 1♠ (cf. leçon 32).
En conséquence, l'ouvreur annonce son bicolore en faisant l'enchère forcing de 3♥. Le répondant conclut à 4♥.

EXEMPLE 7

Ouvreur	Répondant	Ouvreur	Répondant
♠ **ADV104**	♠ **R2**	1♠	1 SA (NF)
♥ **87**	♥ **R1043**	2♦ (NF)	2♠ (NF)
♦ **R1042**	♦ **V3**	Passe	
♣ **A5**	♣ **107432**		

Sur l'ouverture de 1♠, le répondant ne peut ni fiter, ni faire un changement de couleur : il dit 1 SA. Par sa deuxième enchère l'ouvreur annonce économiquement sa deuxième couleur : il dit 2♦ afin de proposer de jouer le contrat dans l'une de ses deux couleurs. "Contre mauvaise fortune, le répondant fait bon cœur" : plutôt que de jouer le contrat de 2♦ avec six atouts, il préfère jouer le contrat de 2♠ avec sept atouts : **on dit qu'il donne une préférence à Pique.**

EXEMPLE 8

Ouvreur	Répondant	Ouvreur	Répondant
♠ **A74**	♠ **V102**	1♦	1 SA (NF)
♥ **A85**	♥ **R73**	3♦ (NF)	3 SA
♦ **ARV1062**	♦ **D4**	Passe	
♣ **3**	♣ **R10642**		

Sur l'ouverture de 1♦, le répondant ne peut ni soutenir, ni faire de changement de couleur 2 sur 1 : il dit 1 SA.
L'ouvreur, unicolore, dit 3♦, montrant ainsi une main de 18-20 HL.
Le répondant connaît la force combinée des deux mains ; il conclut à 3 SA car il détient un Honneur dans les trois couleurs non nommées.

EXEMPLE 9

Ouvreur	Répondant	Ouvreur	Répondant
♠ **R82**	♠ **AV653**	1 ♦	1♠ (F)
♥ **A75**	♥ **DV109**	1 SA (NF)	2♥ (NF)
♦ **A732**	♦ **64**	2 ♠	Passe
♣ **D83**	♣ **97**		

Sur l'ouverture de 1 ♦, le répondant annonce sa couleur la plus longue : il dit 1 ♠.
L'ouvreur, avec une main régulière de 13-15 HL, nomme 1 SA.
Le répondant est bicolore, il peut annoncer économiquement sa deuxième couleur : il fait l'enchère précise de 2 ♥ montrant un bicolore limité à 6-11 HL (et non forcing).
L'ouvreur, avec le fit à Pique, dit 2 ♠. Le répondant, sans espoir de manche, passe sur 2 ♠.

EXEMPLE 10

Ouvreur	Répondant	Ouvreur	Répondant
♠ **R82**	♠ **AV653**	1♦	1♠ (F)
♥ **752**	♥ **ARD9**	1 SA	3♥ (F)
♦ **A732**	♦ **64**	3 ♠	4♠
♣ **AD8**	♣ **97**	Passe	

Sur la deuxième enchère précise de l'ouvreur, le répondant peut annoncer économiquement sa deuxième couleur. Pour différencier sa force de l'exemple précédent, il doit annoncer ses Cœurs en faisant un saut montrant ainsi une main de 12 HL et plus avec cinq Piques et quatre Cœurs : 3 ♥ est forcing.
L'ouvreur fité dit 3 ♠. Le répondant conclut à 4 ♠, l'enchère de 1 SA de l'ouvreur lui a permis de connaître la force combinée des deux mains.

EXEMPLE 11

Ouvreur	Répondant	Ouvreur	Répondant
♠ **R82**	♠ **AV65**	1 ♦	1♥ (F)
♥ **752**	♥ **ARD94**	1 SA (NF)	2♠ (F)
♦ **A732**	♦ **4**	3 ♥	4♥
♣ **AD5**	♣ **983**	Passe	

Sur la deuxième enchère de l'ouvreur, le répondant, s'il nomme ses quatre Piques, élève le palier des enchères ; un minimum de points lui est donc nécessaire : au moins 12 HL ; il peut donc dire 2 ♠.
L'ouvreur fité à Cœur fait l'enchère de 3 ♥. Le répondant, connaissant la force de son camp, conclut à 4 ♥.

PRINCIPE 1
Lorsque le répondant annonce deux couleurs à des paliers différents, il annonce un bicolore.

> *PRINCIPE 2*
> Lorsque le répondant a un bicolore économique, il annonce sa deuxième couleur :
> - sans saut avec 6-11 HL
> - avec saut avec 12 HL et plus.

> *PRINCIPE 3*
> Lorsque le répondant a un bicolore cher, il doit :
> - annoncer sa deuxième couleur avec au moins 12 HL
> - répéter sa première couleur avec 11 HL et moins.

EXEMPLE 12

Ouvreur	Répondant	Ouvreur	Répondant
♠ **D53**	♠ **R742**	1 ♦	1♥ (NF)
♥ **873**	♥ **RD652**	1 SA	2♥ (NF)
♦ **RV75**	♦ **3**	Passe	
♣ **AR8**	♣ **974**		

Sur la demande à 1 SA de l'ouvreur, le répondant n'a pas assez de points pour nommer les Piques. Il répète donc les Cœurs sans saut pour indiquer une main de cinq cartes à Cœur et 6-11 HL.
Remarque : en répétant ses Cœurs, le répondant est assuré d'un minimum de sept atouts dans sa ligne : l'ouvreur a promis par son enchère de 1 SA un minimum de deux cartes à Cœur.

EXEMPLE 13

Ouvreur	Répondant	Ouvreur	Répondant
♠ **V9853**	♠ **D4**	1 ♠	2 ♣ (AT)
♥ **AD2**	♥ **R975**	2 SA (F)	3 SA
♦ **AV2**	♦ **R8**	Passe	
♣ **R2**	♣ **DV1064**		

Sur l'ouverture de 1 ♠, le répondant fait l'enchère autoforcing de 2 ♣, annonçant ainsi sa couleur la plus longue et une main d'au moins 11 HL.
L'ouvreur, sans fit Trèfle, décrit sa main régulière de 15-18 HL en faisant l'enchère de 2 SA.
Le répondant perd alors tout espoir de jouer un contrat à Cœur, l'ouvreur par sa deuxième enchère les ayant déniés.
Seul un contrat à Sans Atout est alors possible ; il dit 3 SA, assuré d'un minimum de 26 HL (15 + 12) entre les deux mains.

EXEMPLE 14

Ouvreur	Répondant	Ouvreur	Répondant
♠ **AR82**	♠ **9543**	1 ♣	1 ♦ (F)
♥ **D743**	♥ **R62**	1 ♥	1 ♠ (F)
♦ **8**	♦ **A752**	2 ♠	Passe
♣ **A543**	♣ **92**		

Sur l'ouverture de 1 ♣, le répondant avec deux couleurs quatrièmes nomme en priorité la plus économique : il dit 1 ♦.
L'ouvreur annonce qu'il a quatre cartes à Cœur ; le répondant, sans fit Cœur, continue la recherche d'une couleur commune de huit cartes : il dit 1 ♠, montrant ainsi une main d'au moins 6 HL, avec au moins quatre Carreaux et seulement quatre Piques.
L'ouvreur fité avec 15 HLD dit 2 ♠ ; bien sûr, le répondant, sans espoir de manche, passe.

EXEMPLE 15

Ouvreur	Répondant	Ouvreur	Répondant
♠ **A83**	♠ **RV7652**	1 ♣	1 ♠ (F)
♥ **RD2**	♥ **83**	2 SA	4 ♠ (NF)
♦ **AD2**	♦ **V743**	Passe	
♣ **A754**	♣ **2**		

Le répondant, grâce à la deuxième enchère de l'ouvreur, connaît :
— le fit Pique : l'ouvreur a au moins deux cartes à Pique puisqu'il est régulier,
— la hauteur du contrat : l'ouvreur a 19-20 HL, avec 10 HLD le répondant sait qu'il doit jouer la manche : il dit 4 ♠.

EXEMPLE 16

Ouvreur	Répondant	Ouvreur	Répondant
♠ **ADV1098**	♠ **R3**	1 ♠	3 SA (NF)
♥ **A73**	♥ **D84**	4 ♠	Passe
♦ **D84**	♦ **V532**		
♣ **7**	♣ **AR54**		

Sur l'ouverture de 1 ♠, le répondant fait l'enchère précise de 3 SA, montrant une main régulière non fitée de 13-14 HL.
L'ouvreur connaissant deux cartes à Pique chez le répondant, préfère jouer le contrat de 4 ♠ du fait des huit atouts dans son camp.
Le répondant doit respecter la décision de son partenaire : il passe.

LA DONNE COMMENTEE

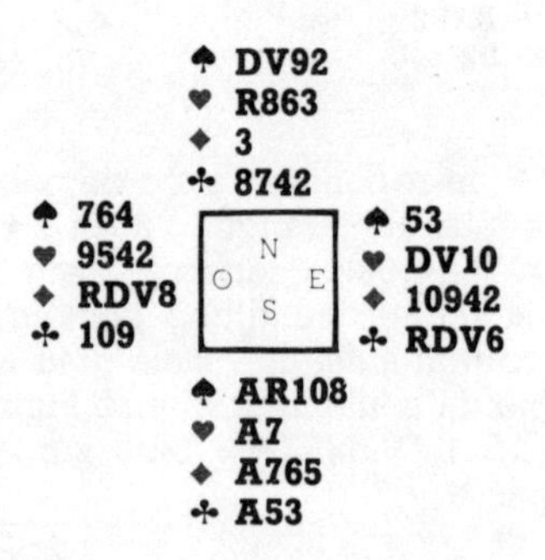

Sud est donneur

1. Faites la séquence d'enchères.
2. Quelle est l'entame ?

Etablissez votre plan de jeu et jouez la donne avant de vérifier sur

 41.1.

LEÇON N° 42
Révisions

Les exercices suivants doivent vous permettre de réviser les six leçons relatives à la redemande.

Après chacune des séries de réponses, mettre en route votre  pour vérifier vos solutions et écouter le commentaire.

EXERCICE 1

Vous êtes assis en Sud, quelle redemande faites-vous ?

Main de Sud — Séquence d'enchères

1.

♠ 83
♥ AD87
♦ RV72
♣ R104

S	O	N	E
1 ♦ ?	Passe	1 ♥	Passe

2.

♠ AD1087
♥ R84
♦ A73
♣ R5

S	O	N	E
1 ♠ ?	Passe	2 ♣	Passe

3.

♠ DV3
♥ 1097
♦ A5
♣ AR1052

S	O	N	E
1 ♣ ?	Passe	1 ♥	Passe

4.

♠ AD73
♥ V2
♦ AR842
♣ A5

S	O	N	E
1 ♦ ?	Passe	1 ♠	Passe

5.

♠ 84
♥ AD10742
♦ RDV
♣ D5

S	O	N	E
1 ♥ ?	Passe	1 ♠	Passe

6.

♠ ADV10
♥ R5
♦ R3
♣ ARV73

S	O	N	E
1 ♣ ?	Passe	1 ♥	Passe

42.1

EXERCICE 2

Vous êtes assis en Sud, quelle redemande faites-vous ?

Main de Sud — Séquence d'enchères

1.
♠ 105
♥ AD875
♦ ARV2
♣ V4

S	O	N	E
1 ♥ ?	Passe	3 ♥	Passe

2.
♠ A
♥ D83
♦ RDV8
♣ ADV75

S	O	N	E
1 ♣ ?	Passe	1 ♥	Passe

3.
♠ A
♥ V103
♦ R1097
♣ AD842

S	O	N	E
1 ♣ ?	Passe	1 ♥	Passe

4.
♠ RDV105
♥ —
♦ AR975
♣ A83

S	O	N	E
1 ♠ ?	Passe	1 SA	Passe

5.
♠ R8
♥ AD1052
♦ V5
♣ DV84

S	O	N	E
1 ♥ ?	Passe	1 SA	Passe

6.
♠ R8
♥ AD1052
♦ V5
♣ DV84

S	O	N	E
1 ♥ ?	Passe	2 ♦	Passe

42.2

EXERCICE 3

Sud est donneur, il ouvre. Nord est le répondant.

Faites les séquences d'enchères pour chacune des deux mains (Est et Ouest passent sur toutes les enchères).

	Main du Donneur : Sud	Main du Répondant : Nord	Séquence d'enchères Sud	Nord
1.	♠ AV643 ♥ AV2 ♦ A54 ♣ R5	♠ RD52 ♥ R4 ♦ D3 ♣ AD843		
2.	♠ RD85 ♥ V4 ♦ R102 ♣ AV98	♠ V103 ♥ AD87 ♦ D543 ♣ D4		
3.	♠ V4 ♥ AD53 ♦ R42 ♣ AD103	♠ A1053 ♥ R4 ♦ DV87 ♣ V86		
4.	♠ R972 ♥ V2 ♦ AD943 ♣ AV	♠ AV103 ♥ D85 ♦ RV52 ♣ 83		
5.	♠ AR97 ♥ A32 ♦ AD2 ♣ D64	♠ D1064 ♥ D85 ♦ V763 ♣ R5		
6.	♠ 3 ♥ V832 ♦ RDV3 ♣ AD42	♠ A432 ♥ AD104 ♦ 84 ♣ V65		

 42.3

LEÇONS 43 à 49

43. L'ouverture de 2 SA et ses développements
44. Les ouvertures de 2 fort : 2♦, 2♥ et 2♠
45. L'ouverture de 2♣ Albarran
46. Les enchères de chelem
47. Les ouvertures de barrage
48. La convention Texas majeur
49. Révisions

LEÇON N° 43
L'ouverture de 2 SA et ses développements

I. - PRINCIPE D'OUVERTURE

Les conditions de cette ouverture sont les mêmes que celles requises pour l'ouverture de 1 SA ; seule change la fourchette de points.

> *A RETENIR*
> L'ouverture de 2 SA promet :
> 1. une main régulière ne comportant pas de majeure cinquième
> 2. 21-22 HL

Exemple d'ouverture : **♠ R2**
♥ AD7
♦ AD3
♣ AD862

L'ouverture de 2 SA est une enchère précise puisqu'elle décrit :
- la distribution de l'ouvreur
- la force de l'ouvreur à un point près.

Le répondant devient le capitaine de son camp, puisque lui seul peut déterminer en fonction de sa force si :
- la manche est exclue
- la manche est certaine
- le chelem est envisageable
- le chelem est certain.

II. - REPONSES A L'OUVERTURE DE 2 SA

A - La manche est exclue (0-3 HL)

Lorsque le répondant a 0-3 HL, il est impossible de jouer la manche, puisque la force combinée des deux mains varie de 21 HL (21 HL + 0 HL) à 24 HL (21 HL + 3 HL) ; il doit passer sur l'ouverture.

B - La manche est certaine (4 HL et plus)

Avec au moins 4 HL, le répondant est assuré de jouer la manche, la force minimale combinée des deux mains étant de 25 HL (21 HL + 4 HL) ; il recherche par ordre de priorité décroissant :
1. un contrat en majeure
2. un contrat à Sans Atout
3. plus rarement un contrat en mineure

1. Recherche d'un contrat en majeure

a) Le répondant peut annoncer directement la manche avec 4-10 HLD et une majeure sixième

Ouvreur	Répondant	ou	Ouvreur	Répondant
2 SA	4 ♥		2 SA	4 ♠

> *A RETENIR*
> Le répondant doit respecter les trois conditions suivantes :
> - avoir au moins six cartes dans la majeure (l'ouvreur peut n'avoir que deux cartes)
> - le palier de sécurité doit être respecté, donc le minimum de points requis pour cette enchère est de 4 HLD
> - le chelem doit être exclu, la main du répondant se trouvant limitée à 10 HLD (22 HLD + 10 HLD = 32 HLD, il faut 33 HLD pour jouer un chelem).

Exemple : sur l'ouverture de 2 SA, le répondant fait l'enchère de 4 ♠ avec la main suivante :

♠ A98742
♥ 753
♦ 82
♣ 75

Remarque : le saut à la manche en majeure sur l'ouverture de 2 SA, signifie : "Partenaire, les renseignements reçus de votre jeu me suffisent, je conclus à la manche et vous prie de me faire une entière confiance en passant sur mon enchère quel que soit votre jeu".

b) Le répondant peut annoncer une majeure cinquième au niveau de 3 avec 4 HL et plus

Ouvreur	Répondant	ou	Ouvreur	Répondant
2 SA	3 ♥		2 SA	3 ♠

Avec cinq cartes en majeure, le contrat de manche dépend du nombre de cartes que l'ouvreur possède dans la couleur.

> *A RETENIR*
> L'annonce d'une majeure au niveau de 3 signifie :
> - partenaire, nous devons jouer au minimum la manche : j'ai au moins 4 HL (enchère illimitée et donc forcing)
> - j'ai au moins cinq cartes dans la majeure nommée
> - je vous demande de me renseigner sur un fit éventuel dans la majeure en nommant :
>   - 4 de la majeure, si vous avez au moins trois cartes (exemple 1)
>   - 3 SA avec seulement deux cartes (exemple 2).

EXEMPLE 1

Main de l'ouvreur	Main du répondant	Ouvreur	Répondant
♠ A73	**♠ 82**	2 SA	3 ♥
♥ A94	**♥ RD872**	4 ♥	
♦ AR72	**♦ 843**		
♣ ADV	**♣ 752**		

EXEMPLE 2

Main de l'ouveur	Main du répondant	Ouvreur	Répondant
♠ **R8**	♠ **DV752**	2 SA	3 ♠
♥ **AD7**	♥ **984**	3 SA	
♦ **A73**	♦ **R52**		
♣ **AR762**	♣ **83**		

Remarque : les enchères de 3 ♥ et 3 ♠ sont illimitées en points (4 HL et plus); elles s'utilisent également pour la recherche d'un chelem lorsque le répondant possède au moins 11 HL.

c) Le répondant peut rechercher un fit 4-4 en majeure : la convention 3 ♣ STAYMAN

Le répondant avec 4 HL et plus, peut (s'il possède une ou deux majeures quatrièmes) espérer jouer la manche en majeure.
Malheureusement, la situation est identique à la réponse sur l'ouverture de 1 SA, puisque le répondant n'a pas d'enchère naturelle à sa disposition :
- 3 ♠ montre au moins cinq cartes à Pique et 4 HL et plus
- 4 ♠ montre au moins six cartes et 4-10 HLD

Le répondant est donc obligé, comme sur l'ouverture de 1 SA, d'utiliser la convention STAYMAN en nommant 3 ♣.

A RETENIR
La convention 3 ♣ STAYMAN sur l'ouverture de 2 SA promet :
- 4 HL et plus
- une ou deux majeures quatrièmes

dénie :
- une distribution 4.3.3.3

L'ouvreur doit répondre à la question posée :

Premier cas
L'ouvreur avec une ou deux majeures quatrièmes répond :
- 3 ♥ : j'ai quatre cartes à Cœur, mais pas quatre cartes à Pique
- 3 ♠ : j'ai quatre cartes à Pique, mais pas quatre cartes à Cœur
- 3 SA : j'ai quatre cartes à Cœur et quatre cartes à Pique.

Deuxième cas
L'ouvreur sans majeure quatrième répond 3 ♦.

REMARQUE : les réponses au 3 ♣ Stayman diffèrent des réponses au 2 ♣ Stayman, pour ne pas dépasser le palier de 3 SA.

Il n'existe pas de "Misère" sur l'ouverture de 2 SA. Toute enchère est au minimum forcing de manche.

Séquences	Attitude du répondant sur la réponse de l'ouvreur après un Stayman
Ouvreur Répondant 2 SA 3 ♣ 3 ♦ ?	Le répondant conclut à 3 SA puisqu'il n'existe plus d'espoir de jouer un contrat en majeure
Ouvreur Répondant 2 SA 3 ♣ 3 ♥ ?	Le répondant annonce : • 3 SA avec quatre cartes à Pique • 4 ♥ avec quatre cartes à Cœur
Ouvreur Répondant 2 SA 3 ♣ 3 ♠ ?	Le répondant annonce : • 3 SA avec quatre cartes à Cœur • 4 ♠ avec quatre cartes à Pique
Ouvreur Répondant 2 SA 3 ♣ 3 SA ?	Le répondant nomme sa majeure quatrième au niveau de 4

2. Recherche d'un contrat à Sans Atout

Avec 4 HL et plus, sans espoir de jouer la manche en majeure, le répondant peut :

- nommer 3 SA, si le chelem est exclu
- conclure à 6 SA, si le chelem est certain
- proposer le chelem, si celui-ci est envisageable, en faisant l'enchère quantitative de 4 SA.

a) le chelem est exclu lorsque le répondant a 4-10 HL
(22 HL + 10 HL ne font que 32 HL), il conclut alors à 3 SA (exemple 1).

b) le chelem est certain lorsque le répondant a 12-13 HL
(21 HL + 12 HL = 33 HL), il nomme directement 6 SA (exemple 2).

c) le chelem est envisageable, lorsque le répondant a 11 HL
Il propose alors le chelem à l'ouvreur en faisant l'enchère quantitative de 4 SA.

Cette réponse de 4 SA signifie :

- partenaire, j'ai 11 HL, une main régulière sans autre espoir que de jouer un chelem à Sans Atout,
- le chelem dépend de la force de votre ouverture et je vous prie de répondre :
  - passe avec 21 HL (exemple 3)
  - 6 SA avec 22 HL (exemple 4).

EXEMPLE 1

Sur l'ouverture de 2 SA, le répondant déclare 3 SA avec le jeu suivant :

♠ 763
♥ AD7
♦ 965
♣ V952

EXEMPLE 2

Sur l'ouverture de 2 SA, le répondant déclare 6 SA avec le jeu suivant :

♠ A73
♥ AD8
♦ R874
♣ 952

EXEMPLE 3

Main de l'ouvreur	Main du répondant	Ouvreur	Répondant
♠ A84	♠ RD5	2 SA	4 SA
♥ AR5	♥ 962	Passe	
♦ RD4	♦ V85		
♣ AV62	♣ RD84		

EXEMPLE 4

Main de l'ouvreur	Main du répondant	Ouvreur	Répondant
♠ A84	♠ RD5	2 SA	4 SA
♥ ARV	♥ 962	6 SA	
♦ RD4	♦ V85		
♣ AV62	♣ RD84		

Remarque : dans un but de simplification, nous avons volontairement laissé de côté la réponse de 3♦ sur l'ouverture de 2 SA. Très rare, elle ne s'utilise en effet que pour rechercher un chelem à Carreau ; il faut :
— au moins six cartes à Carreau
— au moins 8 HL.

TABLEAU DES REPONSES SUR OUVERTURE DE 2 SA

Réponses	Nombre de points	Forcing (F) Non forcing (NF)	Nombre de cartes	Distribution
Passe	0-3 HL	NF		Imprécise
3 ♣ Stayman	4 HL et plus	F	Une ou deux majeures quatrièmes	Imprécise
3 ♦	8 HL et plus	F	Au moins 6 cartes à ♦	Irrégulière
3 ♥	4 HL et plus	F	Au moins 5 cartes à ♥	Imprécise
3 ♠	4 HL et plus	F	Au moins 5 cartes à ♠	Imprécise
3 SA	4-10 HL	NF		Imprécise
4 ♥	4-10 HLD	NF	Au moins 6 cartes à ♥	Irrégulière
4 ♠	4-10 HLD	NF	Au moins 6 cartes à ♠	Irrégulière
4 SA	11 HL	NF		Régulière
6 SA	12-13 HL	NF		Régulière

TABLEAU DES REPONSES AU 3 ♣ STAYMAN

Réponses	Significations
3 ♦	Pas de majeure quatrième
3 ♥	4 cartes à ♥ , pas 4 cartes à ♠
3 ♠	4 cartes à ♠ , pas 4 cartes à ♥
3 SA	Les deux majeures quatrièmes

LA DONNE COMMENTEE

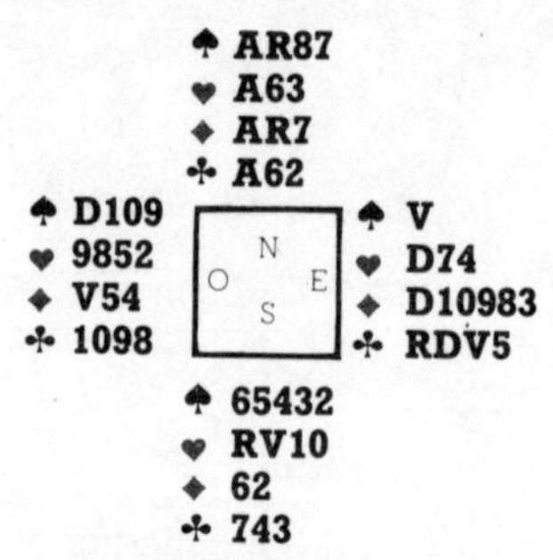

Sud est donneur
1. Faites la séquence d'enchères.
2. Quelle est l'entame ?

Etablissez votre plan de jeu et jouez la donne avant de vérifier sur

 43.1

LEÇON N° 44
Les ouvertures de 2 fort : 2 ♦, 2 ♥, 2 ♠

I. - CONDITIONS D'OUVERTURE

Les ouvertures de 2 ♦, 2 ♥, 2 ♠, font partie des ouvertures précises, puisqu'elles définissent :

- **une distribution :** la main est unicolore, c'est-à-dire six cartes au moins dans la même couleur,
- **une force :**
  - soit 21-23 HLD
  - soit 8 levées de jeu dont trois levées de défense extérieures à la couleur longue.

a) L'ouvreur a un unicolore de 21-23 HLD

EXEMPLE 1
♠ AD8743
♥ 92
♦ AR4
♣ AD il doit ouvrir de 2 ♠

EXEMPLE 2
♠ AD
♥ RV10764
♦ AR5
♣ V2 il doit ouvrir de 2 ♥

 44.1

b) L'ouvreur a huit levées de jeu dont trois levées de défense extérieures à la couleur longue

L'évaluation en points (HL ou HLD), que nous avons utilisée jusqu'à maintenant, nous a donné toute satisfaction. Il s'avère que certaines mains excentrées sont très nettement sous-évaluées si l'on se contente de ces points.

1. Exemples : Comparez les deux mains suivantes

Main n° 1	Main n° 2
♠ ARD	**♠ ARDV109876**
♥ AR84	**♥ 87**
♦ AR2	**♦ 8**
♣ AR2	**♣ 8**

— la main n° 1 a 30 points honneurs, l'ouvreur est assuré de faire neuf levées dans l'ensemble des quatre couleurs,
— la main n° 2 a 10 points honneurs, mais comprend neuf honneurs équivalents à Pique, l'ouvreur est assuré de faire neuf levées grâce à une seule couleur : les Piques.
Donc la main n° 1 (30 H) n'apporte pas plus de levées que la main n° 2 (10 H).

2. Principe

La valeur d'une main se détermine :
* soit par la présence d'Honneurs qui la composent : valeur que nous connaissons bien puisque dès la première leçon l'évaluation des mains est faite en points H,
* soit par la présence d'un certain nombre de levées provenant d'une couleur composée d'Honneurs équivalents.

Le premier type de main (main forte en points) a été étudié en a). On peut, en revanche, ouvrir d'un 2 Fort avec des mains comportant :
— huit levées de jeu
— trois levées de défense.

EXEMPLE : ♠ **AR**
♥ **DV109754**
♦ **A7**
♣ **84**

3. Les levées de défense

Supposez que vous ayez ouvert d'un 2 Fort et que l'adversaire intervienne ; votre partenaire, escomptant au moins 17 H dans votre main risque de contrer punitivement l'adversaire. A défaut de cette force de 17 H, il vous faut un minimum de levées, appelées "levées de défense". Elles sont obligatoirement dans les couleurs extérieures à la couleur longue, pour ne pas risquer d'être coupées.

Les levées de défense se comptent comme suit :
- As : une levée de défense
- As et Roi d'une même couleur : deux levées de défense
- Roi second : une demi-levée de défense (une fois sur deux le Roi fait la levée)
- Roi et Dame secs : une levée de défense
- Roi et Dame Troisième d'une même couleur : une levée et demie de défense (tout dépend de la place de l'As chez les adversaires
- As et Dame d'une même couleur : une levée et demie de défense (selon la place du Roi).

II. - REPONSES AUX OUVERTURES D'UN DEUX FORT

L'ouverture d'un deux fort, comme toute annonce d'une couleur, est une proposition pour jouer un contrat dans la couleur.
Le répondant devra donc envisager deux situations :
- il a trois cartes ou plus dans l'ouverture
- il a deux cartes ou moins dans l'ouverture.

A - Le répondant a au moins trois cartes dans la couleur d'ouverture : il soutient

L'ouverture d'un deux fort étant précise en force, le répondant connaît la force combinée des deux mains, lui seul sait si :
- la manche est exclue
- la manche est certaine
- le chelem est envisageable.

a) Le répondant a 0-4 HLD, la manche est exclue
Il doit passer sur l'ouverture.
EXEMPLE : sur l'ouverture de 2 ♠, le répondant passe avec

♠ **V83**
♥ **D763**
♦ **432**
♣ **532**

b) Le répondant a 5-9 HLD, la manche est certaine
Il doit nommer la manche directement.
EXEMPLE : sur l'ouverture de 2 ♥, le répondant dit 4 ♥ avec

♠ **A732**
♥ **R74**
♦ **652**
♣ **965**

c) Le répondant a 10 HLD et plus, le chelem est envisageable
Il doit faire un soutien simple au niveau de 3 pour montrer un jeu fort et demander au partenaire de faire des enchères de chelem (voir cours sur les enchères de chelem, leçon 53).
Remarque : le soutien direct à la manche montre un jeu plus faible que le soutien simple.
EXEMPLE : sur l'ouverture de 2 ♥, le répondant dit 3 ♥ avec

♠ **RD8**
♥ **A765**
♦ **A843**
♣ **96**

Le soutien simple à 3 ♥ est forcing de manche et montre des ambitions de chelem.

B - Le répondant a au plus deux cartes dans la couleur d'ouverture

Il connaît la force combinée des deux mains, lui seul sait si :
- la manche est exclue
- la manche est certaine
- le chelem est envisageable.

a) Le répondant a 0-3 HL, la manche est exclue
Il passe.
EXEMPLE : sur l'ouverture de 2 ♠, le répondant passe avec

♠ **7**
♥ **D84**
♦ **97652**
♣ **9765**

b) Le répondant peut annoncer une couleur au moins cinquième
- au palier de deux, le changement de couleur montre au moins 4 HL
- au palier de trois, le changement de couleur montre au moins 8 HL.

EXEMPLE : sur l'ouverture de 2 ♥, le répondant dit 2 ♠ avec

♠ **AV875**
♥ **82**
♦ **9764**
♣ **32**

Sur l'ouverture de 2♥, le répondant n'a que 7 HL et ne peut donc pas dire 3♦ avec

♠ **82**
♥ **83**
♦ **AV8752**
♣ **742**

Remarque :
Les changements de couleur sur l'ouverture d'un 2 fort sont forcing. L'ouvreur doit :

- **soutenir** le répondant avec au moins trois cartes.

EXEMPLE : après la réponse de 2♠, sur l'ouverture de 2♥, l'ouvreur soutient à 3♠ avec le jeu suivant :

♠ **A82**
♥ **RDV1098**
♦ **A7**
♣ **A5**

- **sans fit,** faire un changement de couleur dans trois cartes composées de deux gros honneurs, en vue de rechercher un contrat à Sans Atout.

EXEMPLE : après la réponse de 2♥, sur l'ouverture de 2♦, l'ouvreur dit 3♣ avec le jeu suivant :

♠ **82**
♥ **82**
♦ **ARDV109**
♣ **ARD**

Le répondant avec un arrêt à Pique, annonce 3 SA.

c) Le répondant avec au moins 4 HL, sans couleur cinquième déclarable, dit 2 SA

L'enchère de 2 SA est forcing pour un tour, si l'ouvreur répète sa couleur, le répondant peut passer s'il est minimum.

EXEMPLE 1

Ouvreur	Répondant	Ouvreur	Répondant
♠ **ARV762**	♠ **8**	2♠	2 SA
♥ **RD4**	♥ **A7532**	3♦ *	3♥ **
♦ **AD3**	♦ **842**	4♥	Passe
♣ **2**	♣ **8754**		

*3♦ : l'ouvreur a trois beaux Carreaux et six cartes à Pique seulement

**3♥ : montre cinq cartes et moins de 8 HL.

EXEMPLE 2

Ouvreur	Répondant	Ouvreur	Répondant
♠ **DV109876**	♠ **2**	2♠	2 SA
♥ **A2**	♥ **864**	3♠ *	Passe
♦ **A2**	♦ **R874**		
♣ **A2**	♣ **V10653**		

*3♠ : montre 7 cartes à Pique : une carte de plus que promis à l'ouverture.

 44.2

PRINCIPE A RETENIR
Sur ouverture de 2 fort, lorsque le répondant ne passe pas, il doit envisager par ordre de priorité décroissant :
- le soutien
- le changement de couleur dans une couleur cinquième
- l'enchère de 2 SA.

SYNTHESE DES REPONSES SUR L'OUVERTURE D'UN DEUX FORT

Le répondant est fité 3 cartes et plus		
Zone de points	**Enchères**	**F ou NF**
0-4 HLD	Passe	NF
5-9 HLD	Soutien direct au niveau de la manche	NF
10 HLD et +	Soutien simple	F

Le répondant n'est pas fité 0-2 cartes		
Zone de points	**Enchères**	**F ou NF**
0-3 HL	Passe	NF
4-7 HL	Changement de couleur dans une couleur 5e au niveau de 2 Sinon 2 SA	F F
8 HL et +	Changement de couleur dans une couleur 5e au palier de 2 ou 3 Sinon 2 SA	F F

Remarque : l'ouverture de 2♣ Albarran est conventionnelle et réservée en partie aux mains irrégulières de 24 HLD, et plus (voir leçon 45).

L'ouverture d'un 2 Fort à base de Trèfle de 21-23 HLD, ne peut donc pas s'ouvrir d'un deux fort.

En conséquence, avec un unicolore sixième à Trèfle de 21-23 HLD, l'ouvreur peut :

- soit ouvrir de 2♣ Albarran (en trichant de 1 à 2 HLD)
- soit ouvrir de 1♣, puis sur la réponse du partenaire, faire un changement de couleur à saut dans trois cartes.

EXEMPLE

Main de l'ouvreur : ♠ **AR2**
♥ **A**
♦ **82**
♣ **DV109876**

Ouvreur	Répondant
1♣	1♦
2♠ *	

*L'enchère de 2♠ est forcing de manche.

LA DONNE COMMENTEE

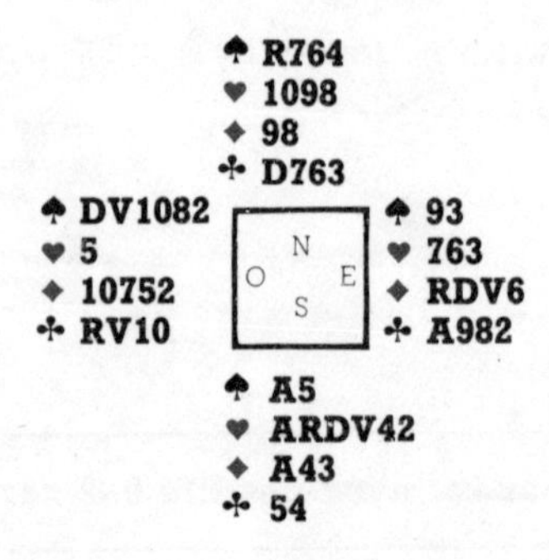

Sud est donneur

1. Faites la séquence d'enchères.
2. Quelle est l'entame ?

Etablissez votre plan de jeu et jouez la donne avant de vérifier sur

 44.3.

LEÇON N° 45
L'ouverture de 2 ♣ Albarran

45.1

I. - PRINCIPE

L'originalité de cette ouverture réside dans le désir de jouer au moins la manche, quelle que soit la force du partenaire : c'est la seule ouverture forcing de manche, le répondant ne pouvant pas passer avant que la manche ne soit nommée.
Cette ouverture conventionnelle est totalement artificielle ; comme toute enchère artificielle au bridge, l'ouverture de 2 ♣ Albarran est à la fois une question (1) et une affirmation (2) :

(1) "Partenaire, avez-vous un ou plusieurs As dans votre jeu ?
- si oui, lesquels ?
- si non, donnez-moi votre force".

(2) "Je décrirai la distribution de mon jeu ultérieurement, nous aurons le temps de rechercher un fit éventuel puisque nous jouerons au minimum la manche".

II. - CONDITIONS D'OUVERTURE

L'ouverture de 2 ♣ Albarran montre :
— soit un jeu régulier de 23 HL et plus
— soit un jeu irrégulier de 24 HLD et plus
— soit le nombre de levées requises pour jouer la manche (moins une levée), avec au moins trois levées de défense extérieures à la couleur longue.

1. Exemples d'ouvertures de 2 ♣ avec un jeu régulier

Main N° 1	Main N° 2
♠ **AD2**	♠ **ARV4**
♥ **AR3**	♥ **ARD**
♦ **R4**	♦ **AV3**
♣ **ADV98**	♣ **RDV**
24 HL	28 HL

2. Exemples d'ouverture de 2 ♣ avec un jeu irrégulier (unicolore ou bicolore)

Main N° 1	Main N° 2
♠ **ARDV9**	♠ **ARDV75**
♥ **ARV2**	♥ **ARD**
♦ **AR8**	♦ **R2**
♣ **4**	♣ **65**
28 HL	26 HL

3. Exemples d'ouverture de 2 ♣ Albarran avec une main à base de levées de jeu (voir leçon 44)

Pour ce type de main, l'ouvreur doit respecter les deux conditions suivantes :

— **la main doit posséder le nombre de levées nécessaires pour jouer la manche moins une levée**

Exemples : • si la manche envisagée est en majeure, il faut 9 levées (10-1)

• si la manche envisagée est à Sans Atout, il faut 8 levées (9-1 = 8).

— **la main doit posséder au moins trois levées de défense extérieures à la couleur longue**

Main N° 1 : **♠ 2**
♥ ARDV432
♦ ARD
♣ 42

L'ouvreur a : 7 levées sûres à Cœur
3 levées extérieures à Carreau

Avec 10 levées, l'ouverture est :
2♣ Albarran

Main N° 2 : **♠ A3**
♥ A4
♦ R6
♣ ARDV763

L'ouvreur a : 1 levée sûre à Pique
1 levée sûre à Cœur
1 demi-levée sûre à Carreau
7 levées sûres à Trèfle

Avec 9 levées et demie de jeu, l'ouvreur est assuré de jouer au moins 3 SA et ouvre donc de 2♣ Albarran

PRINCIPE A RETENIR
L'ouverture artificielle de 2♣Albarran est forcing de manche.

III. - REPONSES A L'OUVERTURE DE 2 ♣ ALBARRAN

Sur cette ouverture, le répondant doit obligatoirement indiquer son nombre d'As, et dans le cas contraire sa force.
Les réponses sont conventionnelles.

Réponses	Signification
2 ♦	Je n'ai pas d'As, j'ai 0-7 HL, je n'ai pas deux Rois
2 ♥	J'ai l'As de Cœur, sans précision de force
2 ♠	J'ai l'As de Pique, sans précision de force
2 SA	Je n'ai pas d'As, j'ai ● soit 8 HL et plus ● soit 6-7 HL et deux Rois
3 ♣	J'ai l'As de Trèfle, sans précision de force
3 ♦	J'ai l'As de Carreau, sans précision de force
3 SA	J'ai deux As, sans précision de force

Remarque : de l'ensemble de ces réponses vous constatez :

1. Le premier palier de réponse (2♦) et l'enchère de 2 SA sont réservés aux réponses négatives (pas d'As) ; en compensation, le répondant annonce sa force (le principe est le même que celui des réponses au Stayman).
2. Avec un As, le répondant nomme directement la couleur de son As. Toutefois avec l'As de Carreau, il faut penser à dire 3 Carreaux, la réponse de 2 Carreaux étant négative.
3. Une main de six points composée de deux Rois a autant de valeur qu'une main de 8 HL et plus, n'ayant pas de Roi ou un seul.

IV. - DEVELOPPENT DES ENCHERES APRES LA REPONSE CONVENTIONNELLE DU REPONDANT

Sur la première enchère du répondant, l'ouvreur décrit la distribution de sa main.

1. L'ouvreur nomme 2 SA avec un jeu régulier

Sur 2 SA le répondant se décrit en respectant les mêmes principes qu'après l'ouverture de 2 SA, seules les conditions de points sont différentes puisque le répondant ne doit jamais passer, même avec un jeu blanc (c'est-à-dire zéro point).

EXEMPLE 1

Ouvreur	Répondant	Ouvreur	Répondant
♠ **AR4**	♠ **V76**	2 ♣	2 ♦
♥ **ADV2**	♥ **843**	2 SA	3 SA
♦ **ARD6**	♦ **52**		
♣ **R7**	♣ **V8543**		

Sur l'ouverture de 2 SA, le répondant avec une mineure cinquième sans espoir de chelem doit annoncer 3 SA avec un minimum de 4 HL. Sur l'ouverture de 2 ♣, le principe est le même excepté en ce qui concerne la force.

EXEMPLE 2

Ouvreur	Répondant	Ouvreur	Répondant
♠ **ADV4**	♠ **9876**	2 ♣	2 ♦
♥ **A5**	♥ **9872**	2 SA	3 ♣ *
♦ **AR62**	♦ **54**	3 ♠	4 ♠
♣ **AD4**	♣ **765**		

*3 ♣ est la convention Stayman.

2. L'ouvreur nomme sa couleur avec un jeu unicolore ou bicolore

Sur la nomination d'une couleur, le répondant se décrit en respectant les mêmes principes de réponses de deux à la couleur. Seules les conditions de points sont différentes, la main du répondant pouvant être nulle.

EXEMPLE

Ouvreur	Répondant	Ouvreur	Répondant
♠ **ADV1072**	♠ **9874**	2 ♣	2 ♦
♥ **ARDV4**	♥ **73**	2 ♠	3 ♠
♦ **2**	♦ **97653**	4 ♠	
♣ **9**	♣ **84**		

LA DONNE COMMENTEE

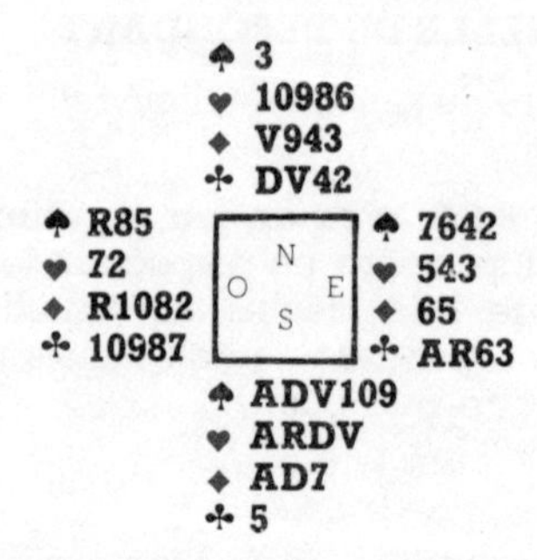

Sud est donneur

1. Faites la séquence d'enchères.
2. Quelle est l'entame ?

Etablissez votre plan de jeu et jouez la donne avant de vérifier sur

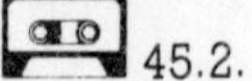 45.2.

LEÇON N° 46
Les enchères de chelem

Rappel : — pour gagner un petit chelem, il faut réaliser douze levées,
— pour gagner un grand chelem, il faut réaliser toutes les levées.

I. - PRINCIPE GENERAL

Nous savons qu'il faut 33 HL pour réaliser un petit chelem à Sans Atout (34 HLD à la couleur) et 37 HL pour réaliser le grand chelem à Sans Atout (38 HLD à la couleur).

En conclusion, avant de demander un chelem, il faut :
1. être assuré de la nature du chelem (couleur ou Sans Atout),
2. être assuré que la force combinée des deux mains est suffisante.
En fait, ces deux conditions ne sont pas suffisantes pour la demande d'un chelem : lorsque la force combinée de deux mains est de 33 HL ou 34 HLD, elle correspond très souvent à une force d'environ 31 points d'honneurs. En conséquence, les adversaires ont assez de points d'honneurs pour posséder :
— soit l'As et le Roi d'une même couleur
Exemple : Sud joue 6 SA, Ouest entame As et Roi de Pique pour la chute
— soit deux As
Exemple : Sud joue 6 ♦, Ouest entame l'As de Trèfle, puis tire son As de Carreau pour la chute.

Ces deux exemples montrent l'intérêt des enchères de chelem dont le but est de vérifier que l'adversaire n'a pas deux levées immédiates à l'entame.

Les enchères de chelem se font en deux temps :
— premier temps : les enchères de contrôle
— deuxième temps : le Blackwood.

II. - PREMIER TEMPS : LES ENCHERES DE CONTROLE

Elles servent à vérifier que les adversaires ne feront pas l'As et le Roi d'une même couleur à l'entame.
Exemple : Sud joue 6 ♠
Quelles sont les conditions à respecter pour qu'Ouest ne fasse pas dès l'entame la levée de l'As puis celle du Roi de Cœur ?

1. Le camp NS possède l'As de Cœur : contrôle de premier tour.
2. Le camp NS possède le Roi de Cœur : celui-ci est appelé contrôle de second tour : l'adversaire fait la levée de l'As, mais au deuxième tour, Sud contrôlera la couleur avec le Roi.
3. Le camp NS possède une chicane à Cœur : l'adversaire entame de l'As mais celui-ci sera coupé : une chicane est donc un contrôle de premier tour par la coupe.
4. Le camp NS est singleton Cœur : l'adversaire fait la levée de l'As, mais son Roi sera coupé : un singleton est donc un contrôle de deuxième tour par la coupe.

> *PRINCIPE A RETENIR*
> Contrôler une couleur, c'est posséder soit l'As, soit le Roi, soit une chicane, soit un singleton dans cette couleur.

EXEMPLE 1

Main de l'ouvreur	Main du répondant
♠ **AR8764**	♠ **D1052**
♥ **AD2**	♥ **RV75**
♦ **83**	♦ **74**
♣ **AD**	♣ **RV6**
2 ♠	3 ♠
?	

Vous ouvrez de 2 ♠, votre partenaire répond 3 ♠. Le soutien simple de votre partenaire montre des ambitions de chelem, vous ne pouvez conclure à 6 ♠ directement, les Carreaux de votre main ne sont pas contrôlés.
Vous allez donc annoncer les couleurs que vous contrôlez (indifféremment au premier ou deuxième tour), en commençant par la couleur immédiatement au-dessus de la dernière enchère de votre camp : la dernière enchère est 3 ♠ ; la couleur la plus économique est Trèfle : avec votre contrôle de premier tour dites 4 ♣.

> *PRINCIPE A RETENIR*
> Après avoir trouvé un fit, on n'en cherche pas un autre, donc toute annonce d'une autre couleur est une enchère de contrôle.

Que signifie l'enchère de 4 ♣ ?

Ouvreur	Répondant
2 ♠	3 ♠
4 ♣	

— Partenaire, nous faisons une tentative pour jouer 6 ♠ ou peut-être même 7 ♠.
— Ma main ne contrôle pas toutes les couleurs.
— Je contrôle les Trèfles ; pouvez-vous m'annoncer vos contrôles en commençant par la couleur la plus économique par rapport à la dernière enchère, 4 ♣ ?

Sur 4 ♣ :
1. le répondant examine en priorité s'il contrôle les Carreaux, auquel cas il dit 4 ♦ ,
2. s'il ne contrôle pas les Carreaux, mais les Cœurs, il dit 4 ♥ ,
3. s'il n'a aucun contrôle à Carreau et à Cœur, il nomme la couleur d'atout.

Que signifie la séquence suivante ?

Ouvreur	Répondant
2 ♠	3 ♠
4 ♣	4 ♥
?	

L'ouvreur comprend que son partenaire contrôle les Cœurs mais pas les Carreaux puisqu'il n'a pas dit 4 ♦. L'ouvreur conclut donc à 4 ♠ puisque les adversaires risquent de faire la levée de l'As et du Roi de Carreau dès l'entame.

EXEMPLE 2

Ouvreur	Répondant
♠ **AR8764**	♠ **D1052**
♥ **AR2**	♥ **D75**
♦ **D4**	♦ **AR43**
♣ **R4**	♣ **85**
2 ♠	3 ♠
4 ♣	4 ♦
?	

4 ♣ : je contrôle les Trèfles, pouvez-vous me nommer votre contrôle le plus économique ?

4 ♦ : je contrôle les Carreaux.

L'enchère de 4 ♦ rassure l'ouvreur puisque maintenant toutes les couleurs sont contrôlées et il peut faire route vers le chelem.

III. - DEUXIEME TEMPS : LE BLACKWOOD

Au cours de ce deuxième temps, l'ouvreur doit vérifier que l'adversaire n'a pas deux As à tirer dès l'entame, pour cela il utilise la convention Blackwood (du nom de son inventeur).

Conventionnellement, l'enchère de 4 SA, artificielle, demande au partenaire son nombre d'As.

Les réponses se font artificiellement en utilisant les enchères suivantes :

5 ♣	0 ou 4 As
5 ♦	1 As
5 ♥	2 As
5 ♠	3 As

Remarque N° 1 : il est impossible, si l'on recherche un chelem, qu'il puisse exister une ambiguïté entre 0 et 4 As.

EXEMPLE :

Ouvreur	Répondant
♠ **AR8764**	♠ **D1052**
♥ **AR2**	♥ **D52**
♦ **D4**	♦ **AR43**
♣ **R4**	♣ **85**
2 ♠	3 ♠
4 ♣	4 ♦
4 SA	5 ♦
6 ♠	

4 SA : Blackwood
5 ♦ : 1 As
6 ♠ : il manque un As, mais pas deux : l'ouvreur peut donc conclure à 6 ♠.

Remarque N° 2 : après un Blackwood aux As à 4 SA, si on a le nombre de points nécessaires pour jouer un grand chelem et s'il n'y a pas d'As dehors, il est possible de faire un Blackwood aux Rois à 5 SA.

Les réponses se font artificiellement suivant le même principe que sur 4 SA :

6 ♣	0 ou 4 Rois
6 ♦	1 Roi
6 ♥	2 Rois
6 ♠	3 Rois

EXEMPLE :

Ouvreur	Répondant
♠ **A8**	♠ **R74**
♥ **RD10542**	♥ **A863**
♦ **A5**	♦ **R9**
♣ **AD2**	♣ **R763**
2 ♥	3 ♥
4 SA	5 ♦
5 SA	6 ♠
7 SA	

4 SA : Blackwood aux As
5 SA : l'ouvreur avec les 4 As peut faire le Blackwood aux Rois
7 SA : l'ouvreur avec les 4 As et les 4 Rois fera autant de levées à Sans Atout qu'à Pique.

Remarque N° 3 : lorsque l'ouvreur a utilisé l'ouverture de 2 Trèfles Albarran, 4 SA Blackwood devient la demande de Rois, puis 5 SA Blackwood une demande de Dames.

LA DONNE COMMENTEE

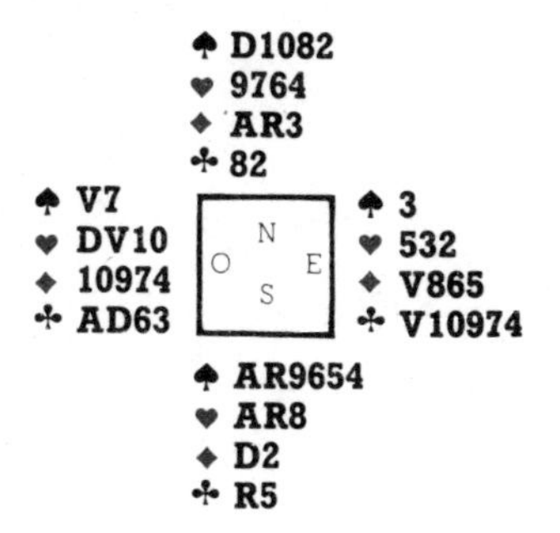

Sud est donneur
1. Faites la séquence d'enchères.
2. Quelle est l'entame ?

Etablissez votre plan de jeu et jouez la donne avant de vérifier sur

46.1.

LEÇON N° 47
Les ouvertures de barrage

I. - VOUS ETES A L'OUVERTURE AVEC LES MAINS SUIVANTES

Main N° 1	Main N° 2
♠ **74**	♠ **ARDV1098**
♥ **ARD7**	♥ **83**
♦ **A743**	♦ **52**
♣ **V52**	♣ **43**

— la main N° 1 a 14 HL, elle s'ouvre de 1♦
— la main N° 2 n'a que 12 HL, elle ne peut donc faire l'objet d'une ouverture ni au niveau de 1, ni au niveau de 2.
Pourtant elle comporte sept levées sûres alors que la main N° 1 n'en a que quatre. Cette main N° 2, forte de sept levées de jeu, doit s'ouvrir au niveau de 3 : on appelle ce type d'enchère une ouverture de BARRAGE.

II. - PRENEZ-VOUS UN RISQUE EN OUVRANT DE 3♠ LA MAIN N° 2 ?

Supposons que les adversaires contrent punitivement le contrat de 3♠.

a) Si votre partenaire ne vous apporte aucune levée sûre, vous chuterez votre contrat de deux levées, en revanche, s'il vous apporte une seule levée, vous ne chuterez que d'un.
Reportons-nous à la marque (cf. leçon 22 et Annexe 1) et analysons les points que vous pouvez perdre :

levée de chute	votre camp est non vulnérable	votre camp est vulnérable
- 1	100	200
- 2	300	500

b) Si votre partenaire vous apporte au plus une levée, il a donc approximativement un As (4 H). La force combinée de votre camp est au maximum de 14 H (10 H + 4 H).
Donc le camp adverse avec un minimum de 26 H (40-14) gagne très probablement une manche.

Reportons-nous à la marque et analysons les points que le camp adverse peut gagner :

manche	le camp adverse est non vulnérable	le camp adverse est vulnérable
3 SA	400	600
4♥ ou 4♠	420	620
5♣ ou 5♦	400	600

En conclusion, suivant la vulnérabilité des deux camps, il est le plus souvent intéressant d'ouvrir de 3♠, même s'ils doivent être contrés.

III. - LES BUTS D'UNE OUVERTURE DE BARRAGE

A - BUT DESTRUCTIF

Si le camp adverse a la majorité des points, il lui sera très difficile de détecter le meilleur contrat : les ouvertures de barrage ont pour but de gêner l'adversaire.
Partons de l'exemple suivant :

N / O E / S	**Jeu de Sud**	**Jeu d'Ouest**
	♠ **ARDV1098**	♠ **74**
	♥ **83**	♥ **ARD7**
	♦ **52**	♦ **A743**
donneur Sud	♣ **43**	♣ **V52**

Supposons que Sud passe avec ses Piques maîtres, Ouest ouvrira alors tranquillement de 1 ♦ et le camp EO se décrira sans aucune gêne.
En revanche, si Sud ouvre de 3♠, Ouest très embarrassé pour décrire son jeu, se trouve dans une situation d'insécurité ; en effet :
— ou bien il prend la décision de passer sur 3♠ alors que son camp gagne peut-être une manche,
— ou bien il fait une enchère, sans être assuré d'un minimum de points chez son partenaire au risque de chuter,
— ou bien il contre punitivement 3♠ au risque que ce contrat gagne si son partenaire accepte le contre.

B - BUT CONSTRUCTIF

En ouvrant de 3♠, Sud promet un certain nombre de levées de jeu. Si Nord a du jeu, il compte le nombre de levées qu'il apporte et par une simple addition connaît le nombre de levées que son partenaire peut réaliser : Nord, ainsi capitaine, déterminera la hauteur du contrat optimum.

IV. - CONDITIONS D'OUVERTURE AU NIVEAU DE 3

Les ouvertures de 3♣, 3 ♦, 3 ♥et 3♠ :
1. Dénient la valeur habituelle de l'ouverture.
2. Promettent une couleur septième dans la couleur nommée, avec au plus un gros honneur manquant (on entend par gros honneur : l'As, le Roi ou la Dame).

3. Promettent six ou sept levées de jeu, non vulnérable, ou sept levées de jeu, vulnérable.

Exemples d'ouverture :

1.	2.	3.
♠ **ARV8765**	♠ **8**	♠ **3**
♥ **V74**	♥ **RDV9875**	♥ **D85**
♦ **82**	♦ **765**	♦ **ADV10543**
♣ **3**	♣ **83**	♣ **85**
3 ♠	3 ♥	3 ♦

en revanche il faut Passer avec :

♠ **52**
♥ **8**
♦ **A73**
♣ **DV109876**

car les Trèfles ne sont pas assez beaux ; il faudrait l'As ou le Roi de Trèfle à la place d'une petite carte.

V. - ATTITUDE DU REPONDANT

a) Votre partenaire ouvre vulnérable, de 3 ♠ par exemple.

Il vous promet sept levées à l'atout Pique :
1. Comptez combien de levées de jeu vous lui apportez.
2. Déterminez la hauteur du contrat.

EXEMPLE avec le jeu suivant :

♠ **32**
♥ **AR72**
♦ **A54**
♣ **A862**

vous apportez quatre levées; étant assuré de sept levées chez votre partenaire, dites 4 ♠

EXEMPLE avec le jeu suivant :

♠ **32**
♥ **A874**
♦ **A52**
♣ **8742**

vous n'apportez que deux levées, neuf levées de jeu ne suffisent pas pour gagner la manche : il faut passer sur 3 ♠

b) Votre partenaire ouvre en mineure, non vulnérable, de 3 ♣ par exemple.

Bien sûr, votre attitude sur les ouvertures mineures reste inchangée, vous devez préférer le contrat de 3 SA à celui de 5 ♣.
Pour cela :
1. Comptez le nombre de levées que vous apportez.
2. Puis déterminez la hauteur du contrat, en vérifiant si vous avez l'intention de jouer 3 SA, que vous arrêtez les trois autres couleurs.

EXEMPLE

Vous avez le jeu suivant : ♠ **A74**
♥ **A83**
♦ **A752**
♣ **862**

Votre main apporte trois levées. Ajoutées aux six levées promises par l'ouvreur, vous arrivez mathématiquement à neuf levées. Il est donc préférable de jouer le contrat de 3 SA (puisque vous contrôlez les trois autres couleurs) plutôt que 5 ♣ qui demande onze levées.

REMARQUE

Dans un but de simplifications, nous ne traiterons pas dans ce cours les autres ouvertures de barrage :

1. l'ouverture de 3 SA promet une mineure septième, sans gros honneur manquant et dénie bien sûr les points de l'ouverture,
2. les ouvertures de 4 ♣ et 4 ♦ promettent une couleur huitième dont deux gros honneurs manquants,
3. les ouvertures de 4 ♥ et 4 ♠ promettent huit levées de jeu, mais excluent trois levées de défense extérieure à la couleur.

LA DONNE COMMENTEE

N.S. : non vulnérable

Sud est donneur.

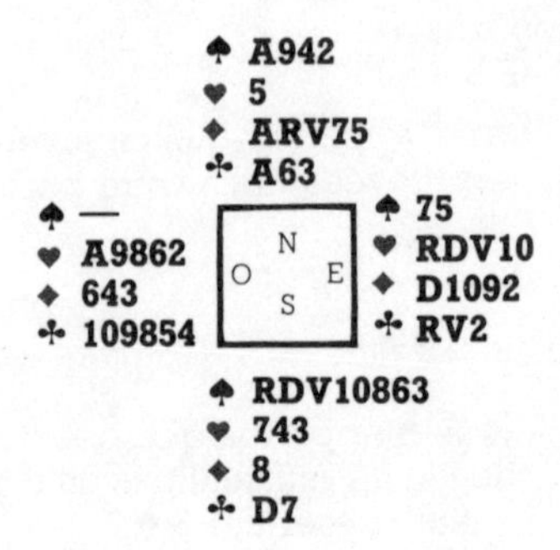

Sud est donneur

1. Faites la séquence d'enchères.
2. Quelle est l'entame ?

Etablissez votre plan de jeu et jouez la donne avant de vérifier sur

47.1.

LEÇON N° 48
La convention Texas majeur sur l'ouverture de 1 SA

Le Bridge moderne utilise sur l'ouverture de 1 SA la convention TEXAS. A titre d'information, nous vous indiquons ici la nature et les principes de la convention. Nous l'étudierons sous sa forme simplifiée.

I. - DEFINITION

Le Texas est une enchère qui consiste à nommer la couleur inférieure à celle que l'on possède sur l'ouverture de 1 SA.

EXEMPLE N° 1

Ouvreur	Répondant	
1 SA	2 ♦	La réponse de 2 ♦ indique au moins 5 cartes à Cœur

EXEMPLE N° 2

Ouvreur	Répondant	
1 SA	2 ♥	La réponse de 2 ♥ indique au moins 5 cartes à Pique

II. - DOMAINE D'UTILISATION DU TEXAS MAJEUR

Cette convention s'utilise sur l'ouverture de 1 SA dès que le déclarant possède une Majeure au moins cinquième.
Elle n'implique pas de limite en force, le répondant a un jeu compris entre zéro et 24 HL.

III. - PREMIERE ENCHERE DU REPONDANT SUR L'OUVERTURE DE 1 SA

Réponses	**Significations**
2 ♣	Stayman : au moins 8 HL
2 ♦	Texas Cœur : forcing pour l'enchère de 2 ♥ Cette réponse promet au moins 5 cartes à Cœur, sans limite de force
2 ♥	Texas Pique : forcing pour l'enchère de 2 ♠ Cette réponse promet au moins 5 cartes à Pique, sans limite de force
2 SA	8 HL, sans majeure quatrième
3 ♥	Cette enchère montre une main unicolore en tentative de chelem : 15 HL et plus, avec au moins 6 cartes à Cœur
3 ♠	Cette enchère montre une main unicolore en tentative de chelem : 15 HL et plus, avec au moins 6 cartes à Pique
3 SA	9-14 HL, sans majeure quatrième

IV. - ATTITUDE DE L'OUVREUR APRES UN TEXAS

La réponse en Texas est une enchère forcing sur laquelle l'ouvreur est tenu de faire la rectification, c'est-à-dire de nommer la couleur détenue.

EXEMPLE

Ouvreur	Répondant
♠ **A7**	♠ **109876**
♥ **ADV5**	♥ **643**
♦ **A64**	♦ **32**
♣ **R975**	♣ **1086**

L'ouvreur a 18 HL, il ouvre de 1 SA ; le répondant a cinq cartes à Pique, il dit 2♥ en Texas.
L'ouvreur est obligé de faire une rectification dans la couleur de son partenaire, il dit 2♠.

V. - LA DEUXIEME ENCHERE DU REPONDANT APRES RECTIFICATION DE L'OUVREUR

1. Le répondant a une force comprise dans la zone 0-7 HL

EXEMPLE

Ouvreur	Répondant	Main du répondant
1 SA	2♦	♠ **75**
2♥	?	♥ **A7653**
		♦ **872**
		♣ **543**

Sans jouer la convention Texas, l'ouvreur aurait passé sur l'enchère de Misère de son partenaire.
Après la rectification de l'ouvreur, sur un Texas, le répondant doit bien sûr Passer.

2. Le répondant a 8 HL précisément

La manche est envisageable ; suivant la forme de son jeu, il a le choix entre :
a) répéter sa couleur sans faire de saut, si elle est sixième (exemple 1),
b) nommer 2 SA, si sa couleur n'est que cinquième (exemple 2).

EXEMPLE N° 1

Ouvreur	Répondant	Main du répondant
1 SA	2♥	♠ **AD7432**
2♠	?	♥ **753**
		♦ **82**
		♣ **74**

Le répondant a 8 HL, six cartes à Pique : il fait l'enchère de 3 ♠.

EXEMPLE N° 2

Ouvreur	Répondant	Main du répondant
1 SA	2 ♦	♠ **74**
2 ♥	?	♥ **ADV72**
		♦ **1095**
		♣ **1095**

Le répondant fait l'enchère de 2 SA, car il n'a que cinq cartes à Cœur.
Si l'ouvreur n'a que deux cartes, il choisira bien sûr de jouer le contrat à Sans Atout, car il n'y a pas de fit.

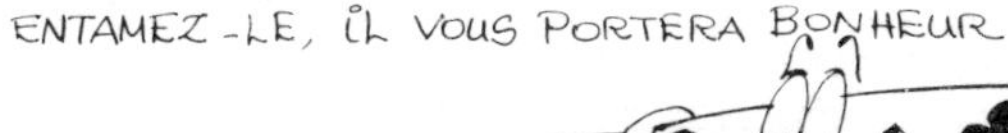

3. Le répondant a 9 HL et plus

La manche est certaine, le répondant peut :
— annoncer directement la manche avec une majeure sixième (exemple 1),
— nommer 3 SA avec une majeure cinquième (exemple 2).

EXEMPLE N° 1

Ouvreur	Répondant	Main du répondant
1 SA	2 ♥	♠ **ADV754**
2 ♠	?	♥ **R7**
		♦ **843**
		♣ **52**

Le répondant dit 4♠, car :
— il est fité avec son partenaire ; en effet, l'ouvreur a une distribution régulière, donc au minimum deux cartes à Pique,
— il a les points pour jouer la manche.

EXEMPLE N° 2

Ouvreur	Répondant	Main du répondant
1 SA	2 ♦	♠ **R43**
2 ♥	?	♥ **ADV72**
		♦ **V92**
		♣ **62**

Le répondant annonce 3 SA, car :

— la manche est certaine vu la force de sa main,

— il n'a que cinq cartes à Cœur, son partenaire n'en a peut-être que deux. (L'ouvreur, avec trois cartes à Cœur, rectifiera l'enchère de 3 SA en nommant 4 ♥.)

VI. - REMARQUES

1. La convention Texas ne s'emploie que sur l'ouverture de 1 SA.
2. Après intervention adverse sur l'ouverture de 1 SA, cette convention ne se pratique pas. Il faudra alors faire les enchères naturelles que nous avons étudiées dans les leçons 24 à 27.
3. Lorsqu'une main comporte une Majeure quatrième et une Majeure cinquième, vous devrez donner une priorité au Stayman pour la recherche d'un fit 4-4.
4. Il n'est pas souhaitable qu'un débutant joue la convention Texas, car elle risque d'avoir des conséquences désastreuses sur le jeu de la carte.
   En effet, la main de base sera celle du mort puisqu'il possédera le plus grand nombre d'atouts, ce qui est inhabituel.
5. Beaucoup de joueurs pratiquent cette convention, il était donc nécessaire de vous en donner un aperçu. Nous ne donnerons ni donne, ni exercice à la fin de cette leçon.

LEÇON N° 49
Révisions

Répondez aux exercices suivants qui vous permettront de réviser les six leçons précédentes, puis pour vérifier vos réponses.

EXERCICE N° 1

Vous êtes assis soit en Nord, soit en Sud (suivant le point d'interrogation), quelle est votre enchère pour chacune des huits mains ?

Main de Nord — Séquence d'enchères

1.
♠ 83
♥ AD8642
♦ 65
♣ 543

S	O	N	E
2 SA	Passe	?	

2.
♠ A832
♥ 65
♦ RD63
♣ 432

S	O	N	E
2 SA	Passe	?	

3.
♠ RV72
♥ D8
♦ ARD7
♣ AD6

S	O	N	E
2 SA	Passe	3 ♥	Passe
?			

4.
♠ A843
♥ ADV
♦ AR6
♣ RV7

S	O	N	E
2 SA	Passe	4 SA	Passe
?			

5.
♠ A876
♥ D63
♦ A6
♣ V975

S	O	N	E
2 ♥	Passe	?	

6.
♠ A864
♥ 5
♦ V752
♣ 6543

S	O	N	E
2 ♠	Passe	?	

7.
♠ AV753
♥ 82
♦ R64
♣ V52

S	O	N	E
2 ♥	Passe	?	

8.
♠ ARV7542
♥ 82
♦ AV
♣ A5

S	O	N	E
2 ♠	Passe	2 SA	Passe
?			

49.1

EXERCICE N° 2

Vous êtes assis soit en Nord, soit en Sud (suivant le point d'interrogation), quelle est votre enchère pour chacune des six mains ?

Main de Nord — Séquence d'enchères

1. **♠ R875** **♥ V743** **♦ 9** **♣ 6542**

S	O	N	E
2 ♣	Passe	?	

2. **♠ RDV** **♥ ADV5** **♦ AR75** **♣ AV**

S	O	N	E
2 ♣	Passe	2 ♠	Passe
?			

3. **♠ —** **♥ D9752** **♦ V932** **♣ R543**

S	O	N	E
3 ♠	Passe	?	

4. **♠ RDV10843** **♥ R8** **♦ V3** **♣ 82**

S	O	N	E
?			

5. **♠ AR874** **♥ 4** **♦ RDV5** **♣ AR7**

S	O	N	E
1 ♠	Passe	4 ♠	Passe
?			

6. **♠ 10874** **♥ AR65** **♦ 843** **♣ 32**

S	O	N	E
1 ♦	Passe	1 ♥	Passe
2 ♣	Passe	?	

 49.2

LEÇONS 50 à 56

LES ENCHERES DU CAMP QUI N'A PAS OUVERT

50. Principe et philosophie des interventions
51. Les interventions sur l'ouverture de 1 à la couleur
52. Les réponses aux interventions
53. Les réponses au contre d'appel
54. Les réveils
55. La convention spoutnik
56. Révisions

LEÇON N° 50
Principe et philosophie des interventions

I. - DEFINITION DE L'INTERVENTION

Le camp qui a ouvert est communément appelé le camp en attaque par opposition au camp de la défense qui n'a pas ouvert.
L'intervention appartient au camp de la défense, elle se pratique après l'ouverture de l'adversaire placé à sa droite.

EXEMPLE

	N	
? O		E
	S	
	1 ♥	

Après l'ouverture de 1 ♥ de Sud, Ouest est en position d'intervention.

II. - PRINCIPE

Reprenons l'exemple ci-dessus. Ouest est en position d'intervention après l'ouverture de 1 ♥ de Sud, avec la main suivante :

♠ ADV74
♥ A72
♦ 83
♣ 542

Quelles déductions, Ouest peut-il faire ?

1. Il sait que le camp en attaque possède un minimum de 13 HL.
2. Il peut donc avoir l'espoir que son camp possède le reste des points, c'est-à-dire 27 HL. Il n'est alors pas exclu que le camp de la défense puisse jouer une manche.
3. Le camp en attaque peut également atteindre et réussir un contrat, alors que le camp de la défense peut aussi, soit réussir un contrat, soit le chuter de peu.

Imaginons que le camp en attaque gagne, dans notre exemple, le contrat de 2 ♥. En se référant à la marque, nous voyons que le camp Nord-Sud obtient 60 points.
Ouest avec son jeu, peut avoir l'espoir d'un fit Pique avec son partenaire : suivant la force combinée de son camp, le contrat de 2 Piques gagne ou chute.
* si 2 Piques gagnent, le camp Est-Ouest, d'après la marque, gagne 60 points.
* si 2 Piques chutent d'une levée, le camp Est-Ouest ne perd que 50 points, s'il n'est pas vulnérable.

(Pour vous aider à faire ce calcul, reportez-vous à la marque qui se trouve en Annexe 1 du livre.)

Avec son jeu, Ouest a tout intérêt à intervenir, car il risque fort de gêner les enchères du camp en attaque.

En conclusion, nous dirons qu'une intervention est toujours constructive, elle a deux buts :
— **un but offensif :** le camp de la défense tente de jouer le meilleur contrat,

— **un but défensif :** le camp de la défense préfère chuter un contrat en calculant le risque encouru, en fonction de la vulnérabilité. Il faudra alors être en perpétuelle relation avec la marque.

Nous verrons au cours des leçons suivantes qu'il ne suffit pas d'avoir des points pour intervenir ; en effet, une intervention montre toujours :
- soit du jeu et une couleur au moins cinquième,
- soit du jeu et une distribution.

LA DONNE COMMENTEE

Sud est donneur.

1. Faites la séquence d'enchères.
2. Quelle est l'entame ?

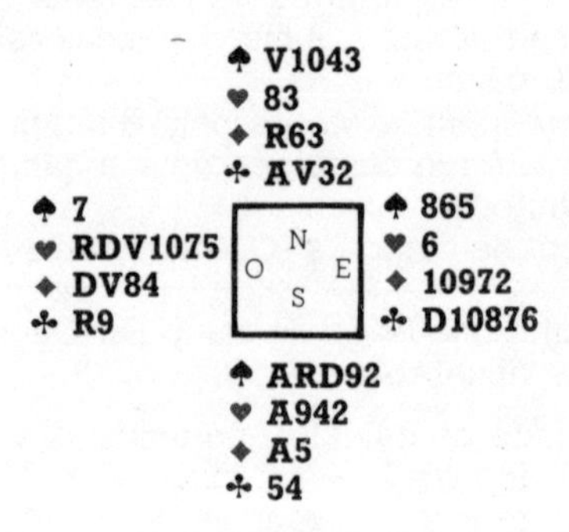

Etablissez votre plan de jeu et jouez la donne avant de vérifier sur  50.1.

LEÇON N° 51
Les interventions sur l'ouverture de 1 à la couleur

Lorsque vous êtes en position d'intervention, pour faire une enchère ou pour contrer, vous devrez bien sûr respecter certaines conditions. Vous aurez parfois le choix entre faire une enchère naturelle ou faire une enchère artificielle (contre). Dans ce cas, vous donnerez une priorité à l'enchère naturelle.

I. - LES ENCHERES NATURELLES

Selon votre distribution et votre force en points H, vous pourrez :
1. Intervenir dans une couleur au niveau de 1.
2. Intervenir dans une couleur, sans saut au niveau de 2.
3. Intervenir dans une couleur au niveau de 2, en faisant un saut.
4. Intervenir dans une couleur en faisant un saut au niveau de 3.
5. Intervenir à 1 SA.

1. Intervenir dans une couleur au niveau de 1

REMARQUE : pour tous les exemples suivants, le joueur Ouest est en position d'intervention, Sud étant l'ouvreur.

EXEMPLE

On dit qu'il y a intervention 1 sur 1

CONDITIONS D'INTERVENTION Pour intervenir au niveau de 1 dans une couleur, il faut : * un minimum de 11 HL et un maximum de 18 HL * au moins cinq cartes dans la couleur de l'intervention.

EXEMPLE N° 1

Main d'Ouest ♠ **AD832**
♥ **V72**
♦ **R104**
♣ **D5**

N
1 ♠ O E
S
1 ♥

Ouest a : — 13 HL,
— 5 cartes à Pique

il doit intervenir à 1 ♠

EXEMPLE N° 2

Main d'Ouest ♠ **R5**
♥ **AR10972**
♦ **D83**
♣ **V2**

N
1 ♥ O E
S
1 ♦

Ouest a : — 15 HL,
— 6 cartes à Cœur

il doit intervenir à 1 ♥

REMARQUE : L'intervention à la couleur étant limitée en points est non-forcing.

2. Intervenir dans une couleur au niveau de 2, sans saut

EXEMPLE

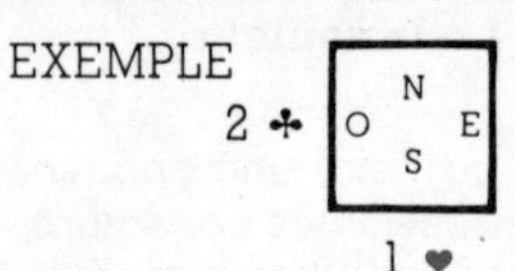

On dit qu'il y a intervention 2 sur 1

CONDITIONS D'INTERVENTION Pour intervenir sans faire de saut dans une couleur au niveau de 2, il faut : * un minimum de 13 HL et un maximum de 18 HL * au moins six cartes dans la couleur de l'intervention.

EXEMPLE N° 1

Main d'Ouest ♠ **RV10**
♥ **65**
♦ **R3**
♣ **ADV1087**

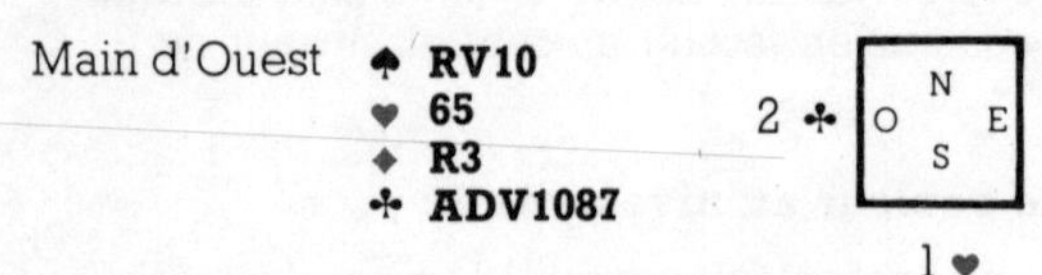

Ouest a : — 16 HL,
— 6 cartes à Trèfle

il doit dire 2 ♣

EXEMPLE N° 2

Main d'Ouest ♠ **D43**
♥ **AD10987**
♦ **R32**
♣ **5**

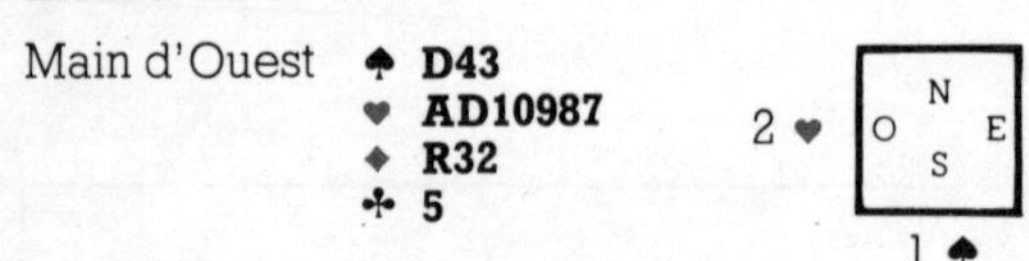

Ouest a : — 13 HL,
— 6 cartes à Cœur

il doit dire 2 ♥

3. Intervenir dans une couleur, en faisant un saut au niveau de 2

EXEMPLES

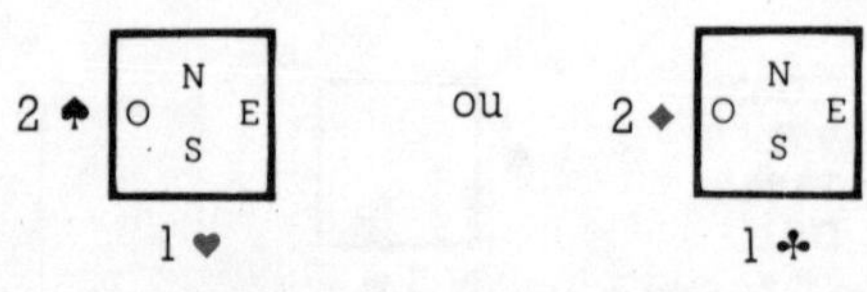

CONDITIONS D'INTERVENTION Pour intervenir au niveau de 2, dans une couleur, en faisant un saut, il faut : * six levées de jeu, sans deux levées de défense extérieures * une belle couleur sixième * moins de 11 points honneur.

Les conditions d'intervention montrent une tendance à barrer les enchères des adversaires. On peut les comparer aux ouvertures de barrage au niveau de trois (voir leçon 47) puisque leur force est en fait évaluée en nombre de levées et qu'elles ne comportent pas de levées de défense.

EXEMPLE

Ouest a six cartes à Pique, il doit supposer la distribution adverse à Pique raisonnable : il intervient à 2 ♠.

4. Intervenir dans une couleur en faisant un saut au niveau de 3

EXEMPLE

Sud est donneur, Ouest assis en deuxième position espérait bien pouvoir ouvrir sa main en barrage à 3 ♥. Hélas, Sud a ouvert devant lui d'1 ♣, peut-il intervenir à 3 ♥ ?

En fait, l'intervention nécessite les mêmes conditions qu'une ouverture de barrage, mais il faut une couleur un peu plus solide. En effet, l'adversaire contrera punitivement plus facilement une intervention qu'une ouverture au niveau de 3, puisqu'il connaît la force minimum de son camp.

Pour intervenir dans une couleur à saut au niveau de 3, il faut :
* une belle couleur septième
* six ou sept levées de jeu, non vulnérable
* sept levées de jeu vulnérable
* moins de 11 points honneur.

EXEMPLE

Main d'Ouest ♠ **ADV9653**
♥ **R4**
♦ **32**
♣ **64**

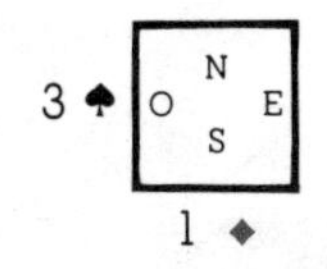

EO Non Vulnérable

Ouest doit intervenir à 3 ♠ en barrage, car il respecte les conditions d'intervention.

5. Intervenir à 1 SA

EXEMPLE

Main d'Ouest ♠ **R4**
♥ **AD3**
♦ **A762**
♣ **DV43**

	N	
1 SA O		E
	S	
	1 ♥	

Sud est donneur, Ouest assis en deuxième position s'apprête à ouvrir tout tranquillement de 1 SA, lorsque Sud ouvre de 1 ♥, peut-il intervenir à 1 SA ?

CONDITIONS D'INTERVENTION
Pour intervenir à 1 SA, il faut :
* 16-18 HL réguliers
* un solide arrêt dans la couleur d'ouverture adverse.

Les conditions sont légèrement changées si on les compare à celles de l'ouverture. En effet, l'ouvreur a dit (dans notre exemple) qu'il possédait au moins cinq cartes à Cœur, Ouest doit donc avoir l'assurance d'empêcher l'adversaire d'affranchir ses Cœurs. Pour cela, il doit posséder dans la couleur d'ouverture un arrêt solide :

EXEMPLE : AD ou AV2 ou A987 ou RV4 ou R109 ou DV43.

REMARQUE : Une intervention naturelle étant limitée en points n'est jamais forcing.

II. - LE CONTRE D'APPEL

INTRODUCTION

Il est très rare d'avoir un nombre de points suffisant pour contrer punitivement un adversaire au niveau de 1. Le contre punitif étant peu employé dans cette situation, a été remplacé par une enchère conventionnelle : le contre d'appel.

EXEMPLE

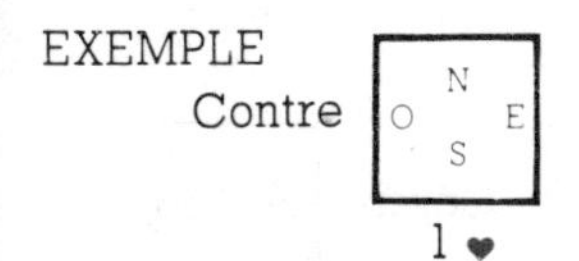

EMPLOI DU CONTRE D'APPEL

1. Vous avez un jeu compris entre 13 et 18 HL

Si vous ne pouvez pas faire une intervention naturelle dans une couleur ou à 1 SA, demandez-vous si vous pouvez faire un contre d'appel.

Le contre d'appel est une enchère artificielle, il demande au partenaire de répondre à la question posée : Partenaire, j'accepte de jouer dans les trois couleurs restantes : choisissez la couleur que vous désirez jouer.

> *CONDITIONS D'INTERVENTION*
> Pour faire un contre d'appel, il faut :
> * 0, 1 ou 2 cartes dans la couleur d'ouverture
> * au moins trois cartes dans les trois autres couleurs
> * 13-18 HL.

EXEMPLE

Main d'Ouest ♠ **A743**
♥ **A854**
♦ **AD62**
♣ **3**

Contre (N / O E / S)
1 ♣

Sur l'ouverture de 1 Trèfle, Ouest peut faire un contre d'appel, car :
— il n'a qu'une carte à Trèfle,
— il a au moins trois cartes à Carreau, à Cœur et à Pique.

En revanche, si Sud avait ouvert d'1♥ , Ouest n'aurait pu contrer, car :
— il a quatre cartes à Cœur (deux de trop !),
— il n'a qu'un Trèfle (il en manque deux !).

2. Vous avez un jeu de 19 HL et plus

Vous avez beaucoup trop de points pour faire une intervention naturelle. Contrez ''les yeux fermés'', car pour une fois, il n'y a pas de conditions particulières quant à la distribution.

> *A RETENIR*
> Dès que vous avez 19 HL, intervenez SYSTEMATIQUEMENT en faisant un contre d'appel.

EXEMPLE

main d'Ouest ♠ **AD854**
♥ **RV5**
♦ **AD8**
♣ **A7**

Contre 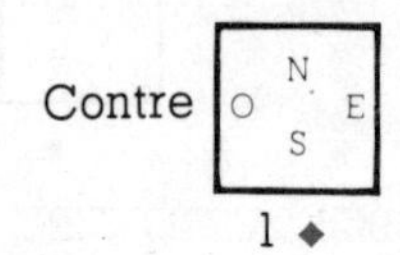
1 ♦

Ouest doit contrer car il a 21 HL. Remarquons qu'il aurait également fait un contre d'appel sur les ouvertures de 1♠, 1♥ ou 1♣.

> REMARQUE : si vous ne pouvez :
> — ni faire une intervention naturelle,
> — ni faire un contre d'appel,
> } **PASSEZ**

EXERCICE N° 1

Est est donneur, il ouvre. Vous êtes assis en Sud, quelle est votre intervention ?

Main de Sud — Séquence d'enchères

1. ♠ **ADV874** ♥ **R8** ♦ **D73** ♣ **V5**

E	S	O	N
1 ♥	?		

2. ♠ **R2** ♥ **6** ♦ **DV10** ♣ **ADV8765**

E	S	O	N
1 ♣	?		

3. ♠ **AR75** ♥ **AD105** ♦ **R105** ♣ **V9**

E	S	O	N
1 ♥	?		

4. ♠ **ARV76** ♥ **6** ♦ **ARV** ♣ **ADV10**

E	S	O	N
1 ♥	?		

5. ♠ **R6** ♥ **AV1096** ♦ **D103** ♣ **R97**

E	S	O	N
1 ♦	?		

6. ♠ **A65** ♥ **R985** ♦ **V109** ♣ **RD7**

E	S	O	N
1 ♥	?		

7. ♠ **R9** ♥ **D5** ♦ **ADV876** ♣ **D103**

E	S	O	N
1 ♠	?		

8. ♠ **RV75**
♥ **6**
♦ **AD82**
♣ **RV74**

E	S	O	N
1 ♥	?		

 51.1

EXERCICE N° 2

Est est donneur, il ouvre. Vous êtes assis en Sud, quelle est votre intervention ?

Main de Sud — Séquence d'enchères

1. ♠ **R5**
♥ **RD5**
♦ **ADV843**
♣ **65**

E	S	O	N
1 ♠	?		

2. ♠ **AD10642**
♥ **A85**
♦ **V83**
♣ **5**

E	S	O	N
1 ♣	?		

3. ♠ **AD10642**
♥ **985**
♦ **DV3**
♣ **2**

E	S	O	N
1 ♥	?		

4. ♠ **AR7**
♥ **DV6**
♦ **AR32**
♣ **AV3**

E	S	O	N
1 ♦	?		

5. ♠ **AD83**
♥ **6**
♦ **RV74**
♣ **RD65**

E	S	O	N
1 ♠	?		

6. ♠ **V2**
♥ **R7**
♦ **D73**
♣ **ARV1082**

E	S	O	N
1 ♣	?		

7. ♠ **AR84**
♥ **RDV7**
♦ **V109**
♣ **R2**

E	S	O	N
1 ♠	?		

8. ♠ **DV**
♥ **AV84**
♦ **RDV**
♣ **8732**

E	S	O	N
1 ♥	?		

51.2

LEÇON N° 52
Les réponses aux interventions

I. - REPONSES SUR UNE INTERVENTION A LA COULEUR

EXEMPLE

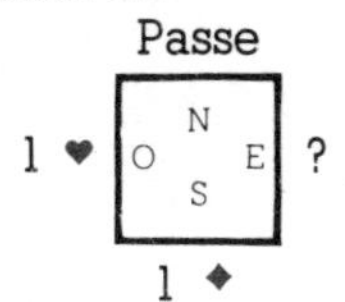

Sud a ouvert de 1 ♦, Ouest est intervenu à 1 ♥, quelle est l'attitude d'Est ?

Est devra se comporter comme sur une ouverture, en tenant compte toutefois que son partenaire a pu intervenir avec légèrement moins de points que s'il avait ouvert. Pour cela, il analysera par ordre de priorité décroissant s'il peut :
1. Soutenir
2. Nommer 2 ou 3 SA
3. Faire un changement de couleur
4. Faire l'enchère de 1 SA
5. Notion nouvelle : faire un Cue-bid.

1. Le soutien d'une intervention

• **Le soutien sans saut** promet 8-10 HLD, 3 cartes au moins.

EXEMPLE : sur l'intervention de 1 ♠ de votre partenaire, soutenez à 2 ♠ avec :

♠ A63
♥ D872
♦ D84
♣ 765

• **Le soutien en saut simple** promet 11-12 HLD, au moins 3 cartes.

EXEMPLE : sur l'intervention à 1 ♠ de votre partenaire, soutenez à 3♠ avec :

♠ RV54
♥ A2
♦ V1094
♣ 1073

• **Le soutien directement à la manche** promet : 13-15 HLD, au moins 4 cartes.

EXEMPLE : sur l'intervention à 1 ♠ de votre partenaire, soutenez à 4 ♠ avec :

♠ D864
♥ A73
♦ R862
♣ A6

2. Les réponses de 2 SA et 3 SA sur une intervention

Elles sont les mêmes que sur l'ouverture de 1 à la couleur, à deux différences près :
* les zones de points sont sensiblement augmentées pour tenir compte de la faiblesse possible de l'intervention,
* il faut garder solidement la couleur d'ouverture.

a) La réponse de 2 SA

promet :
— 12-13 HL
— une main régulière
— un arrêt solide dans l'ouverture

dénie :
— le fit dans la couleur du partenaire
— une majeure quatrième déclarable au niveau de 1.

EXEMPLE

Sud ouvre de 1♣, si votre partenaire intervient à :
* 1♦, répondez 1♥ avec le jeu suivant :

♠ A73
♥ RD83
♦ 872
♣ RV10

* 1♠, répondez 2 SA avec le même jeu.

b) La réponse de 3 SA

promet :
— 14-15 HL
— une main régulière
— un arrêt solide dans l'ouverture

dénie :
— le fit dans la couleur du partenaire
— une majeure quatrième déclarable au niveau de 1.

EXEMPLE

Sud ouvre de 1♦, si votre partenaire intervient à 1♥, vous répondrez 3 SA avec le jeu suivant :

♠ A84
♥ 97
♦ ADV5
♣ R854

3. Les réponses en changement de couleur sur une intervention

EXEMPLE : Sud donneur

	Passe	
1 ♥	O N E S	1 ♠ ou 2 ♦
	1 ♣	

a) Le répondant (Est) fait un changement de couleur 1 sur 1

Il promet : — au moins 8 HL
— au moins 4 cartes.

Cette enchère n'étant pas limitée est forcing.

EXEMPLE

Ouest intervient à 1 ♥ sur l'ouverture d'1 ♣ de Sud, Est doit dire 1 ♠ avec le jeu suivant :

♠ **AR54**
♥ **V4**
♦ **8543**
♣ **965**

b) Le répondant (Est) fait un changement de couleur 2 sur 1 sans saut

Il promet : — au moins 11 HL
— au moins 5 cartes.

Ce changement de couleur est forcing et non autoforcing comme sur la réponse à l'ouverture de 1 à la couleur, car il faut moins de points pour intervenir que pour ouvrir.

EXEMPLE

Si Ouest intervient à 1 ♠ sur l'ouverture d'1♦ de Sud, Est doit dire 2♥ avec le jeu suivant :

♠ **R2**
♥ **AD785**
♦ **832**
♣ **V105**

4. La réponse de 1 SA

EXEMPLE

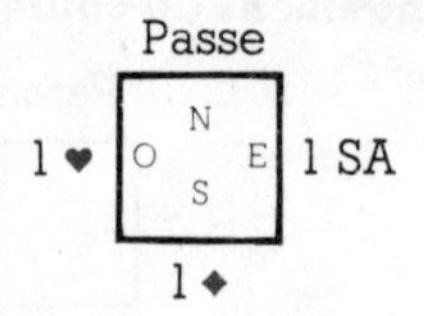

La réponse à 1 SA promet :
— 8-11 HL
— un arrêt dans la couleur d'ouverture.

Comme sur l'ouverture, la réponse à 1 SA ne promet pas forcément une main régulière.

EXEMPLE

Ouest intervient à 1 ♥ après l'ouverture d'1 ♦ de Sud, Est répond 1 SA avec le jeu suivant :

♠ **A54**
♥ **2**
♦ **R872**
♣ **V10953**

5. La réponse en Cue-bid

Faire un Cue-bid consiste à annoncer une couleur nommée naturellement par le camp adverse.

EXEMPLE

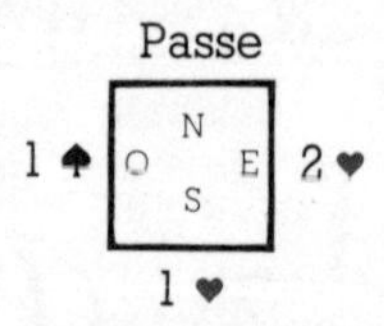

Le Cue-bid à 2 ♥ n'est bien sûr pas une proposition de contrat pour jouer à l'atout Cœur. Le répondant l'utilise lorsqu'il possède une main intéressante qu'il ne peut classer dans aucune des quatre catégories décrites ci-dessus : cas où il a trop de points pour soutenir ou pour faire l'enchère de 3 SA.

EXEMPLE

Après l'intervention à 1 ♠ d'Ouest, le répondant Cue-bid les Cœurs en faisant l'enchère de 2 Cœurs avec le jeu suivant :

♠ **AR742**
♥ **2**
♦ **A84**
♣ **R873**

Ouest a : 14 H + 2 D + 2 L = 18 HLD.
Il a trop de points pour annoncer la manche directement.

Le Cue-bid est bien sûr forcing et demande des précisions sur la force et la distribution de l'intervention. Le joueur (Ouest dans notre exemple), qui est intervenu, réagit de la façon suivante :

* **avec une intervention minimum (11-12 HL),** il répète sa couleur.

EXEMPLE

Sur le Cue-bid à 2 ♥ d'Est, Ouest dit 2 ♠ avec le jeu suivant :

♠ ADV52
♥ 83
♦ R54
♣ V72

* **avec une intervention non minimum (13-18 HL),** il donne un complément d'information sur sa main. Par exemple, il annonce une nouvelle couleur avec une main bicolore, ou sans atout avec un jeu régulier et un solide arrêt dans la couleur d'ouverture, ou répète sa couleur d'ouverture en faisant un saut si la main est unicolore.

EXEMPLE

Sur le Cue-bid à 2 ♥ d'Est, Ouest dit :

* 3 ♦ avec :	* 2 SA avec :	* 3 ♠ avec :
♠ ADV63	**♠ AR752**	**♠ ARV1052**
♥ 83	**♥ AV2**	**♥ A3**
♦ AR54	**♦ D84**	**♦ R7**
♣ V82	**♣ 72**	**♣ 832**

II. - REPONSES SUR L'INTERVENTION A 1 SA

EXEMPLE

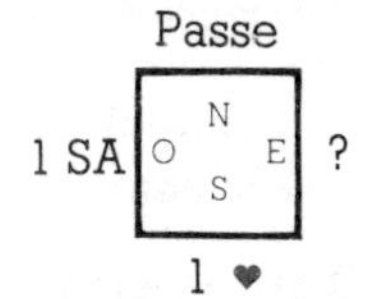

Les réponses sont sensiblement changées du fait de l'ouverture adverse d'1 ♥.

Lorsque la force du répondant est de :

*** 0-7 HL**

— sans couleur cinquième, il passe,
— avec une couleur cinquième, il doit faire une enchère de misère. Elle pourra se faire dans les trois couleurs autres que l'ouverture.

EXEMPLE sur les séquences suivantes :

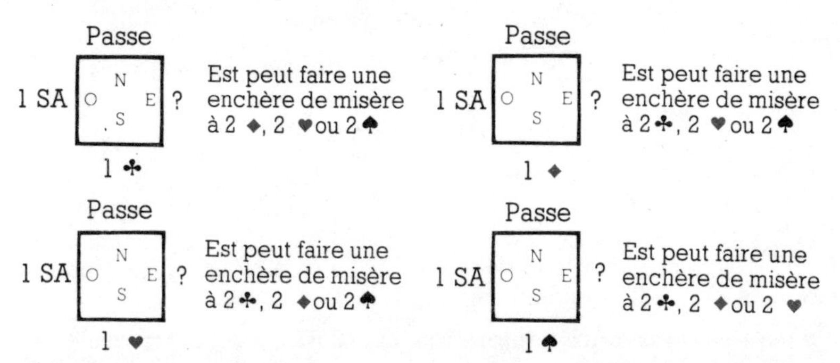

REMARQUE : Puisque l'enchère de misère à 2 ♣ existe sur une intervention, on comprendra que le STAYMAN ne se fait plus à 2 ♣.

*** 8 HL**

— sans majeure quatrième, il dit 2 SA
— avec une ou deux majeures quatrièmes, il fait un Cue-bid : le Cue-bid remplace le STAYMAN.

EXEMPLE
Ouest intervient à 1 SA sur l'ouverture de 1 ♦ , Est fait un Cue-bid à 2 ♦ avec le jeu suivant :

♠ AD73
♥ R84
♦ 82
♣ V942

L'enchère de 2 ♦ est en fait une question : Partenaire, avez-vous une ou deux majeures quatrièmes dans votre jeu ?

A cette question, le partenaire :
* sans majeure quatrième, nommera les sans atout
* avec quatre cartes dans une majeure, nommera la couleur de la majeure qu'il possède
* avec les deux majeures quatrièmes, nommera lui aussi la couleur du Cue-bid.

EXEMPLE : Sur un Cue-bid à 2 ♦ d'Est, Ouest répondra 3 ♦ pour indiquer qu'il possède les deux majeures quatrièmes.

*** 9 HL et plus**

Les réponses sont les mêmes que sur l'ouverture de 1 SA, bien sûr en se rappelant que le Cue-bid remplace le Stayman.

EXERCICE

Sud est donneur, il ouvre. Votre partenaire, Ouest, intervient : quelle est votre enchère ?

Main d'Est	Séquence d'enchères

1. ♠ **R5** ♥ **DV103** ♦ **V975** ♣ **D54**

S	O	N	E
1 ♦	1 ♥	Passe	?

2. ♠ **R5** ♥ **DV103** ♦ **A975** ♣ **D54**

S	O	N	E
1 ♦	1 ♥	Passe	?

3. ♠ **R654** ♥ **52** ♦ **A87** ♣ **D752**

S	O	N	E
1 ♦	1 ♥	Passe	?

4. ♠ **RV1075** ♥ **52** ♦ **AV7** ♣ **DV7**

S	O	N	E
1 ♦	1 SA	Passe	?

5. ♠ **R85** ♥ **987** ♦ **AV7** ♣ **D654**

S	O	N	E
1 ♦	1 SA	Passe	?

6. ♠ **RV5** ♥ **D6** ♦ **AD5** ♣ **A8432**

S	O	N	E
1 ♦	1 ♥	Passe	?

7. ♠ **RV52** ♥ **D3** ♦ **6543** ♣ **AD5**

S	O	N	E
1 ♦	1 SA	Passe	?

8. ♠ **R6** ♥ **983** ♦ **532** ♣ **AD642**

S	O	N	E
1 ♥	1 ♠	Passe	?

52.1

LEÇON N° 53
Les réponses au contre d'appel

I. - PRINCIPE

	Passe	
Contre	N / O E / S	?
	1 ♦	

Dans cette leçon, nous allons étudier l'attitude d'Est lorsque son partenaire a fait un contre d'appel.

Les deux camps ne sont pas vulnérables.

Imaginons que Ouest ait fait un contre d'appel avec seulement 13 HL et que Est possède le jeu suivant :

♠ 743
♥ 8632
♦ 75
♣ 9842

Est a une main nulle et n'a bien sûr qu'un seul désir : arrêter les enchères au plus tôt. Il pourrait donc être tenté de passer sur le contre d'appel de son partenaire.

Examinons ensemble la situation : si Est passe, le contrat final risque fort d'être 1 ♦ contré. Combien de levées le camp Nord-Sud peut-il faire ?

— Nord et Sud sont fités à Carreau, ils possèdent un minimum de neuf atouts car :
  - Est n'a que deux cartes à Carreau
  - vu les conditions du contre d'appel, Ouest en possède au plus deux.
— Nord et Sud possèdent 27 points HL, plus 1 point D pour le neuvième atout (ou plus s'ils possèdent dix ou onze atouts). Au total, ils possèdent un maximum de 28 DH, sans compter les points de longueur et ceux de distribution que l'on ignore.
— Nord et Sud vont certainement gagner le contrat de 5 ♦ .

Reportons-nous à la marque que vous trouverez à la fin du livre.

Si 5 ♦ gagnent, 1 ♦ contré feront plus quatre : le camp Nord-Sud gagnera ainsi 540 points à la marque, alors que s'il avait joué tranquillement 5 ♦ juste fait, il n'aurait marqué que 400 points.

En conclusion, sur le contre d'appel du partenaire ne passez jamais si vous avez un jeu faible.

II. - LES REPONSES AU CONTRE D'APPEL

Le répondant a à sa disposition différentes enchères qui se situent :
* soit dans une zone faible : 0-7 HL
* soit dans une zone moyenne : 8-10 HL
* soit dans une zone forte : 11 HL et plus.

REMARQUE : Ne perdez pas de vue que le joueur qui a contré, accepte de jouer dans les trois couleurs restantes.

a) Les points du répondant sont dans la zone faible : 0-7 HL

Il annonce une couleur sans saut.

EXEMPLES

Main d'Est : ♠ **852**
♥ **978**
♦ **DV42**
♣ **743**

* Si Ouest contre l'ouverture de 1♣, Est dira 1♦.
* Si Ouest contre l'ouverture de 1♥ ou de 1♠, Est dira 2♦.
* Si Ouest contre l'ouverture de 1♦, Est est très gêné car il n'a pas, à part les Carreaux, de couleur quatrième : il devra alors annoncer la couleur juste au-dessus de l'ouverture si elle comporte un minimum de trois cartes : donc il dira 1♥.

Main d'Est : ♠ **8543**
♥ **72**
♦ **R8542**
♣ **85**

* Si Ouest contre l'ouverture de 1♣, Est doit donner une priorité à l'annonce de la majeure quatrième, même s'il possède une mineure plus longue : il dit 1♠.

b) Les points du répondant sont dans la zone moyenne : 8-10 HL

Dans cette zone de points, le répondant a trois enchères à sa disposition qui ont l'ordre de priorité suivant :
1. l'annonce d'une majeure à saut
2. l'annonce de 1 SA
3. l'annonce d'une mineure à saut.

1. L'annonce d'une majeure à saut

Pour ne pas confondre cette zone avec la zone faible (0-7 HL), l'annonce d'une majeure se fait obligatoirement en faisant un saut. La hauteur du saut dépend uniquement du nombre de cartes dans la majeure.

* Avec quatre cartes dans une majeure, le répondant fait un saut au niveau de deux.

EXEMPLE : Sur le contre d'appel de votre partenaire, après une ouverture de 1♦, répondez 2♠ avec le jeu suivant :

♠ **A854**
♥ **R7**
♦ **853**
♣ **V953**

* Avec cinq cartes dans une majeure, le répondant fait un saut au palier de trois.

EXEMPLE : Après l'ouverture d'1♣, votre partenaire contre, vous répondez 3♥ avec le jeu suivant :

♠ A3
♥ AV1075
♦ 862
♣ 432

* Avec six cartes dans une majeure, le répondant fait un saut au palier de la manche.

EXEMPLE : Après l'ouverture de 1♦, votre partenaire contre, vous répondez 4♠ avec le jeu suivant :

♠ AV10542
♥ A54
♦ 83
♣ 52

2. L'annonce de 1 SA

Si le répondant n'a pas de majeure à annoncer, il dit 1 SA, à condition bien sûr d'avoir un arrêt dans la couleur d'ouverture.

EXEMPLE : Après l'ouverture d'1♥, votre partenaire contre, vous répondez 1 SA avec le jeu suivant (car vous avez l'arrêt Cœur) :

♠ R43
♥ A5
♦ V852
♣ V963

3. L'annonce d'une mineure à saut

Lorsque la main du répondant ne comporte pas de majeure quatrième ou d'arrêt dans la couleur d'ouverture, il fait un saut simple dans la mineure la plus longue.

EXEMPLE : Après l'ouverture d'1♥, votre partenaire contre, vous répondez 3♦ avec le jeu suivant :

♠ 83
♥ 542
♦ ARV52
♣ V64

c) Les points du répondant sont dans la zone forte : 11 HL et plus

Le répondant a à sa disposition deux enchères précises (2 SA et 3 SA) et s'il ne peut pas les faire, il fait un Cue-bid.

1. Les réponses de 2 SA et 3 SA

Les conditions de réponses sont les mêmes que sur une ouverture (voir leçon 32), avec, bien entendu, un arrêt solide (ou mieux, un double arrêt), dans la couleur adverse.

2. Le Cue-bid

Pour décrire un jeu de 11 HL et plus, le répondant aura la plupart du temps recours à un Cue-bid, c'est-à-dire qu'il annoncera la couleur de l'ouverture adverse. Le Cue-bid est une invitation à la manche, il est autoforcing.

EXEMPLE : Après l'ouverture de 1 ♦, si votre partenaire fait un contre d'appel, dites 2 ♦ avec le jeu suivant :

♠ **AD1052**
♥ **RD7**
♦ **42**
♣ **D82**

EXERCICE

Sud est donneur, il ouvre. Vous êtes assis en Est, votre partenaire, Ouest, intervient : quelle est votre réponse ?

Main d'Est — Séquence d'enchères

1. ♠ **R86** ♥ **D83** ♦ **AD32** ♣ **V73**

S	O	N	E
1 ♥	Contre	Passe	?

2. ♠ **8732** ♥ **864** ♦ **962** ♣ **863**

S	O	N	E
1 ♥	Contre	Passe	?

3. ♠ **AD84** ♥ **V3** ♦ **R654** ♣ **1097**

S	O	N	E
1 ♥	Contre	Passe	?

4. ♠ **103** ♥ **D32** ♦ **V109** ♣ **AV1054**

S	O	N	E
1 ♣	Contre	Passe	?

5. ♠ **RD84** ♥ **97** ♦ **V10982** ♣ **1096**

S	O	N	E
1 ♥	Contre	Passe	?

6. ♠ **RV3** ♥ **72** ♦ **RD105** ♣ **RD82**

S	O	N	E
1 ♠	Contre	Passe	?

53.1

LEÇON N° 54
Les Réveils

I. - PRINCIPE

Vous êtes en position de Réveil après deux passes consécutifs.

EXEMPLE

	Passe	
Passe	N / O E / S	REVEIL
	1 ♥	

Votre partenaire, Ouest, a passé, car son jeu ne remplit pas les conditions d'une intervention ou d'un contre d'appel. Pourtant, votre partenaire a très certainement des points, donc même avec un jeu faible, il faut en principe réveiller. En revanche, il ne faut jamais réveiller lorsque l'on est long dans la couleur d'ouverture, car le partenaire est forcément court dans cette couleur et n'avait donc aucune gêne pour se manifester.

II. - LES ENCHERES DE REVEIL SUR L'OUVERTURE DE 1 A LA COULEUR

Lorsque vous êtes en position de Réveil, vous avez quatre enchères à votre disposition :
— passe
— le Réveil dans une couleur sans saut
— le Réveil par des sans atout
— le Réveil par contre.

A - VOUS AVEZ L'OUVERTURE

Vous devez contrer systématiquement, quelle que soit la distribution de votre jeu.

EXEMPLE

S	O	N	E
1 ♥	Passe	Passe	?

1. Main d'Est : ♠ **AD4**
♥ **AD3**
♦ **762**
♣ **R864**

Est a 15 HL, il contre.

2. Main d'Est : ♠ **AD753**
♥ **A73**
♦ **R8**
♣ **754**

Est a 14 HL, il contre.

3. Main d'Est : ♠ **A5**
♥ **R65**
♦ **AD72**
♣ **RV7**

Est aurait ouvert ou serait intervenu à 1 SA ; en position de Réveil, il dit contre montrant ainsi qu'il possède au moins 13 HL.

B - VOUS N'AVEZ PAS LES POINTS DE L'OUVERTURE

Pour réveiller, il faut posséder un minimum de 7 HL.

a) Vous pouvez passer

Dès que vous êtes long dans la couleur d'ouverture, vous devez passer avec :
— une main faible : 7-10 HL
— une main moyenne : 11-12 HL

EXEMPLE

S	O	N	E
1 ♥	Passe	Passe	?

1. Main d'Est : ♠ **83**
♥ **D752**
♦ **V62**
♣ **RD54**

Est a quatre cartes à Cœur, il connaît neuf cartes à Cœur dans seulement deux mains. Ouest et Nord ont seulement quatre cartes à se partager, donc Ouest est court à Cœur : il n'a pas fait de contre d'appel car il n'a pas de points. Conclusion, Est doit passer.

2. Main d'Est : ♠ **54**
♥ **R862**
♦ **D43**
♣ **AD64**

Est doit passer pour la même raison que ci-dessus, bien qu'il possède une main moyenne.

b) Vous pouvez réveiller par un changement de couleur

EXEMPLE

S	O	N	E
1 ♥	Passe	Passe	1 ♠

Le Réveil dans une couleur au niveau de 1 dénie l'ouverture, on peut considérer qu'il va de 7 à 12 HL. En principe, il faut cinq cartes dans la couleur du Réveil.
Dans l'exemple, Est a dit 1 ♠ avec :

♠ **AD652**
♥ **R32**
♦ **843**
♣ **72**

EXEMPLE

S	O	N	E
1 ♥	Passe	Passe	?

Main d'Est : ♠ **632**
♥ **2**
♦ **AV10432**
♣ **A82**

Est doit réveiller a 2 ♦ car :
— il est court dans la couleur d'ouverture
— il a 11 HL
— il a six cartes à Carreau.

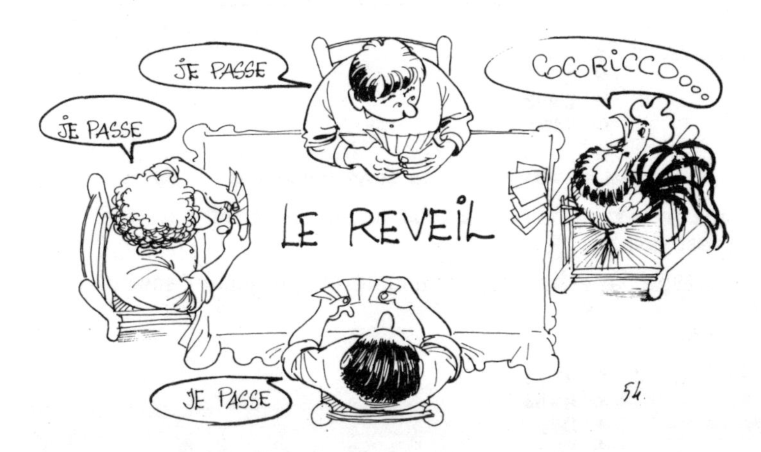

c) Vous pouvez réveiller par 1 SA

Le Réveil par 1 SA montre :
— 10-12 HL
— une main régulière, avec dans la majorité des cas, un honneur dans la couleur d'ouverture.

EXEMPLE

S	O	N	E
1 ♥	—	—	?

Est doit réveiller à 1 SA avec le jeu suivant :

♠ **V2**
♥ **D54**
♦ **R972**
♣ **A865**

d) Vous pouvez réveiller par contre

Il faut contrer systématiquement dès que vous avez l'ouverture.

En revanche, lorsque votre jeu est dans une zone faible ou moyenne, il faudra contrer dès que vous ne pourrez pas faire les enchères décrites ci-dessus.

1. Votre jeu se situe dans la zone faible : 7-10 HL

Pour contrer, vous devez être court dans la couleur d'ouverture.

EXEMPLE

S	O	N	E
1 ♥	Passe	Passe	Contre

Main d'Est : ♠ **AV83**
♥ **3**
♦ **D952**
♣ **6432**

2. Votre jeu se situe dans la zone moyenne : 11-12 HL

Dans cette zone de points, vous avez le choix entre le Réveil par 1 SA ou par contre.

Le Réveil par contre montre un intérêt pour jouer dans une majeure.

EXEMPLE

Main d'Est : ♠ **RV73**
♥ **RV53**
♦ **D83**
♣ **62**

Après l'ouverture de 1♣, préférez le Réveil, par contre, vous trouverez plus facilement un fit 4-4 à Cœur ou à Pique.

EXERCICE

Sud est donneur, il ouvre. Ouest, puis Nord passent, quel est votre Réveil ?

Main d'Est — Séquence d'enchères

1. ♠ **1084** ♥ **2** ♦ **AV10753** ♣ **A62**

S	O	N	E
1 ♠	Passe	Passe	?

2. ♠ **V2** ♥ **D54** ♦ **R1032** ♣ **A876**

S	O	N	E
1 ♦	Passe	Passe	?

3. ♠ **AV1053** ♥ **R75** ♦ **D62** ♣ **83**

S	O	N	E
1 ♠	Passe	Passe	?

4. ♠ **AV105** ♥ **R74** ♦ **D962** ♣ **A3**

S	O	N	E
1 ♠	Passe	Passe	?

5. ♠ **AV104** ♥ **5** ♦ **DV76** ♣ **RV93**

S	O	N	E
1 ♥	Passe	Passe	?

6. ♠ **AR82** ♥ **ADV** ♦ **AV106** ♣ **A4**

S	O	N	E
1 ♥	Passe	Passe	?

 54.1

LEÇON N° 55
La convention spoutnik simple

 55.1

I. - INTRODUCTION

Les ouvertures majeures au niveau de 1 promettent au moins cinq cartes. En revanche, les ouvertures mineures qui n'en promettent que trois au minimum, sont beaucoup plus fréquentes et permettent à l'adversaire d'intervenir plus facilement, ce qui gêne souvent le camp de l'ouvreur.

?

Passe [N / O E / S]

1 ♣ (ou 1 ♦)

1. Supposons que Sud ouvre de 1 ♣ (ou de 1 ♦), Ouest passe. Quelle enchère Nord doit-il faire avec les différents jeux suivants ?

Main 1	Main 2	Main 3	Main 4
♠ 432	♠ 43	♠ 62	♠ 52
♥ AD86	♥ AD865	♥ ARD4	♥ ARD65
♦ 765	♦ 765	♦ A76	♦ A76
♣ D83	♣ D83	♣ 9654	♣ 965
1 ♥	1 ♥	1 ♥	1 ♥

2. Quelle enchère Nord peut-il faire si Ouest intervient à 1 ♠ ?

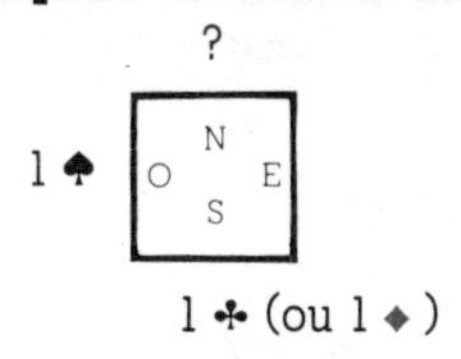

— L'enchère de 2 ♥ convient parfaitement à la main N° 4 puisqu'elle respecte les deux conditions requises :
  - au moins cinq cartes à Cœur
  - au moins 11 HL.

— L'enchère de 1 SA promettant l'arrêt Pique ne peut se faire avec les trois premières mains.

Donc, sur l'intervention à 1 ♠ d'Ouest, Nord, avec les mains 1, 2 et 3, ne peut annoncer naturellement son jeu. Pour permettre la description de ce type de main, une enchère conventionnelle a été créée : le CONTRE SPOUTNIK.

PRINCIPE A RETENIR
Sur une ouverture de 1 ♣ (ou de 1 ♦) du partenaire, suivie d'une intervention à 1 ♠, le répondant contre avec :
— 4 cartes à Cœur et au moins 8 HL
— ou 5 cartes à Cœur et 8-10 HL*

* Etant entendu qu'avec 5 cartes à Cœur et 11 HL et plus, il a les moyens de dire 2 ♥.

II. - ATTITUDE DE L'OUVREUR SUR LE CONTRE SPOUTNIK

Séquence N° 1 :
Sud donneur

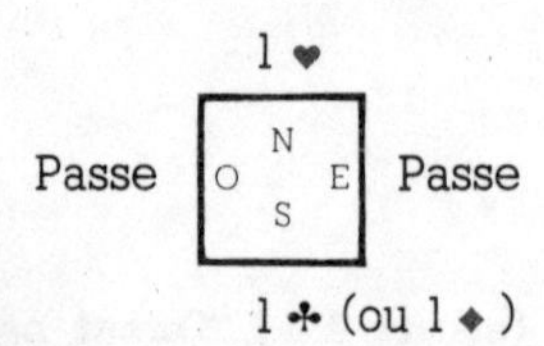

Séquence N° 2 :
Sud donneur

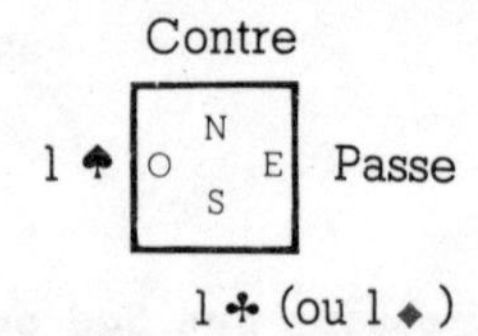

Comparons les deux séquences d'enchères :
— sur la première séquence, Sud sait que Nord a au moins 4 cartes à Cœur et au moins 6 HL,
— sur la deuxième séquence, Sud sait que Nord a au moins 4 cartes à Cœur et au moins 8 HL.

Les renseignements que Sud reçoit sont pratiquement identiques dans les deux cas.
En conséquence, l'ouvreur, après un contre spoutnik, doit avoir la même attitude qu'après la réponse de 1 ♥, c'est-à-dire :
- soutenir en priorité les Cœurs avec quatre cartes,
- dans le cas contraire, décrire la forme de son jeu : régulier, unicolore ou bicolore.

EXEMPLES (Séquence n° 2)

1. Sud dit 2 ♥ avec

♠ **A42**
♥ **D853**
♦ **A74**
♣ **RD6**

FIT CŒUR

2. Sud dit 1 SA avec

♠ **A64**
♥ **D85**
♦ **A74**
♣ **RD65**

JEU REGULIER

3. Sud dit 3 ♣ avec

♠ **62**
♥ **A5**
♦ **AD2**
♣ **ARV765**

JEU UNICOLORE

4. Sud dit 2 ♦ avec

♠ **A3**
♥ **84**
♦ **ARD6**
♣ **AV752**

BICOLORE CHER

VOUS N'AVEZ PAS OBLIGATOIREMENT BESOIN D'ÊTRE IDIOT POUR JOUER AU BRIDGE ... MAIS CELA SIMPLIFIE ÉNORMÉMENT LES CHOSES!

LA DONNE COMMENTEE

Sud est donneur.

1. Faites la séquence d'enchères.
2. Quelle est l'entame ?

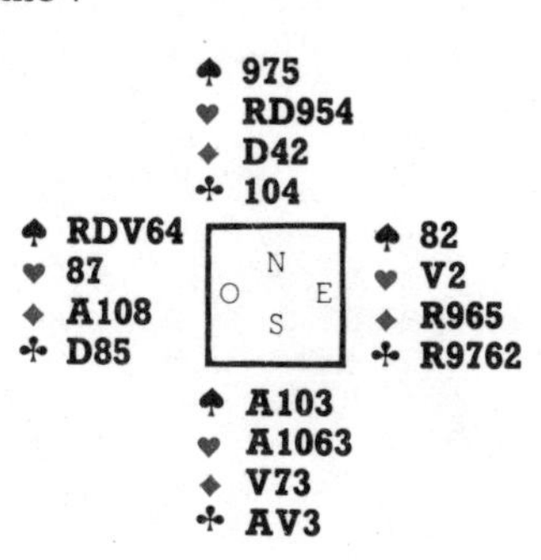

Etablissez votre plan de jeu et jouez la donne avant de vérifier sur

 55.2.

LEÇON N° 56

Révisions

Les exercices suivants doivent vous permettre de réviser les leçons concernant les interventions et les réveils.

EXERCICE N° 1

Vous êtes en Sud, l'adversaire à droite (Est) ouvre, quelle est votre enchère avec les mains suivantes ?

	Est ouvre de	Votre main en Sud	Quelle est votre enchère et votre explication ? (Vous avez le choix entre quatre réponses pour chaque cas.)			
1.	1 ♥	♠ **AV542** ♥ **5** ♦ **543** ♣ **ARV4**	Contre ?	1 ♠ ?	2 ♣ ?	Passe ?
2.	1 ♣	♠ **52** ♥ **RDV875** ♦ **42** ♣ **A43**	Passe ?	1 ♥ ?	2 ♥ ?	3 ♥ ?
3.	1 ♠	♠ **AV10** ♥ **RD4** ♦ **RV105** ♣ **DV8**	Passe ?	1 SA ?	2 ♦ ?	Contre ?
4.	1 ♦	♠ **V104** ♥ **A5** ♦ **D5** ♣ **ARD874**	Passe ?	Contre ?	2 ♣ ?	1 SA ?
5.	1 ♣	♠ **DV1072** ♥ **AV104** ♦ **R4** ♣ **AR**	1 SA ?	Contre ?	1 ♠ ?	1 ♥ ?
6.	1 ♥	♠ **RV10** ♥ **AD** ♦ **D8642** ♣ **AV3**	2 ♦ ?	1 SA ?	Contre ?	Passe ?

 56.1

EXERCICE N° 2

Nord est donneur, il ouvre. Vous êtes en Est, quelle est votre intervention ?

Main d'Est — Séquence d'enchères

1. ♠ 832
♥ AD87
♦ RV7
♣ R104

S	O	N	E
		1 ♥	?

2. ♠ AD1087
♥ R8432
♦ A73
♣ —

S	O	N	E
		1 ♣	?

3. ♠ V3
♥ AD974
♦ 5
♣ AR1053

S	O	N	E
		1 ♠	?

4. ♠ D7
♥ 2
♦ AR842
♣ RDV96

S	O	N	E
		1 ♥	?

5. ♠ 84
♥ AD1097
♦ RDV6
♣ D5

S	O	N	E
		1 ♠	?

6. ♠ ADV105
♥ D5
♦ 3
♣ ARV73

S	O	N	E
		1 ♦	?

7. ♠ AD74
♥ V103
♦ RDV
♣ RV8

S	O	N	E
		1 ♠	?

8. ♠ 105
♥ AD875
♦ ARV32
♣ 4

S	O	N	E
		1 ♣	?

56.2

EXERCICE N° 3

Sud ouvre, vous êtes en Est, quel est votre Réveil ?

Main d'Est	Séquence d'enchères

1. ♠ **D107542** ♥ **A643** ♦ **2** ♣ **72**

S	O	N	E
1 ♣	Passe	Passe	?

2. ♠ **AD82** ♥ **RV53** ♦ **R72** ♣ **83**

S	O	N	E
1 ♠	Passe	Passe	?

3. ♠ **R4** ♥ **RD52** ♦ **V82** ♣ **D953**

S	O	N	E
1 ♥	Passe	Passe	?

4. ♠ **R52** ♥ **RD43** ♦ **843** ♣ **732**

S	O	N	E
1 ♥	Passe	Passe	?

5. ♠ **72** ♥ **853** ♦ **R42** ♣ **AV1072**

S	O	N	E
1 ♠	Passe	Passe	?

6. ♠ **A73** ♥ **RV54** ♦ **RV6** ♣ **A73**

S	O	N	E
1 ♦	Passe	Passe	?

 56.3

ANNEXES 1 à 7

1. **La marque**
2. **L'entame à sans atout**
3. **L'entame à la couleur**
4. **La signalisation**
5. **Probabilités simples**
6. **Jeux d'honneurs**
7. **Déroulement du jeu de la carte des donnes de chaque leçon.**

ANNEXE N° 1
La marque

CONTRAT DEMANDE	Plis réal.	NON VULNERABLE Non contré	Contré	Sur-contré	VULNERABLE Non contré	Contré	Sur-contré
1♣-1♦	=	70	140	230	70	140	230
	+ 1	90	240	430	90	340	630
	+ 2	110	340	630	110	540	1030
	+ 3	130	440	830	130	740	1430
	+ 4	150	540	1030	150	940	1830
	+ 5	170	640	1230	170	1140	2230
	+ 6	190	740	1430	190	1340	2630
1♥-1♠	=	80	160	520	80	160	720
	+ 1	110	260	720	110	360	1120
	+ 2	140	360	920	140	560	1520
	+ 3	170	460	1120	170	760	1920
	+ 4	200	560	1320	200	960	2320
	+ 5	230	660	1520	230	1160	2720
	+ 6	260	760	1720	260	1360	3120
1 SA	=	90	180	560	90	180	760
	+ 1	120	280	760	120	380	1160
	+ 2	150	380	960	150	580	1560
	+ 3	180	480	1160	180	780	1960
	+ 4	210	580	1360	210	980	2360
	+ 5	240	680	1560	240	1180	2760
	+ 6	270	780	1760	270	1380	3160
2♣-2♦	=	90	180	560	90	180	760
	+ 1	110	280	760	110	380	1160
	+ 2	130	380	960	130	580	1560
	+ 3	150	480	1160	150	780	1960
	+ 4	170	580	1360	170	980	2360
	+ 5	190	680	1560	190	1180	2760
2♥-2♠	=	110	470	640	110	670	840
	+ 1	140	570	840	140	870	1240
	+ 2	170	670	1040	170	1070	1640
	+ 3	200	770	1240	200	1270	2040
	+ 4	230	870	1440	230	1470	2440
	+ 5	260	970	1640	260	1670	2840
2 SA	=	120	490	680	120	690	880
	+ 1	150	590	880	150	890	1280
	+ 2	180	690	1080	180	1090	1680
	+ 3	210	790	1280	210	1290	2080
	+ 4	240	890	1480	240	1490	2480
	+ 5	270	990	1680	270	1690	2880
3♣-3♦	=	110	470	640	110	670	840
	+ 1	130	570	840	130	870	1240
	+ 2	150	670	1040	150	1070	1640
	+ 3	170	770	1240	170	1270	2040
	+ 4	190	870	1440	190	1470	2440
3♥-3♠	=	140	530	760	140	730	960
	+ 1	170	630	960	170	930	1360
	+ 2	200	730	1160	200	1130	1760
	+ 3	230	830	1360	230	1330	2160
	+ 4	260	930	1560	260	1530	2560
3 SA	=	400	550	800	600	750	1000
	+ 1	430	650	1000	630	950	1400
	+ 2	460	750	1200	660	1150	1800
	+ 3	490	850	1400	690	1350	2200
	+ 4	520	950	1600	720	1550	2600

CONTRAT DEMANDE	Plis réal.	NON VULNERABLE Non contré	Contré	Sur-contré	VULNERABLE Non contré	Contré	Sur-contré
4♣-4♦	=	130	510	720	130	710	920
	+ 1	150	610	920	150	910	1320
	+ 2	170	710	1120	170	1110	1720
	+ 3	190	810	1320	190	1310	2120
4♥-4♠	=	420	590	880	620	790	1080
	+ 1	450	690	1080	650	990	1480
	+ 2	480	790	1280	680	1190	1880
	+ 3	510	890	1480	710	1390	2280
4 SA	=	430	610	920	630	810	1120
	+ 1	460	710	1120	660	1010	1520
	+ 2	490	810	1320	690	1210	1920
	+ 3	520	910	1520	720	1410	2320
5♣-5♦	=	400	550	800	600	750	1000
	+ 1	420	650	1000	620	950	1400
	+ 2	440	750	1200	640	1150	1800
5♥-5♠	=	450	650	1000	650	850	1200
	+ 1	480	750	1200	680	1050	1600
	+ 2	510	850	1400	710	1250	2000
5 SA	=	460	670	1040	660	870	1240
	+ 1	490	770	1240	690	1070	1640
	+ 2	520	870	1440	720	1270	2040
6♣-6♦	=	920	1090	1380	1370	1540	1830
	+ 1	940	1190	1580	1390	1740	2230
6♥-6♠	=	980	1210	1620	1430	1660	2070
	+ 1	1010	1310	1820	1460	1860	2470
6 SA	=	990	1230	1660	1440	1680	2110
	+ 1	1020	1330	1860	1470	1880	2510
7♣-7♦	=	1440	1630	1960	2140	2330	2660
7♥-7♠	=	1510	1770	2240	2210	2470	2940
7 SA	=	1520	1790	2280	2220	2490	2980

LEVEES DE CHUTE

Lev. ch.	NON VULNERABLE Non contré	Contré	Sur-contré	VULNERABLE Non contré	Contré	Sur-contré
1	50	100	200	100	200	400
2	100	300	600	200	500	1000
3	150	500	1000	300	800	1600
4	200	800	1600	400	1100	2200
5	250	1100	2200	500	1400	2800
6	300	1400	2800	600	1700	3400
7	350	1700	3400	700	2000	4000
8	400	2000	4000	800	2300	4600
9	450	2300	4600	900	2600	5200
10	500	2600	5200	1000	2900	5800
11	550	2900	5800	1100	3200	6400
12	600	3200	6400	1200	3500	7000
13	650	3500	7000	1300	3800	7600

ANNEXE N° 2
L'entame à sans atout

Les enchères sont terminées, à vous d'entamer ! N'oubliez pas que les enchères vous ont donné des informations sur les jeux des adversaires ; dès l'entame, il faut vous vous en servir.
L'entame se divise en deux parties :
— le choix de la carte
— le choix de la couleur.

I. - LE CHOIX DE LA CARTE

Vous avez choisi votre couleur d'entame, vous devez maintenant en analyser son contenu.

1. La couleur comporte une séquence

En présence d'une séquence, vous devez entamer la tête de la séquence. Il existe trois catégories de séquences.

a) Les séquences complètes
Les trois plus fortes cartes de la couleur se suivent et la plus forte est un honneur.

Vous avez	Vous entamez
A R D	le Roi
R D V	le Roi
D V 10	la Dame
V 10 9	le Valet
10 9 8	le 10 (le 10 est considéré comme un honneur)

b) Les séquences incomplètes
Les deux plus fortes cartes se suivent, mais la troisième carte est absente et est remplacée par la quatrième.

Vous avez	Vous entamez
A R V	le Roi
R D 10	le Roi
D V 9	la Dame
V 10 8	le Valet
10 9 7	le 10

c) Les séquences brisées
Deux cartes ou plus (la plus forte étant un honneur) se suivent et sont précédées non de l'honneur immédiatement supérieur, mais d'un autre plus fort.

Vous avez	Vous entamez
A D V	la Dame
A V 10	le Valet
A 10 9	le 10
R V 10	le Valet
R 10 9	le 10
D 10 9	le 10

REMARQUE 1 : **L'entame du Roi à sans atout promet trois honneurs :** A R D, A R V, R D V, R D 10.

REMARQUE 2 :
— L'entame de la Dame dénie le Roi et promet :
- soit D V 10
- soit D V 9
- soit A D V

— L'entame du Valet dénie la Dame et promet :
- soit V 10 9
- soit V 10 8
- soit R V 10
- soit A V 10

2. La couleur comporte au moins un honneur

EXEMPLES : A D 6 4, R V 7 5 2, D 9 4 3.

Vous devez entamer la quatrième meilleure carte de votre longue. La convention quatrième meilleure ne s'emploie qu'à sans atout et uniquement lorsque le partenaire n'a pas nommé la couleur.

Vous avez	**Vous entamez**
A D 6 4	le 4
R V 7 5 2	le 5
D 9 4 2	le 2

REMARQUE 1 : L'entame du 2 promet toujours quatre cartes (une cinquième meilleure est impossible, puisqu'il n'existe pas de carte inférieure au 2).

REMARQUE 2 : Lorsque la couleur d'entame comporte une séquence, l'entame quatrième meilleure sera une fois sur cent un coup de génie et quatre-vingt-dix-neuf fois sur cent vous sera reprochée par votre partenaire avec juste raison.

3. La couleur ne comporte pas d'honneur

Vous devez entamer la plus grosse carte inutile pour avertir votre partenaire que vous n'avez pas d'intérêt particulier dans la couleur d'entame.

Vous avez	**Vous entamez**
8 4 3 2	le 8
10 7 4 2	le 7 (le 10 est une carte utile)
6 5 4 3	le 6

II. - LE CHOIX DE LA COULEUR

Ce choix est le résultat d'une réflexion. Les enchères vous ont donné des renseignements, il faut vous en servir. Le principe est généralement d'entamer la couleur la plus longue pour affranchir des levées de longueur.

A - LES JOUEURS DE LA DEFENSE N'ONT JAMAIS PARLE

1. Les adversaires n'ont parlé que de sans atout

EXEMPLES :

S	O	N	E
1 SA	—	—	—

ou

S	O	N	E
1 SA	—	3 SA	—
—	—		

En principe, vous entamez votre couleur la plus longue (exemples 1 et 3). En cas d'égalité de longueur, entamez la plus rapidement affranchissable (exemple 2), à moins qu'elle ne possède des honneurs élevés (As Roi, As Dame, As Valet ou Roi Dame) qui serviront de reprise pour affranchir la couleur d'entame (exemple 4).

Quelle est votre entame, après la séquence : 1 SA - 3 SA ?

1.	**2.**	**3.**	**4.**	**5.**
♠ RV762	**♠ D1072**	**♠ 9873**	**♠ AD72**	**♠ V1098**
♥ 74	**♥ 10943**	**♥ A74**	**♥ D932**	**♥ D1072**
♦ A83	**♦ AV6**	**♦ R65**	**♦ 6**	**♦ 6**
♣ 632	**♣ D9**	**♣ D103**	**♣ 8743**	**♣ RV95**

Il existe bien sûr des exceptions :

- **Vous n'avez pas de jeu (2 points par exemple) et l'adversaire joue 3 SA**

Entamez pour votre partenaire, qui détient les points et donc les reprises, soit dans trois cartes, soit dans une séquence doubleton.

EXEMPLES :

1.	**2.**	**3.**	**4.**	**5.**
♠ 1098	**♠ 76432**	**♠ V9853**	**♠ V7432**	**♠ D642**
♥ 743	**♥ V10**	**♥ V102**	**♥ V932**	**♥ 984**
♦ D6532	**♦ V943**	**♦ 107**	**♦ 864**	**♦ 982**
♣ 97	**♣ 62**	**♣ 642**	**♣ 5**	**♣ 753**

REMARQUES :
— Si vous avez le choix entre deux couleurs courtes à entamer, préférez l'entame dans la majeure : les adversaires n'ont fait aucune recherche pour jouer le contrat à Cœur ou à Pique, il est possible que votre partenaire soit long dans l'une des deux couleurs.
— L'entame d'un singleton est très dangereuse, il est préférable de l'éviter.

- **Vous avez (ou vous pensez avoir) tous les points**

L'adversaire joue par exemple 3 SA, vous avez 14 HL, votre partenaire a donc au plus un point. Si vous n'avez pas de séquence à entamer, entamez dans la couleur où vous donnerez le moins de levées (exemples 2, 3 et 4).

EXEMPLES :

1.	**2.**	**3.**	**4.**
♠ **<u>D</u>V105**	♠ **RV74**	♠ **RV74**	♠ **R10432**
♥ **AD7**	♥ **AD62**	♥ **RV62**	♥ **AD9**
♦ **RV4**	♦ **R7**	♦ **RV**	♦ **RV6**
♣ **V92**	♣ **<u>V</u>102**	♣ **<u>9</u>83**	♣ **<u>4</u>3**

2. Les adversaires ont nommé (ou montré par inférence) une ou plusieurs couleurs

Le principe d'entame reste le même, mais évitez autant que possible d'entamer la couleur adverse.

EXEMPLE N° 1 :

S	O	N	E
1 SA	—	3 ♠	—
3 SA	—	—	—

Le mort a au moins cinq Piques, il est donc préférable d'entamer le 2 de Cœur avec le jeu suivant :

♠ **D1072**
♥ **RV62**
♦ **94**
♣ **863**

EXEMPLE N° 2 :

S	O	N	E
1 SA	—	2 ♣	—
2 ♥	—	3 SA	—
—	—		

Nord n'est pas fité à Cœur, donc il a quatre cartes à Pique puisqu'il a fait un Stayman, Entamez le 5 de Carreau avec le jeu suivant :

♠ **D1072**
♥ **R93**
♦ **V985**
♣ **62**

EXEMPLE N° 3 :

S	O	N	E
1 SA 2 ♦ —	— — —	2 ♣ 3 SA	— —

Nord a fait un Stayman, il possède donc une ou deux majeures quatrièmes. Entamez alors le 2 de Carreau avec le jeu suivant :

♠ V973
♥ 74
♦ D862
♣ AV7

B - LES JOUEURS DE LA DEFENSE ONT PARLE

Vous, ou votre partenaire, avez nommé une couleur : entamez dans la couleur de celui qui a le plus de jeu.

EXEMPLE :

S	O	N	E
1 ♠ —	1 SA —	— —	3 SA

Nord est à l'entame avec le jeu suivant :

♠ 92
♥ 764
♦ RV952
♣ 743

Il a le choix entre l'entame Pique et l'entame Carreau. En ouvrant de 1 Pique, Sud a montré au moins 13 HL, donc des reprises pour affranchir ses Piques. Nord doit entamer le 9 de Pique en pair impair (cette convention est expliquée dans la leçon suivante).

ANNEXE N° 3
L'entame à la couleur

Elle est différente de l'entame à sans atout ; en effet, la défense peut espérer :
— réaliser des levées de coupe : il faut alors préparer la coupe dès l'entame, avant que le déclarant n'élimine les atouts adverses ;
— réaliser des levées d'honneur, avant que le déclarant n'élimine des perdantes par la défausse ou par la coupe ;
— contrarier le plan du déclarant : les enchères ont montré un plan d'élimination de perdantes par la coupe chez le camp du déclarant.

L'entame à la couleur se divise en deux parties :
— le choix de la carte
— le choix de la couleur.

I. - LE CHOIX DE LA CARTE

REMARQUE : Il est recommandé de ne pas entamer :
— sous un As : vous risqueriez de vous le faire couper par la suite,
— dans un singleton d'atout : inutile de montrer aux adversaires dès la première levée que les atouts sont mal répartis.

1. Vous avez une séquence

L'entame d'une séquence est généralement prioritaire sur toute autre entame. Dans les contrats à la couleur, on entend par séquence au moins deux cartes qui se suivent dont une est un honneur.
Il existe diverses catégories de séquences :

a) Les séquences complètes
On entend par séquences complètes, trois cartes qui se suivent, dont au moins une est un honneur (le 10 est considéré comme un honneur).

Vous avez	Vous entamez
A R D	l'As
R D V	le Roi
D V 10	la Dame
V 10 9	le Valet
10 9 8	le 10

b) Les séquences incomplètes
On entend par séquence incomplète, deux grosses cartes consécutives suivies de la carte juste inférieure à la manquante.

Vous avez	Vous entamez
A R V	l'As
R D 10	le Roi
D V 9	la Dame
V 10 8	le Valet
10 9 7	le 10

c) Les séquences brisées

On entend par séquence brisée deux grosses cartes consécutives précédées d'une carte supérieure d'au moins deux rangs à la plus haute de ces deux cartes.

Vous avez	Vous entamez
A D V	une autre couleur (l'entame sous un As est interdite)
A V 10	une autre couleur
A 10 9	une autre couleur
R V 10	le Valet, mais attention, cette entame risque de donner une levée supplémentaire au déclarant. EXEMPLE : La Dame est au mort, le déclarant a l'As : sur l'entame du Valet, le déclarant joue la Dame du mort qui fait la levée, et le Roi sera peut être coupé par la suite.
R 10 9	le 10
D 10 9	le 10

d) Les séquences tripletons

Vous avez	Vous entamez
A R 2	l'As
R D 5	le Roi
D V 2	la Dame
V 10 4	le Valet
10 9 2	le 10

e) Les séquences doubletons

Vous avez	Vous entamez
A R	le Roi*
R D	le Roi
D V	la Dame
V 10	le Valet

* Avec A R sec, il est utile de faire une entame anormale pour montrer au partenaire un désir de coupe au troisième tour de la couleur.

EXEMPLE : Votre partenaire entame du Roi, donc il n'a pas l'As. Puis il joue l'As, donc il coupe au troisième tour.

2. Vous n'avez pas de séquence

Vous devez entamer en appliquant le principe du Pair-Impair. Le Pair-Impair est une convention qui sert à montrer le nombre de cartes que l'on possède dans la couleur que l'on joue.

a) Vous avez un nombre pair de cartes dans la couleur de votre entame

> *PRINCIPE*
> Vous entamez une grosse carte, puis continuez la couleur en fournissant une petite carte. On dit que l'on joue en descendant.

Vous avez	Vous entamez	Exemples
2 cartes	la plus grosse (GROS-PETIT)	10 4
4 ou 6 cartes	la troisième meilleure	R 9 7 2 V 9 6 5 4 2

b) Vous avez un nombre impair de cartes dans la couleur de votre entame

Le principe est de jouer en montant, c'est-à-dire de jouer en premier votre plus petite carte.

Vous avez	Vous entamez	Exemples
1 carte	la carte	2
3 cartes	la plus petite	R 7 2
5 cartes	la plus petite	D 10 8 5 3

REMARQUE : l'entame du 2 en Pair-Impair montre un nombre impair de cartes puisqu'il n'existe pas de carte inférieure au 2.

II. - LE CHOIX DE LA COULEUR

1. Entame d'une courte

a) Entame d'un singleton

Pour faire cette entame, il faut avoir l'espoir de trouver :
— soit l'As de la couleur d'entame chez le partenaire
— soit une reprise à l'atout (l'As) chez le partenaire : au premier tour d'atout il jouera son As, puis vous fera couper.

REMARQUE : si vous avez l'As d'atout, vous pouvez également entamer votre singleton, car si votre partenaire n'a pas l'As dans votre entame, peut-être aura-t-il l'As d'une autre couleur pour vous faire couper.

EXEMPLE N° 1 :

S	O	N	E
1 ♠ —	— —	4 ♠	—

Quelle est l'entame d'Ouest avec le jeu suivant :

♠ A74
♥ 8
♦ D10932
♣ 10642

Les adversaires ont environ 27 DHL, Ouest a 6 H, donc son partenaire a quelques points. Ouest a une reprise à l'atout (l'As de Pique), il doit entamer son singleton : le 8 de Cœur.

EXEMPLE N° 2 :

S	O	N	E
1 ♠	—	2 SA	—
3 ♥	—	4 ♥	—
—	—		

Quelle est l'entame d'Ouest avec le jeu suivant :

♠ **7**
♥ **R65**
♦ **DV104**
♣ **87632**

Grâce aux enchères, Ouest connaît le plan de jeu du déclarant : Sud a cinq Piques et quatre Cœurs, Nord a deux Piques et quatre Cœurs. Sud, après avoir éliminé les atouts adverses, va certainement affranchir sa couleur secondaire : les Piques. Il est donc stupide d'entamer le 7 de Pique, car :
1. il est peu probable que le partenaire ait l'As.
2. Ouest risque de faire prendre un honneur Pique à son partenaire.
Ouest préfère donc l'entame de la Dame de Carreau dans sa séquence.

b) Entame d'un doubleton
Réfléchissez bien avant de faire cette entame; ne la faites que lorsque :
— c'est la couleur nommée par le partenaire,
— vous n'avez que très peu de jeu et vous espérez trouver des honneurs intéressants en face,
— vous n'avez vraiment pas d'autre couleur d'entame.

EXEMPLE N° 1 :

S	O	N	E
1 ♠	—	4 ♠	—
—	—		

Quelle est l'entame d'Ouest avec le jeu suivant :

♠ **D73**
♥ **92**
♦ **V6542**
♣ **743**

Ouest a peu de jeu, donc son partenaire a des points, peut-être l'As et le Roi de Cœur ? Il entame donc le 9 de Cœur en Pair-Impair pour espérer couper le troisième tour de Cœur.

EXEMPLE N° 2 :

S	O	N	E
1 ♠ 3 ♥ —	— — —	1 SA 4 ♥	— —

Quelle est l'entame d'Ouest avec le jeu suivant :

♠ D104
♥ RV5
♦ AD743
♣ 82

L'entame Pique dans la couleur secondaire du déclarant est exclue.
L'entame Cœur est exclue.
L'entame sous l'As de Carreau est interdite, l'entame de l'As risquerait d'affranchir le Roi de Carreau du déclarant. Donc Ouest entame le 8 de Trèfle.

2. L'entame sous des honneurs

Lorsque vous n'avez pas de séquence, ni de courte satisfaisante à entamer, il est conseillé d'entamer de préférence une couleur comportant un honneur. En effet, votre désir est d'affranchir rapidement une levée d'honneur.
EXEMPLE : si votre couleur d'entame possède un Roi, il faut espérer la Dame chez votre partenaire pour affranchir une levée. Si en revanche, vous entamez dans une couleur sans honneur, pour affranchir une levée, il faut espérer le Roi et la Dame chez votre partenaire.
En conséquence, l'entame sous un honneur est préférable à l'entame dans une couleur ne comportant pas d'honneur.

PRINCIPE N° 1
Lorsque vous avez le choix, pour entamer, entre deux couleurs comportant chacune un honneur (♠ V64- ♥ D82), préférez l'entame sous l'honneur supérieur, en effet :
— l'entame Cœur affranchit directement la Dame, si le partenaire possède le Roi seul,
— l'entame Pique affranchira directement une levée dès que le partenaire possédera le Roi et la Dame.

PRINCIPE N° 2
Lorsque vous avez le choix, pour entamer, entre deux couleurs, comportant le même honneur, entamez sous l'honneur le plus court.

EXEMPLE :

R 8 2
R 8 6 4

	N	
Mort		E
	Déclarant	

A D 6
A D

Lorsque vous entamez sous un Roi, le risque est que le déclarant possède l'As et la Dame. Vous aurez alors l'impression d'avoir donné une levée au déclarant, mais ne vous affolez pas, le déclarant ne possède pas obligatoirement l'As et la Dame secs; si la fourchette du déclarant est par trois cartes, vous ferez votre Roi.

En conclusion :

— plus vous êtes court dans une couleur, plus le déclarant a de chances d'être long,

— plus vous êtes long dans une couleur, plus le déclarant a de chances d'être court.

L'entame du 2 de Pique en Pair-Impair a donc priorité sur l'entame Cœur.

EXEMPLE N° 1 :

S	O	N	E
1 ♠	—	2 ♠	—
—	—		

Quelle est l'entame d'Ouest avec le jeu suivant :

♠ **R5**
♥ **D93**
♦ **D862**
♣ **A732**

Deux entames sont interdites :

— Trèfle sous l'As

— atout avec le Roi second.

Ouest a donc le choix entre l'entame Cœur et l'entame Carreau. Il possède moins de cartes à Cœur, donc il entame le 3 de Cœur en Pair-Impair.

EXEMPLE N° 2 :

S	O	N	E
1 ♥	—	4 ♥	—
—	—		

Quelle est l'entame d'Ouest avec le jeu suivant :

♠ R74
♥ 743
♦ D86
♣ 7642

Ouest doit essayer d'affranchir rapidement une levée d'honneur, il a le choix entre l'entame Pique (sous le Roi) et Carreau (sous la Dame), il choisit l'entame sous l'honneur supérieur : le 4 de Pique.

3. L'entame atout

Les enchères ont montré un plan d'élimination de perdante par la coupe : entamez atout pour empêcher le déclarant de couper.

EXEMPLE :

S	O	N	E
1 ♠	—	1 SA	—
2 ♣	—	—	—

Sur les enchères, Nord a montré au plus deux cartes à Pique, Sud tentera certainement d'affranchir sa couleur secondaire par la coupe, Ouest doit donc entamer le 3 d'atout avec le jeu suivant :

♠ AD93
♥ R72
♦ 654
♣ R73

ANNEXE N° 4
La signalisation

I. - DEFINITION

La signalisation est un acte qui permet à un joueur de la défense de donner des informations à son partenaire en fournissant ou en défaussant de la couleur demandée.
Ces informations concernent :
— la répartition (nombre de cartes par couleur),
— l'emplacement des honneurs entre les différentes couleurs.

II. - OBJET DE LA SIGNALISATION

Vous avez pu avoir l'impression que le rôle des joueurs de la défense, pendant le jeu de la carte, était tout à fait passif. Les joueurs de flanc (c'est ainsi que l'on appelle les joueurs de la défense au jeu de la carte) ressentent la nécessité, du fait des jeux cachés, d'échanger des informations pour assurer le plan de jeu de la défense ; ils ont donc un rôle très actif.
Les joueurs de flanc se donneront mutuellement des informations, soit lorsqu'ils fourniront dans la couleur demandée, soit lorsqu'ils se défausseront.

III. - LA SIGNALISATION EN FOURNISSANT

Il existe une convention qui permet de signaler au partenaire le nombre de cartes que l'on possède dans une couleur : le Pair-Impair. On n'y dérogera exceptionnellement, dans des cas importants, où il sera urgent d'appeler ou refuser dans la couleur jouée par le partenaire.

1. Le Pair-Impair

Le principe de l'entame en Pair-Impair (voir Annexe 3) est également applicable en cours de jeu.
Nous vous rappelons que la convention consiste à fournir :
— en montant lorsque vous possédez un nombre impair de cartes,
— en descendant si vous avez un nombre impair de cartes.

EXEMPLE N° 1 :

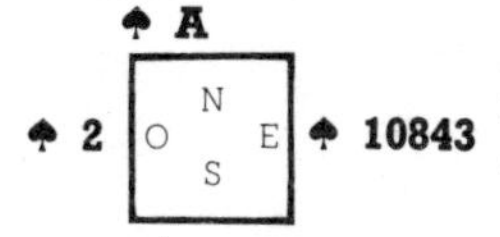

Sur l'entame du 2 de Pique, Sud joue l'As du mort, Est fournit le 4, en Pair-Impair, il fournira au deuxième tour de la couleur le 3.

EXEMPLE N° 2 :

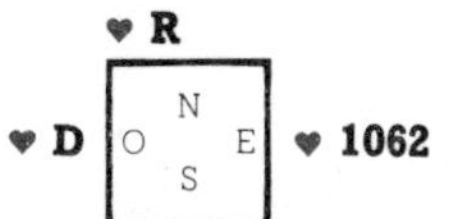

Ouest entame de la Dame, le mort fournit le Roi, Est doit fournir le 2 (puisqu'il a un nombre impair de cartes, il fournit en montant).

EXEMPLE N° 3 :

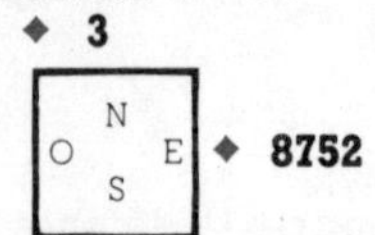

Est en main, attaque Carreau, il doit jouer le 5, vu qu'il possède un nombre pair de cartes.

2. Les dérogations du Pair-Impair

Lorsqu'il est important de permettre au partenaire de localiser un honneur plutôt que de lui fournir une information sur le nombre de cartes dans une couleur, il est préférable de déroger au Pair-Impair. Dans ce cas, il faut fournir :

— **une grosse carte,** afin d'indiquer l'intérêt que l'on a pour cette couleur : cet acte s'appelle **un Appel ;**

— **une petite carte** pour indiquer le manque d'intérêt pour la couleur jouée : cet acte s'appelle **un Refus.**

REMARQUE : le 10, le 9, le 8, le 7 et le 6 ont tendance à être considérés comme des grosses cartes, elles servent à appeler. Le 5, le 4, le 3 et le 2 sont en principe des petites cartes, elles servent à refuser.

EXEMPLES

Dans un contrat à la couleur, Ouest entame de l'As de Cœur, il possède donc en principe le Roi :

EXEMPLE N° 1 :

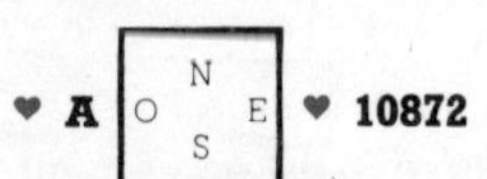

Est ne possédant pas la Dame de Cœur, n'a pas un intérêt particulier dans cette couleur, il refuse en fournissant le 2.

EXEMPLE N° 2 :

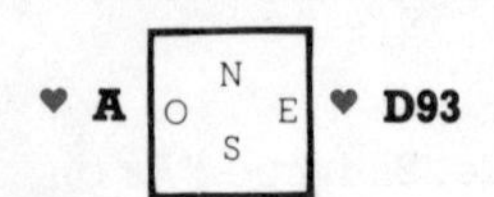

Est est très intéressé par la continuation de la couleur puisqu'il possède la Dame : il appelle en fournissant le 9.

IV. - LA SIGNALISATION EN DEFAUSSANT

Lorsqu'en cours de jeu, vous défaussez pour la première fois, il est péférable de donner une information sur la couleur de votre défausse. Elle revêt alors une double signification, Appel ou Refus, selon que vous vous défaussiez d'une grosse ou d'une petite carte.

EXEMPLE N° 1 :

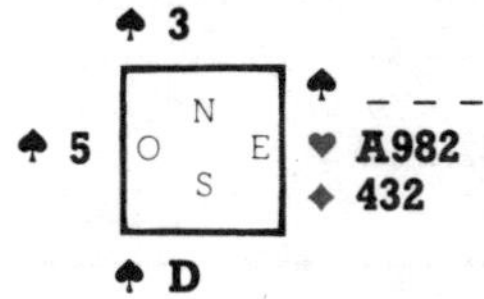

Sur la Dame de Pique de Sud, Est doit se défausser. Il en profite pour montrer à son partenaire qu'il détient un honneur intéressant à Cœur, en défaussant le 9 de Cœur.
Attention ! Pour qu'un Appel soit bien compris par le partenaire, il est préférable d'appeler avec la plus grosse carte inutile : appeler avec le 8 de Cœur serait une erreur.

EXEMPLE N° 2 :

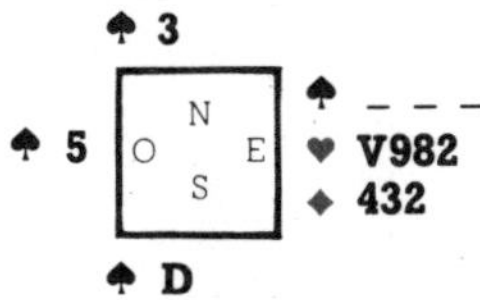

Sud joue la Dame de Pique, Est se défausse du 2 de Carreau, Refus, pour montrer à son partenaire qu'il n'a pas d'intérêt particulier dans cette couleur. Il aurait également pu défausser le 2 de Cœur.

ANNEXE N° 5
Probabilités simples

Le Bridge est un jeu de probabilités. Le choix d'une ligne de jeu, pour le déclarant, implique une connaissance des probabilités simples. Sa décision tiendra alors compte des chances comparées d'une ligne de jeu à une autre. La connaissance des probabilités de répartition du résidu d'une part, et des chances de réalisation d'une manœuvre d'autre part, doivent être les éléments de la décision.

I. - TABLEAU DES REPARTITIONS DES COULEURS

Nombre de cartes dans le camp du déclarant	Résidu des cartes dans le camp adverse	Répartition du résidu dans le camp adverse	Probabilités %
11	2	1-1 2-0	52 48
10	3	2-1 3-0	78 22
9	4	2-2 3-1	40 50
8	5	3-2 4-1	68 28
7	6	3-3 4-2	36 48

Nous ne vous demandons pas, bien sûr, d'apprendre ce tableau simplifié par cœur, mais d'en retenir l'analyse suivante :

Lorsqu'il manque un nombre pair de cartes dans une couleur, les probabilités montrent qu'elles ont plus de chances d'être mal réparties que bien réparties.

En revanche, lorsqu'il manque un nombre impair de cartes, le résidu aura plus de chances d'être bien réparti.

Ne dites pas : je n'ai pas de chance lorsque le résidu des cartes adverses est réparti 4-2, car vous aviez environ une chance sur trois (36 %) de le trouver 3-3.

Vous aurez le droit de pleurer sur votre sort, lorsque le résidu des cartes adverses est 4-1, car vous aviez deux chances sur trois (68 %) de le trouver 3-2.

II. - TABLEAU DE REUSSITE DES IMPASSES

Le tableau des répartitions des couleurs ne suffit pas en lui-même, il est nécessaire de connaître également les chances de réussite des manœuvres : les impasses.

Pour réussir	une impasse sur une	on a	50 % de chances de réussite
Pour réussir	une impasse sur deux	on a	75 % de chances de réussite
Pour réussir	deux impasses sur deux	on a	25 % de chances de réussite
Pour réussir	une impasse sur trois	on a	87,5 % de chances de réussite
Pour réussir	deux impasses sur trois	on a	50 % de chances de réussite
Pour réussir	trois impasses sur trois	on a	12,5 % de chances de réussite

Ce tableau amène deux remarques :

1. Dans un contrat, lorsque vous avez le choix pour gagner une levée entre une impasse et un partage 3-3 du résidu adverse : choisissez l'impasse (la réussite d'une impasse sur une, est à une chance sur deux, le résidu 3-3 adverse n'est qu'à une chance sur trois).

2. Lorsque vous avez le choix pour gagner une levée entre un partage 3-2 du résidu adverse dans une couleur et une impasse, ne faites pas l'impasse (une chance sur deux), préférez le partage 3-2 (deux chances sur trois).

ANNEXE N° 6
Les jeux d'honneurs

Les jeux d'honneurs dépendent des probabilités. Les maniements de couleur sont fonction des meilleures chances de réaliser le maximum de levées dans une couleur.
Ces chances tiennent compte non seulement des hypothèses favorables des tableaux de probabilités en termes de répartition mais également de situations définies, contre lesquelles on veut lutter.
La façon dont on va manier une couleur va dépendre de deux critères :
- sa couleur
- le nombre d'honneurs qui la compose.

I. - IL MANQUE LE ROI DANS UNE COULEUR

Vous devez faire l'impasse, sauf si vous avez onze (ou douze) cartes de la couleur. En effet, avec onze cartes, le tableau des probabilités montre que le résidu 1-1 est plus fréquent que 2-0.

EXEMPLE N° 1 :

Sud ne doit faire l'impasse à Pique avec le jeu suivant :

Sud doit tirer l'As au premier tour de la couleur en espérant voir apparaître le Roi, car il possède onze cartes : on dit qu'il "tire en tête".

♠ **ADV1074**

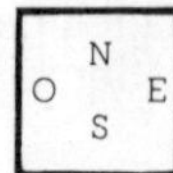

♠ **98632**

EXEMPLE N° 2 :

Sud doit faire l'impasse au Roi, car il a seulement dix cartes :

♥ **ADV109**

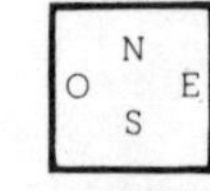

♥ **98632**

II. - IL MANQUE LA DAME

Vous devez tirer en tête l'As et le Roi, chaque fois que la Dame a peu de chances d'être troisième, c'est-à-dire jusqu'à neuf cartes inclus. A partir de huit cartes et moins, il faut faire l'impasse. Toutefois, il est préférable, comme nous l'avons vu dans la donne commentée de la leçon 25, de se prémunir contre la Dame sèche en donnant un coup de sonde.

EXEMPLE :

Il serait stupide de jouer d'emblée le 2 pour le Valet, au risque de perdre la levée de la Dame sèche.
Il faut donc tirer l'As, en coup de sonde, puis revenir en main à l'aide d'une communication, pour jouer le 2 vers le Valet, et recommencer l'impasse si elle réussit.

◆ **ARV10**

◆ **9862**

ANNEXE N° 7
Déroulement du jeu de la carte

Leçon N° 1

1.8

1 Levée	Ouest entame du Roi de Trèfle, Sud joue : le 3 de Trèfle du mort, Est fournit le 5 et Sud gagne la levée avec l'As.
2 L	Sud joue l'As de Pique, pour le 8 d'Ouest, le 2 de Nord et le 3 d'Est.
3 L	Sud continue du Valet de Pique, pour le 9 d'Ouest. Vous fournissez le 6 du mort et Est joue le 4.
4 L	Le 7 de Pique de Sud est couvert du 10 en Ouest. Sud joue le Roi du mort sur lequel Est met son 5.
5 L	Sud joue la Dame de Pique du mort, Est défausse le 7 de Cœur, Sud le 4 de Carreau, tandis qu'Ouest défausse le 2 de Carreau.
6 L	Sud vient de remporter la levée au mort, autant en profiter pour jouer la Dame de Cœur, pour le 8 d'Est, le 3 de Sud et le 5 d'Ouest.
7 L	Sud continue du Valet de Cœur du mort, pour le 9 d'Est, le 4 de Sud et le 6 d'Ouest.
8 L	Sud joue le 2 de Cœur du mort, pour le 10 d'Est, couvert de votre Roi, Ouest défausse le 8 de Trèfle.
9 L	Sud joue son As de Cœur, Ouest défausse le 3 de Carreau et Sud défausse le 4 de Trèfle du mort, puis Est défausse le 6 de Trèfle.
10 L	Sud joue le 2 de Trèfle, Ouest fournit le 9, Sud défausse le 8 de Carreau du mort, Est fournit le 7.
11 L	Ouest joue la Dame de Trèfle, Sud défausse le 9 de Carreau du mort, Est fournit le 10, Sud défausse le 5 de Carreau.
12 L	Ouest rejoue pour cette nouvelle levée le Valet de Trèfle, Sud défausse le 10 de Carreau du mort, Est défausse le Valet de Carreau et Sud le 6.
13 L	Ouest tire l'As de Carreau, Sud fournit la Dame du mort, Est le Roi de Carreau et Sud le 7.

Leçon N° 2

2.7

1 L	Sur l'entame de la Dame de Pique d'Ouest, Sud joue l'As de Pique du mort, Est fournit le 7, Sud le 2.
2 L	Sud joue le 2 de Trèfle du mort, Est fournit le 6, Sud le 10, Ouest le 4.
3 L	Sud présente l'As de Trèfle, Ouest fournit le 5, le mort le 3, Est le 7.
4 L	Sud joue ensuite le Roi de Trèfle, Ouest fournit le 9, le mort défausse le 2 de Carreau, Est fournit le 8.

5 L Sud joue la Dame de Trèfle, Ouest défausse le 3 de Carreau, Nord le 4 et Est le 6 de Carreau.

6 L Sud tire enfin le Valet de Trèfle, Ouest défausse le 10 de Carreau, le mort le 5, Est défausse le 7 de Cœur.

7 L Puis Sud joue l'As de Cœur, Ouest fournit le 5, le mort le 3, Est le 8.

8 L Sud tire son Roi de Cœur, Ouest fournit le 10, le mort le 4, Est le 9.

9 L Sud joue l'As de Carreau, Ouest fournit le Valet, le mort le 8 et Est le 9.

10 L Sud présente le 3 de Pique, Ouest fournit le 9, le mort gagne la levée avec le Roi, Est fournit le 8.
Le mort a fait la levée, Sud doit donc rejouer du mort pour la levée suivante.

11 L 5 de Pique du mort, Est défausse le Valet de Cœur, Sud fournit le 4.
Ouest gagne le levée avec le 10 de Pique, il doit donc rejouer pour la levée suivante.

12 L Ouest joue le Valet de Pique, le mort fournit le 6, Est défausse la Dame de Carreau, Sud défausse le 2 de Cœur.

13 L Ouest joue la Dame de Cœur, le mort fournit le 6, Est défausse le Roi de Carreau, Sud défausse le 7 de Carreau.

Leçon N° 3

3.4

1 L Entame Dame de Pique, le mort fournit le 4, Est le 3, Sud prend de l'As.

2 L Sud présente la Dame de Trèfle, Ouest fournit le 5, le mort le 2, Est le Roi.

3 L Est continue l'affranchissement des Piques, il joue le 7 de Pique, Sud fournit le 9, Ouest le 10, le mort prend du Roi.

4 L 3 de Trèfle du mort, Est fournit le 7, Sud le 9, Ouest l'As.

5 L Ouest joue le Valet de Pique, le mort fournit le 6, Est le 8, Sud le 2.

6 L Ouest tire le 5 de Pique maître, le mort défausse le 3 de Cœur, Est le 7 de Cœur, Sud le 2 de Cœur.

7 L Ouest rejoue le 7 de Carreau, le mort fournit le 5, Est la Dame, Sud prend du Roi.

8 L Sud joue le Valet de Trèfle, Ouest défausse le 4 de Cœur, le mort fournit le 4, Est le 8.

9 L Sud présente le 10 de Trèfle, Ouest défausse le 6 de Cœur, le mort fournit le 6, Est défausse le 2 de Carreau.

10 L Sud tire le Roi de Cœur, Ouest fournit le Valet, le mort le 5, Est le 9.

11 L Sud joue le 8 de Cœur, Ouest défausse le 8 de Carreau, le mort prend de l'As, Est fournit le 10.

12 L As de Carreau du mort, Est fournit le 10, Sud le 3, Ouest le 9.

13 L 6 de Carreau du mort, Ouest remporte la levée du Valet de Carreau.

Leçon N° 4

4.5

1 L	Sur l'entame du Roi de Carreau d'Ouest, Sud joue le 5 de Carreau du mort, Est fournit le 2, Sud prend de l'As.
2 L	Sud joue le 3 de Cœur, Ouest fournit le 2, le mort le Roi, Est le 6.
3 L	Sud joue le Valet de Cœur du mort, Est fournit le 8, Sud le 4, Ouest le 7.
4 L	Enfin Sud présente le 5 de Cœur du mort, Est défausse le 3 de Carreau, Sud gagne la levée avec la Dame, Ouest fournit le 9.
5 L	Sud tire l'As de Cœur, Ouest fournit le 10, le mort défausse le 6 de Carreau, Est le 10 de Carreau.
6 L	Sud joue l'As de Pique, Ouest fournit le 6, le mort le 2, Est le 5.
7 L	Sud joue le Roi de Pique, Ouest défausse le 7 de Trèfle, le mort fournit le 8, Est le 7.
8 L	3 de Pique de Sud, Ouest défausse le 8 de Trèfle, le mort prend de la Dame, Est fournit le 9.
9 L	Valet de Pique du mort, Est fournit le 10, Sud le 4, Ouest défausse le 9 de Trèfle.
10 L	7 de Carreau du mort, Est défausse le 2 de Trèfle, Sud fournit le 4, Ouest prend avec le 8.
11 à 13 L	A ce stade du jeu, Ouest a trois cartes maîtresses : la Dame et le Valet de Carreau, ainsi que l'As de Trèfle. Il remporte donc les trois dernières levées.

Leçon N° 5

5.3

1 L	Sur l'entame du Roi de Carreau, le mort fournit le 4, Est le 5, Sud prend de l'As.
2 L	Sud joue le 2 de Cœur de sa main, pour le 7 d'Ouest, le Roi du mort et le 4 d'Est.
3 L	Valet de Cœur du mort, Est fournit le 5, Sud le 3, Ouest le 8.
4 L	Sud revient dans sa main en jouant le 2 de Pique du mort, Est fournit le 3, Sud l'As, Ouest le 7.
5 L	Sud tire l'As de Cœur, Ouest fournit le 9, le mort défausse le 7 de Carreau, Est fournit le 6.
6 L	Sud remporte la dernière levée de Cœur avec la Dame, Ouest fournit le 10, le mort défausse le 8 de Carreau, Est le 4 de Pique.
7 L	Sud joue le 8 de Pique, Ouest défausse le 4 de Trèfle, le mort prend du Roi, Est fournit le 5.
8 L	Dame de Pique du mort, Est fournit le 6, Sud le 9 et Ouest défausse le 5 de Trèfle.
9 L	Valet de Pique du mort, Est défausse le 7 de Trèfle, Sud fournit le 10 de Pique, Ouest défausse le 6 de Trèfle.

10 à 13 L 9 de Carreau du mort, Est fournit le 6, Sud le 2, Ouest fait la levée du 10, puis réclame les trois autres levées, car il lui reste trois cartes maîtresses : la Dame et le Valet de Carreau et l'As de Trèfle.

Leçon N° 6

6.8

1 L Sud prend l'entame du Roi de Carreau avec l'As du mort, Est fournit le 7, Sud le 4.

2 L Sud joue le 8 de Cœur du mort, Est fournit le 5, Sud gagne la levée avec l'As, Ouest fournit le 2.

3 L Sud joue la Dame de Cœur de sa main, Ouest fournit le 3, le mort prend du Roi, Est fournit le 6.

4 L Valet de Cœur du mort, Est fournit le 7, Sud défausse le 2 de Trèfle, Ouest fournit le 4.

5 L 10 de Cœur du mort, Est défausse le 9 de Trèfle, Sud le 3 de Trèfle, Ouest le 4 de Pique.

6 L 9 de Cœur du mort, Est défausse le 10 de Trèfle, Sud le 4 de Trèfle, Ouest le 5 de Pique.

7 L 3 de Pique du mort, Est fournit le 8, Sud prend de l'As, Ouest fournit le 6.

8 L Sud tire le Roi de Pique de sa main, Ouest fournit le 7, le mort le Valet, Est le 9.

9 L Sud présente l'As de Trèfle, Ouest fournit la Dame, le mort le 6 et Est le Valet.

10 à 13 L Sud joue le 5 de Carreau, Ouest prend du 10 : en main avec encore trois cartes maîtresses à Carreau, il réclame le reste des levées.

Leçon N° 7

7.2

1 L Entame Valet de Pique, le mort fournit le 2, Est le 5, Sud prend de l'As.

2 L Sud joue le 6 de Trèfle de sa main, Ouest prend de l'As, le mort fournit le 9, Est le 4.

3 L Ouest continue du 10 de Pique, le mort fournit le 3, Est le 6, Sud prend du Roi.

4 L Sud joue le 7 de Trèfle, Ouest fournit le 2, le mort le 10, Est le 5.

5 L Roi de Trèfle du mort, Est défausse le 9 de Carreau, Sud fournit le 8, Ouest le 3.

6 L Dame de Trèfle du mort, Est défausse le 10 de Carreau, Sud le 6 de Carreau, Ouest le 2 de Carreau.

7 L Valet de Trèfle du mort, Est défausse le 8 de Cœur, Sud le 7 de Carreau, Ouest le 3 de Carreau.

8 L Roi de Cœur du mort, Est fournit le 9, Sud le 2, Ouest le 5.

9 L Dame de Cœur du mort, Est fournit le 10, Sud le 3, Ouest le 6.

10 L	4 de Cœur du mort, Est fournit le Valet, Sud prend de l'As, Ouest joue le 7.
11 L	Sud tire l'As de Carreau, Ouest défausse le 7 de Pique, le mort fournit le 5 de Carreau, Est la Dame de Carreau.
12 et 13 L	Sud joue Carreau, Est prend du Roi, puis fait la levée de la Dame de Pique.

Leçon N° 8

8.4

1 L	Entame 10 de Cœur, le mort fournit le 3, Est le 5, Sud prend de l'As.
2 L	Sud joue le 10 de Pique, Ouest fournit le 6, le mort le Roi, Est le 3.
3 à 12 L	Sud encaisse deux levées à Cœur, quatre à Carreau et quatre à Trèfle.
13 L	Ouest fait la levée de l'As de Pique.

Leçon N° 9

9.5

1 L	Entame Dame de Carreau, le mort fournit le 2, Est le 4, Sud prend du Roi.
2 L	Sud joue le 4 de Trèfle, Ouest fournit le 8, le mort le 10, Est le 2.
3 L	2 de Cœur du mort, Est fournit le 9, Sud prend de l'As, Ouest joue le 5.
4 L	Sud répète l'impasse à Trèfle en présentant le 5, Ouest fournit le 9, le mort le Valet, Est le 3.
5 L	As de Trèfle du mort, Est défausse le 5 de Carreau, Sud fournit le 6, Ouest le Roi.
6 L	Dame de Trèfle du mort, Est défausse le 6 de Carreau, Sud fournit son dernier Trèfle, Ouest défausse le 6 de Cœur.
7 L	Roi de Pique du mort, Est fournit le 6, Sud le 2, Ouest le 8.
8 L	3 de Pique du mort, Est fournit le 7, Sud l'As, Ouest le 9.
9 L	Sud joue le Roi de Cœur de sa main, Ouest fournit le 7, le mort le 3, Est le 10.
10 L	Sud joue le 7 de Carreau, Ouest fournit le 9, le mort l'As, Est défausse le 10 de Pique.
11 L	Sud continue du 3 de Carreau du mort, Est défausse le Valet de Cœur, Sud fournit le 8 de Carreau et Ouest prend du Valet de Carreau.
12 et 13 L	Il reste à Ouest deux cartes maîtresses (le 10 de Carreau et la Dame de Pique), il réclame donc les deux dernières levées.

Leçon N° 10

10.2

1 L	Entame Dame de Carreau, le mort fournit le 2, Est le 6, Sud l'As.
2 L	Sud joue le 2 de Cœur, Ouest fournit le 5, le mort le 9, Est le 6. L'impasse au Valet a réussi, il faut bien sûr la recommencer.
3 L	2 de Pique du mort, Est fournit le 7, Sud prend du Roi, Ouest fournit le 4.
4 L	Sud joue le 3 de Cœur de sa main, Ouest fournit le 8, le mort le 10, Est le 7.
5 L	Sud revient en main pour jouer le 3 de Pique, Est fournit le 8, Sud la Dame, Ouest le 5.
6 L	Sud doit maintenant tenter l'impasse au Roi de Cœur, en jouant le 4 de sa main, pour le Valet d'Ouest, la Dame du mort et la défausse du 6 de Trèfle chez Est.
7 L	As de Cœur du mort, Est défausse le 8 de Trèfle, Sud le 4 de Carreau, Ouest fournit le Roi de Cœur.
8 L	Sud joue le 4 de Trèfle du mort pour essayer d'affranchir la Dame ou le Valet, Est fournit le 9, Sud la Dame, Ouest prend du Roi.
9 L	Ouest rejoue le Valet de Carreau, le mort prend du Roi, Est fournit le 7 et Sud le 5.
10 L	Si Ouest possède l'As de Trèfle, il risque fort à cette levée, s'il reprend la main, de réclamer le reste des levées : une à Trèfle et deux à Carreau. Sud, ne voyant pas l'intérêt de défausser son As de Pique sur les cartes maîtresses des adversaires, tire l'As de Pique du mort pour le 9 d'Est, le Valet de Sud et le 6 d'Ouest.
11 L	5 de Trèfle du mort, Est prend du 10, Sud fournit le 3, Ouest défausse le 8 de Carreau.
12 et 13 L	Est a en main deux cartes maîtresses, l'As de Trèfle et le 10 de Pique, il réclame le reste des levées.

Leçon N° 11

11.1

1 L	Entame du 6 de Pique, le mort fournit le 5, Est le 2, Sud prend du Roi.
2 L	Sud joue le 4 de Carreau, Ouest fournit le 3, le mort le 2, Est prend du 10.
3 L	Est rejoue le 3 de Pique, Sud fournit le Valet, Ouest prend de l'As, le mort fournit le 7.
4 L	Ouest joue le 10 de Pique, le mort fournit le 9, Est le 4, Sud prend de la Dame.
5 L	Sud joue le 5 de Carreau, Ouest fournit le 7, le mort prend de l'As, Est fournit le Valet.

6 L	Roi de Carreau du mort, Est fournit la Dame, Sud défausse le 8 de Trèfle, Ouest fournit le 9.
7 L	8 de Carreau du mort, Est défausse le 2 de Trèfle, Sud le 9 de Trèfle, Ouest le 5 de Trèfle.
8 L	6 de Carreau du mort, Est défausse le 9 de Cœur, Sud le 2 de Cœur, Ouest le 6 de Trèfle.
9 à 13 L	Sud fait encore quatre levées (l'As et le Roi à Cœur puis à Trèfle) et donne un Cœur perdant aux adversaires à la treizième levée.

Leçon N° 12

12.2

1 L	Entame Roi de Cœur, le mort fournit le 6, Est le 2, Sud laisse passer, il fournit le 4.
2 L	Ouest continue de la Dame de Cœur, le mort fournit le 7, Est le 3, Sud laisse à nouveau passer, il fournit le 5.
3 L	Ouest joue le Valet de Cœur, le mort défausse le 2 de Carreau, Est fournit le 8, Sud prend de l'As.
4 L	Sud joue le 5 de Trèfle, Ouest fournit le 2, le mort fournit le 9, Est prend du Roi (l'impasse a échoué).
5 L	Est rejoue la Dame de Carreau, Sud prend de l'As, Ouest fournit le 6, le mort le 4.
6 L	Sud joue le 8 de Trèfle, Ouest fournit le 4, le mort le 10, Est le 3.
7 L	As de Trèfle du mort, Est fournit le 6, Sud défausse le 3 de Carreau, Ouest fournit le 7.
8 L	Dame de Trèfle du mort, Est défausse le 4 de Pique, Sud défausse le 8 de Carreau, Ouest défausse le 7 de Carreau.
9 L	Valet de Trèfle du mort, Est défausse le 5 de Pique, Sud le 6 de Pique, Ouest le 9 de Cœur.
10 L	Roi de Pique du mort, Est fournit le Valet, Sud le 7, Ouest le 3.
11 L	2 de Pique du mort, Est défausse le 9 de Carreau, Sud prend de l'As de Pique, Ouest fournit le 10.
12 L	Sud tire le Roi de Carreau, Ouest défausse le 10 de Cœur, le mort fournit le 5 de Carreau, Est le 10.
13 L	Sud joue le 8 de Pique, Ouest fait la levée avec la Dame de Pique.

Leçon N° 13

13.3

1 L	Entame Dame de Cœur, le mort fournit le 4, Est le 2, Sud prend de l'As.
2 L	Sud joue le Roi de Pique, Ouest fournit le 3, le mort prend de l'As, Est fournit le 2.
3 L	6 de Trèfle du mort, Est fournit le 3, Sud le 9, Ouest prend du Valet.

4 L	Ouest joue le Valet de Cœur, le mort fournit le 5, Est le 3, Sud prend du Roi.
5 L	Sud joue le Valet de Pique, Ouest fournit le 6, le mort la Dame, Est le 4.
6 L	7 de Trèfle du mort, Est fournit le 5, Sud le 10, Ouest le 2.
7 L	Sud joue le 9 de Pique, Ouest fournit le 7, le mort prend du 10, Est fournit le 5.
8 L	8 de Trèfle du mort, Est fournit le Roi, Sud prend de l'As, Ouest joue le 4.
9 à 13 L	Sud gagne encore deux levées avec la Dame de Trèfle et l'As de Carreau, puis donne les trois dernières levées aux adversaires.

Leçon N° 14

14.2

1 L	Entame Dame de Pique, le mort fournit le Roi, Est le 3, Sud le 8.
2 L	Dame de Carreau du mort, Est fournit le 9, Sud le 2, Ouest le 5.
3 L	Valet de Carreau du mort, Est fournit le Roi, Sud l'As, Ouest le 6.
4 L	Sud joue le 3 de Carreau, Ouest fournit le 7, le mort le 10, Est défausse le 5 de Pique.
5 L	3 de Trèfle du mort, Est joue le 2, Sud le Roi, Ouest le 4.
6 L	Sud continue de la Dame de Trèfle, Ouest fournit le 6, le mort le 8, Est prend de l'As.
7 L	Est joue le 7 de Pique, Sud fournit l'As, Ouest le 9, Nord le 2.
8 L	Sud tire le Valet de Trèfle, Ouest fournit le 7, le mort défausse le 4 de Pique, Est joue le 5 de Trèfle.
9 L	Sud joue le 8 de Carreau, Ouest défausse le 10 de Trèfle, le mort le 6 de Pique, Est le 9 de Trèfle.
10 L	Sud joue le Roi de Cœur, Ouest fournit le 3, le mort le 7, Est le 2.
11 à 13 L	Sud remonte au mort au Valet de Cœur, puis tire ses deux Cœurs maîtres.

Leçon N° 15

15.1

1 L	Sur l'entame du Roi de Cœur, le mort fournit le 2, Est le 6, Sud prend de l'As.
2 L	Sud joue l'As de Pique, Ouest fournit le 4, le mort le 9 et Est le 2.
3 L	Sud joue le Roi de Pique, Ouest fournit le 5, le mort le 10 et Est le 3.
4 L	Sud joue l'As de Carreau, Ouest fournit le 6, le mort le 4 et Est le 9.

5 L	Sud joue le Roi de Carreau, Ouest fournit le 7, le mort le 5 et Est le 10.
6 L	Sud joué le 2 de Carreau, Ouest fournit le 8, le mort coupe du Valet de Pique, Est fournit le Valet.
7 L	Le mort joue le 3 de Cœur, Est fournit le 7, Sud coupe du 6 de Pique, Ouest fournit le 10 de Cœur.
8 L	Sud joue le 3 de Carreau, Ouest défausse le 8 de Trèfle, le mort coupe de la Dame de Pique, Est fournit la Dame.
9 L	Sud joue le 4 de Cœur du mort, Est fournit le 9, Sud coupe du 7 de Pique, Ouest fournit le Valet.
10 à 13 L	Sud a trois Trèfles maîtres et un atout maître ; il réclame le reste des levées.

Leçon N° 16

16.6

1 L	Entame As de Trèfle, le mort, Est et Sud fournissent respectivement le 2, le 8, le 5.
2 L	Ouest continue du Roi de Trèfle, le mort, Est et Sud fournissent respectivement le 3, le 9, le 6.
3 L	Ouest joue la Dame de Trèfle, le mort fournit le 4, Est le 10, Sud le 7.
4 L	Ouest joue la Dame de Cœur pour le 2 du mort, le 8 d'Est et l'As du Sud.
5 L	Sud joue le Valet de Pique, Ouest fournit le 5, le mort le 2, Est le 3.
6 L	10 de Pique chez Sud, Ouest fournit le 6, le mort fait la levée de la Dame, Est fournit le 4.
7 L	As de Pique du mort, Est défausse le 8 de Carreau, Sud fournit le 7 et Ouest le Roi.
8 à 13 L	Il reste à Sud six cartes maîtresses : deux atouts, le Roi de Cœur et trois Carreaux, il réclame le reste des levées.

Leçon N° 17

17.3

1 L	Entame atout prise de l'As de Pique de Sud.
2 L	Sud joue le Roi de Pique de sa main.
3 L	Sud joue l'As de Cœur de sa main.
4 L	Sud coupe sa première perdante Cœur avec un atout du mort.
5 L	Sud revient dans sa main par l'As de Carreau.
6 L	Sud coupe sa deuxième perdante Cœur avec le dernier atout du mort.
7 L	Sud revient en main par l'As de Trèfle.
8 à 11 L	Sud tire ses atouts maîtres.
12 et 13 L	Sud tire ses deux Trèfles maîtres.

18.3

1 L	Sud prend le Roi de Cœur avec son As.
2 L	Sud coupe un premier Cœur avec le 7 de Pique du mort.
3 L	Sud revient dans sa main par l'As de Trèfle.
4 L	Sud élimine la deuxième perdante Cœur en la coupant du 8 de Pique du mort.
5 L	Sud revient dans sa main par l'As de Carreau.
6 L	Sud coupe un troisième Cœur avec le 9 de Pique du mort.
7 L	Si les Cœurs des adversaires sont répartis 4-3, le coup est fini, le déclarant fait tomber les atouts adverses, puis encaisse les cartes maîtresses. Si les Cœurs adverses sont répartis 5-2 : Sud revient dans sa main en coupant un Carreau.
8 L	Sud coupe le dernier Cœur avec le dernier atout du mort.
9 L	Sud revient dans sa main en coupant un Trèfle.
10 à 13 L	Sud tire ses atouts maîtres.

18.4

1 L	Sur l'entame du Valet de Pique, le mort fournit la Dame, Est prend du Roi, Sud fournit le 6.
2 L	Est joue l'As de Pique, pour le 8 de Sud, le 2 d'Ouest et le 5 du mort.
3 L	Est rejoue le 7 de Pique, Sud coupe du 2 de Cœur, Ouest et Nord fournissent.
4 L	Sud joue l'As de Carreau, Ouest fournit le 7, le mort le 5 et Est le 2.
5 L	Sud tire le Roi de Carreau, Ouest fournit le 8, le mort le Valet et Est le 6.
6 L	Sud joue le 3 de Carreau, Ouest fournit le 9, le mort coupe du 8 de Cœur, Est fournit le 10.
7 L	Le mort joue le 3 de Trèfle, Est fournit le 2, Sud prend de l'As, Ouest fournit le 6.
8 L	Sud joue le 4 de Carreau, Est fournit la Dame, le mort coupe du 9, Ouest ne peut surcouper puisque tous les atouts du mort sont maîtres, il défausse le 8 de Trèfle.
9 L	Sud fait tomber les atouts adverses en jouant l'As de Cœur du mort (honneur de la main courte), Est fournit le 3, Sud le 7 et Ouest le 4.
10 L	Le mort joue le 10 de Cœur, Est fournit le 5, Sud prend du Valet, défausse le 9 de Pique.
11 L	Sud joue la Dame de Cœur, Ouest défausse le 10 de Pique, le mort défausse le 4 de Trèfle, Est fournit le 6 de Cœur.
12 L	Sud tire le Roi de Cœur, Ouest défausse le 10 de Trèfle, le mort le 7 de Trèfle et Est le 9 de Trèfle.
13 L	Sud joue le 5 de Trèfle pour le Roi d'Ouest, le mort fournit le Valet, Est la Dame.

Leçon N° 19

19.3

1 L	Sud prend l'entame Pique de l'As.
2 L	Sud joue le Roi de Pique.
3 L	Sud fait tomber le dernier Pique adverse en jouant la Dame.
4 L	Sud tire l'As de Trèfle (honneur de la main courte).
5 L	Sud joue le 3 de Trèfle pour le Roi du mort.
6 L	Sud tire la Dame de Trèfle du mort et fournit le 5 de sa main.
7 L	Sud joue le Valet de Trèfle du mort pour la défausse du 4 de Cœur de sa main.
8 L	Sud tire le 10 de Trèfle du mort pour la défausse du 4 de Carreau de sa main.
9 L	Sud joue Carreau du mort pour l'As de sa main.
10 L	Sud encaisse l'As de Cœur.
11 à 13 L	Sud gagne les trois dernières grâce à ses atouts maîtres.

19.4

1 L	Ouest entame le Roi de Carreau, le mort prend de l'As, Est fournit le 3, Sud le 6.
2 L	Le mort joue le 2 de Pique, pour le 7 d'Est, l'As de Sud et le 9 d'Ouest.
3 L	Sud joue le Roi de Pique, Ouest fournit le 10, le mort le 3, Est défausse le 2 de Trèfle.
4 L	Sud tire l'As de Trèfle (honneur de la main courte), Ouest fournit le 4, le mort le 6, Est le 3.
5 L	Sud joue le 7 de Trèfle, Ouest fournit le 8, le mort prend du Roi, Est joue le 5.
6 L	Le mort tire la Dame de Trèfle, Est fournit le 9, Sud défausse le 10 de Carreau perdant, Ouest défausse le 8 de Carreau.
7 à 10 L	Sud tire ses quatre Piques maîtres.
11 à 13 L	Le camp adverse fait les trois levées de Cœur.

Leçon N° 20

20.3

1 L	Sud prend l'entame atout de l'As de Pique.
2 L	Sud élimine les atouts adverses en jouant le Roi de Pique.
3 L	Sud remonte au mort par l'As de Trèfle.
4 L	Sud joue le 2 de Carreau du mort pour la Dame de Sud, celle-ci fait la levée, donc l'impasse a réussi.
5 L	Sud tire son As de Carreau.
6 à 8 L	Sud tire les trois Cœurs maîtres.
9 et 10 L	Sud tire les deux Trèfles maîtres.
11 et 12 L	Sud joue ses atouts.
13 L	Sud joue Trèfle pour la Dame des adversaires.

Leçon N° 22

22.4

1 L	Entame 10 de Trèfle, le mort fournit le Valet, en espérant que Ouest a entamé sous sa Dame, seule chance de faire la levée du Valet. Est fournit la Dame, Sud prend de l'As.
2 L	Sud tire le Roi de Trèfle, Ouest fournit le 9, le mort le 6, Est le 2.
3 L	Sud joue le 3 de Trèfle, Ouest défausse le 3 de Pique, le mort coupe de la Dame d'atout, Est fournit le 7.
4 L	2 de Pique du mort, pour le 9 d'Est, l'As de Sud et le 4 d'Ouest.
5 L	Sud présente le 4 de Trèfle, Ouest défausse le 6 de Pique, le mort coupe avec le Valet de Cœur, Est fournit le 8 de Trèfle.
6 L	3 de Cœur du mort, pour le 4 d'Est, l'As de Sud et le 5 d'Ouest.
7 L	Roi de Cœur chez Sud, Ouest fournit le 6, le mort défausse le 2 de Carreau, Est fournit le 8.
8 L	10 de Cœur en Sud, pour le 7 d'Ouest, le mort défausse le 3 de Carreau, Est le 10 de Pique.
9 à 13 L	Au cours des cinq dernières levées, Sud encaisse ses trois levées maîtresses : deux atouts et le 5 de Trèfle, puis donne les deux Carreaux perdants aux adversaires.

Leçon N° 24

24.3

1 L	Entame Valet de Cœur, le mort fournit le 5, Est le 2, Sud prend de la Dame.
2 L	Sud joue la Dame de Pique pour le 6 d'Ouest, le 5 de Sud et le 2 d'Est.
3 L	Sud présente le 4 de Pique, pour le 7 d'Ouest, le 9 du mort, Est prend du Roi.
4 L	Est continue l'affranchissement des Cœurs et rejoue le 3 de Cœur, Sud prend de l'As, Ouest fournit le 8, le mort le 6.
5 L	Sud joue le 8 de Pique, Ouest prend de l'As, le mort fournit le 10, Est le 3.
6 L	Ouest continue l'affranchissement des Cœurs en jouant le 10, pour le Roi du mort, le 4 d'Est et le 7 de Sud.
7 L	Sud tire le Valet de Pique maître du mort, Est défausse le 2 de Trèfle, Sud le 7 de Carreau, Ouest le 6 de Carreau.
8 et 9 L	Sud encaisse l'As de Carreau, puis l'As de Trèfle.
10 à 13 L	Sud concède le reste des levées aux adversaires.

Leçon N° 25

25.3

1 L	Sur l'entame du Roi de Carreau, le mort fournit le 4, Est le 2, Sud le 3.
2 L	Ouest continue de la Dame de Carreau, pour le 5 du mort, le 6 d'Est et l'As de Sud.
3 L	Sud joue le 2 de Trèfle, Ouest fournit le 5, le mort prend de l'As, Est fournit le 8 de Trèfle.
4 L	2 de Cœur du mort, Est fournit le 7, Sud prend de l'As, Ouest fournit le 6.
5 L	Sud joue le Valet de Trèfle, Ouest fournit le 7, le mort le 3 et Est prend de la Dame de Trèfle.
6 L	Est rejoue le 4 de Pique, Sud prend de l'As, Ouest fournit le 9 et le mort le 2.
7 L	Sud joue le 10 de Trèfle, Ouest défausse le 10 de Cœur, le mort prend du Roi de Trèfle, Est fournit le 9 de Trèfle.
8 L	6 de Trèfle du mort, pour les défausses du 5 de Pique en Est, 7 de Carreau en Sud et 9 de Carreau en Ouest.
9 L	4 de Trèfle du mort, pour les défausses du 6 de Pique en Est, du 8 de Carreau en Sud et du 10 de Carreau en Ouest.
10 L	Le mort joue le Roi de Pique pour le 7 de Pique en Est, le 8 de Pique en Sud, le 10 de Pique en Ouest.
11 L	3 de Cœur du mort, Est fournit le 8, Sud prend du Roi et Ouest fournit le Valet.
12 L	Sud joue le 5 de Cœur, Est prend de la Dame, Ouest défausse le Valet de Carreau, le mort fournit le 4.
13 L	Ouest fait la levée de la Dame de Pique.

Leçon N° 26

26.2

1 L	Ouest entame le 5 de Pique, Nord fournit le 2, Est la Dame, Sud le 6.
2 L	Est joue le 7 de Pique, Sud prend de l'As, Ouest fournit le 3, le mort le 4.
3 L	Sud joue le 7 de Trèfle, Ouest fournit le 2, le mort le Valet, Est prend de l'As.
4 L	Est rejoue le 2 de Carreau, Sud prend de l'As, Ouest fournit le 6, le mort le 4.
5 L	Sud joue le Roi de Trèfle, Ouest fournit le 4, le mort le 3, Est le 5.
6 L	Sud tire la Dame de Trèfle, Ouest fournit le 8, le mort le 6, Est le 9.
7 L	Sud joue le 10 de Trèfle, Ouest défausse le 7 de Carreau, le mort le 8 de Pique, Est le 3 de Carreau.
8 L	Sud joue le Roi de Carreau, Ouest défausse le 9 de Pique, le mort fournit le 9 et Est le 5.
9 L	Sud joue le 8 de Carreau, Ouest défausse le Valet de Pique, le mort prend de la Dame, Est fournit le 10.

10 L Valet de Carreau du mort, Est défausse le 3 de Cœur, Sud le 4 de Cœur et Ouest le Roi de Pique.
11 L As de Cœur du mort, Est fournit le 8, Sud le 5, Ouest le 6.
12 L 2 de Cœur du mort, Est fournit le Roi, Sud le Valet et Ouest le 7.
13 L Est joue le 9 de Cœur, Sud défausse le 10 de Pique, Ouest fournit la Dame, le mort le 10.

Leçon N° 27

27.4

1 L Ouest entame la Dame de Cœur, le mort fournit le 6, Est le 2, Sud prend de l'As.
2 L Sud joue le 2 de Trèfle, Ouest le 3, le mort le Roi, Est prend de l'As.
3 L Est continue l'affranchissement des Cœurs en jouant le 4, Sud prend du Roi, Ouest fournit le 3 et le mort le 7.
4 L Sud joue la Dame de Trèfle, Ouest fournit le 4, le mort le 8, Est le 5.
5 L Sud continue du Valet de Trèfle, Ouest fournit le 9, le mort défausse le 2 de Carreau, Est fournit le 6.
6 L Sud tire le 10 de Trèfle, Ouest défausse le 4 de Pique, le mort le 8 de Carreau, Est fournit le 7.
7 L Sud joue le Roi de Pique, Ouest fournit le 5, le mort le 7, Est le 3.
8 L Sud joue le Valet de Pique, Ouest fournit le 9, le mort le 10, Est le 6.
9 L Sud continue du 2 de Pique, Ouest défausse le 7 de Carreau, le mort prend de la Dame de Pique, Est fournit le 8.
10 L As de Pique du mort, Est défausse le 5 de Cœur, Sud le 3 de Carreau, Ouest le 9 de Cœur.
11 L Valet de Carreau du mort, Est fournit le 6, Sud le 4, Ouest prend de l'As.
12 L Ouest joue le Valet de Cœur, le mort défausse le 9 de Carreau, Est fournit le 8, Sud défausse le 5 de Carreau.
13 L Ouest tire le 10 de Cœur, le mort défausse le 10 de Carreau, Est le Roi de Carreau et Sud la Dame de Carreau.

Leçon N° 29

29.1

1 L Ouest entame la Dame de Carreau, le mort fournit le 2, Est le 5, Sud l'As.
2 L Sud joue le 7 de Trèfle, Ouest le 4, le mort le 2, Est prend du 10.
3 L Est rejoue le 6 de Carreau, Sud fournit le Roi, Ouest le 9, Nord le 3.
4 L Sud joue le 8 de Trèfle, Ouest le 6, Sud prend de l'As, Est fournit la Dame.

5 L	Roi de Trèfle du mort, Est défausse le 7 de Carreau, Sud fournit le 9, Ouest le Valet.
6 L	5 de Trèfle du mort, Est défausse le 9 de Cœur, Sud le 6 de Cœur et Ouest le 2 de Cœur.
7 L	3 de Trèfle du mort, Est défausse le 8 de Carreau, Sud le 8 de Cœur et Ouest le 4 de Pique.
8 L	6 de Pique du mort, Est fournit le 9, Sud prend de l'As, Ouest fournit le 5.
9 L	Sud tire l'As de Cœur, Ouest fournit le 7, le mort le 3, Est le 10.
10 L	Sud joue le 2 de Pique, Ouest prend du Roi, le mort fournit le 7, Est le 10.
11 L	Ouest joue le Roi de Cœur, le mort fournit le 4, Est le Valet, Sud défausse le 4 de Carreau.
12 L	Ouest joue le Valet de Carreau, le mort défausse le 8 de Pique, Est la Dame de Pique, Sud le 3 de Pique.
13 L	Ouest joue le 10 de Carreau, le mort défausse le 5 de Cœur, Est la Dame de Cœur et Sud le Valet de Pique.

Leçon N° 30

20.1

1 L	Sur l'entame de la Dame de Trèfle, le mort fournit le 5, Est le 2, Sud prend du Roi.
2 L	Sud joue l'As de Trèfle, Ouest fournit le 6, le mort le 7, Est le 3.
3 L	Sud joue le 9 de Trèfle, Ouest fournit le 10, le mort coupe du 2 de Pique, Est fournit le 4.
4 L	Valet de Pique du mort, Est fournit la Dame, Sud prend de l'As, Ouest fournit le 4.
5 L	Sud joue le 6 de Pique, Ouest prend du Roi de Pique, le mort fournit le 3, Est le 5.
6 L	Ouest joue le 2 de Carreau, le mort prend de l'As, Ouest fournit le 5, Sud le 4.
7 L	Dame de Cœur du mort, Est fournit le Roi, Sud prend de l'As, Ouest fournit le 2.
8 L	Sud présente le 9 de Carreau, Ouest fournit le 3, le mort prend du Roi, Est fournit le 6.
9 L	Valet de Cœur du mort, Est fournit le 8, Sud le 6, Ouest le 5.
10 L	3 de Cœur du mort, Est défausse le 7 de Carreau, Sud prend du 10, Ouest fournit le 7.
11 à 13 L	Sud fait les trois dernières levées avec les trois atouts maîtres de sa main.

Leçon Nº 31

31.1

1 L	Entame Roi de Pique, le mort fournit le 3, Est le 6, Sud prend de l'As.
2 L	Sud joue la Dame de Carreau, Ouest fournit le 2, le mort prend de l'As, Est fournit le 4.
3 L	Roi de Carreau du mort, Est fournit le 5, Sud défausse le 8 de Pique, Ouest fournit le 3.
4 L	Valet de Carreau du mort, Est fournit le 6, Sud défausse le 9 de Pique, Ouest fournit le 8.
5 L	5 de Cœur du mort, Est prend de l'As, Sud fournit le 2, Ouest le 3.
6 L	Est joue le 7 de Pique, Sud coupe du 7 de Cœur, Ouest fournit le 2, le mort le 4.
7 L	Sud joue le 8 de Cœur, Ouest fournit le 4, le mort le 6 et Est défausse le 7 de Carreau.
8 L	Sud joue le 8 de Trèfle, Ouest fournit le 7, le mort prend de la Dame, Est fournit le 3.
9 L	2 de Trèfle du mort, Est fournit le 4, Sud le Roi, Ouest prend de l'As.
10 L	Ouest joue la Dame de Pique, le mort fournit le 5, Est le 10, Sud coupe du Valet de Cœur.
11 à 13 L	Sud a trois cartes maîtresses, il réclame le reste des levées.

Leçon Nº 32

32.1

1 L	Ouest entame la Dame de Trèfle, Sud fournit le Roi du mort, Est prend de l'As, Sud fournit le 5.
2 L	Ouest rejoue le 9 de Trèfle, Sud coupe du 3 de Pique, Ouest fournit le 4, le mort le 2.
3 L	Sud joue le 4 de Carreau, Ouest fournit le 2, le mort le Roi et Est le 8.
4 L	9 de Pique du mort, Est fournit le 4, Sud le 5, Ouest prend du Roi.
5 L	Ouest rejoue Valet de Trèfle, le mort fournit le 3, Est le 6, Sud coupe du 8 de Pique.
6 L	Sud joue le 7 de Carreau, Ouest fournit le 3, le mort prend de la Dame, Est fournit le 9.
7 L	2 de Pique du mort, Est fournit le 6, Sud fournit le 10, Ouest défausse le 6 de Carreau.
8 L	Sud joue l'As de Pique, Ouest défausse le 8 de Trèfle, le mort le 7 de Trèfle, Est fournit le 7 de Pique.
9 L	Sud tire la Dame de Pique, Ouest défausse le 2 de Cœur, le mort le 4 de Cœur, Est fournit le Valet de Pique.
10 L	Sud joue l'As de Carreau, Ouest défausse le 10 de Trèfle, le mort fournit le 5 de Carreau, Est le Valet de Carreau.

11 L Sud joue Roi de Cœur, Ouest fournit le 6, le mort le 8, Est le 3.
12 L Sud joue le 5 de Cœur, Ouest fournit le 10, le mort prend de l'As, Est fournit le 7.
13 L Sud joue le 10 de Carreau du mort, Est défausse le 9 de Cœur, Sud le Valet de Cœur, Ouest la Dame de Cœur.

Leçon N° 34

34.2

1 L Ouest entame le 4 de Pique, le mort prend de l'As, Est fournit le 5, Sud le 2.
2 L 4 de Trèfle du mort, Est fournit le 10, Sud le 6, Ouest le 2.
3 L Est joue le 7 de Pique, Sud fournit le 8, Ouest le 10, le mort le Roi.
4 L 5 de Trèfle du mort, Est fournit le Valet, Sud prend de l'As, Ouest fournit le 3.
5 L Sud joue le Roi de Trèfle, Ouest fournit le 9, le mort défausse le 3 de Pique, Est fournit la Dame.
6 L Sud joue le 8 de Trèfle, Ouest défausse le 3 de Carreau, le mort le 8 de Carreau, Est défausse le 2 de Cœur.
7 L Sud joue le 7 de Trèfle, Ouest défausse le 4 de Carreau, le mort le 9 de Carreau, Est le 4 de Cœur.
8 L Sud joue le 5 de Carreau, Ouest fournit le 10, le mort l'As, Est fournit le 2.
9 L As de Cœur du mort, Est fournit le 10, Sud le 5, Ouest le Valet.
10 L 3 de Cœur du mort, Est défausse le Valet de Carreau, Sud fournit le 8, Ouest prend de la Dame.
11 L Ouest joue le Roi de Cœur, le mort fournit le 6, Est défausse la Dame de Carreau, Sud le 6 de Carreau.
12 L Ouest joue la Dame de Pique, le mort défausse le 7 de Cœur, Est fournit le Valet de Pique, Sud fournit le 9.
13 L Ouest remporte la dernière levée avec le 6 de Pique.

Leçon N° 36

36.1

1 L Ouest entame du Roi de Trèfle, le mort fournit le 5, Est le 4 et Sud le 2.
2 L Ouest rejoue le 3 de Pique, le mort fournit le 6, Est le 2 et Sud prend du 7.
3 L Sud joue le 3 de Trèfle, Ouest fournit le 7, le mort coupe du Valet de Pique et Est fournit le 9.
4 L 2 de Cœur du mort, Est fournit le 5, Sud le Roi et Ouest le 3.
5 L Sud joue le 6 de Trèfle, Ouest fournit le 10, le mort coupe de la Dame de Pique, Est fournit l'As.
6 L As de Carreau du mort, Est fournit le 4, Sud le 5 et Ouest le 2.

7 L	3 de Carreau du mort, Est fournit le 8, Sud coupe du 8 de Pique, Ouest fournit le 7.
8 L	Sud joue le 8 de Trèfle, Ouest fournit le Valet, le mort coupe le Roi de Pique, Est défausse le 9 de Cœur.
9 L	Le mort joue le 6 de Carreau, Est fournit le Roi, Sud coupe du 9 de Pique, Ouest fournit le 9.
10 L	Sud joue l'As de Pique, Ouest défausse la Dame de Trèfle, le mort le 4 de Cœur et Est fournit le 4.
11 L	Sud joue le 10 de Pique, Ouest défausse le 10 de Carreau, le mort le 7 de Cœur et Est fournit le 5.
12 L	Sud joue le 6 de Cœur, Ouest fournit le Valet, le mort prend de l'As et Est fournit le 10.
13 L	Ouest fait la levée de la Dame de Carreau.

Leçon N° 37

37.1

1 L	Entame 10 de Trèfle, le mort fournit le 7, Est prend de l'As, Sud fournit le 6.
2 L	Est rejoue le 3 de Trèfle, Sud prend du Roi, Ouest fournit le 2, le mort la Dame.
3 L	Sud joue le 10 de Cœur, Ouest fournit le 3, le mort le 2, Est le 8.
4 L	Sud joue le 4 de Cœur, Ouest fournit le 5, le mort le Valet, Est le 9.
5 L	As de Cœur du mort, Est défausse le 6 de Pique, Sud le 4 de Carreau, Ouest fournit le Roi.
6 L	Dame de Cœur du mort, Est défausse le 7 de Pique, Sud le 5 de Carreau, Ouest le 2 de Pique.
7 L	7 de Cœur du mort, Est défausse le 8 de Pique, Sud le 10 de Carreau, Ouest le 7 de Carreau.
8 L	6 de Cœur du mort, Est défausse le 9 de Pique, Sud le 4 de Pique, Ouest le 8 de Carreau.
9 L	Valet de Pique du mort, Est défausse le 4 de Trèfle, Sud fournit le 10, Ouest prend du Roi.
10 L	Ouest joue le 9 de Trèfle, le mort défausse le 3 de Carreau, Est fournit le 5, Sud prend du Valet.
11 à 13 L	Sud réclame le reste des levées.

Leçon N° 38

38.2

1 L	Ouest entame le 5 de Cœur, le mort fournit le 10, Est le 8, Sud surprend du Roi pour faire l'impasse Trèfle.
2 L	Sud joue Valet de Trèfle, Ouest fournit le 6, le mort le 2, Est le 4.
3 L	Sud joue le 5 de Trèfle, Ouest fournit la Dame, le mort l'As, Est défausse le 4 de Pique.
4 L	3 de Trèfle du mort, Est défausse le 5 de Pique, Sud fournit le 9, Ouest prend du Roi.

5 L — Ouest joue l'As de Cœur, le mort fournit le Valet, Est le 9, Sud le 2.

6 L — Ouest joue le 4 de Cœur, le mort fournit la Dame, Est défausse le 2 de carreau, Sud fournit le 3.

7 à 13 L — Sud est sûr de réaliser : trois levées de Trèfle, une levée de Carreau et trois levées de Pique : il réclame le reste des levées.

Leçon N° 40

40.1

1 L — Ouest entame le Roi de Carreau, le mort fournit le 4, Est le 6, Sud prend de l'As de Carreau.

2 L — Sud joue l'As de Trèfle, Ouest fournit le 3, le mort le 8, Est le 5.

3 L — Sud joue le 2 de Trèfle, Ouest fournit le 6, le mort coupe du 7 de Cœur, Est fournit le Valet de Trèfle.

4 L — Sud joue l'As de Pique du mort, Est fournit le 10, Sud la Dame, Ouest le 3.

5 L — Sud joue le 2 de Pique du mort, Est fournit le Roi, Sud coupe du 10 de Cœur, Ouest fournit le 5 de Pique.

6 L — Sud joue le 4 de Trèfle, Ouest fournit le 10, le mort coupe du 8 de Cœur, Est fournit le Roi de Trèfle.

7 L — Sud joue le 4 de Pique du mort, Est fournit le Valet, Sud coupe du Valet de Cœur, Ouest fournit le 6 de Pique.

8 L — Sud joue le 7 de Trèfle, Ouest fournit la Dame, Sud coupe du 9 de Cœur, Est défausse le 9 de Carreau.

9 L — Sud joue le 7 de Pique du mort, Est défausse le 10 de Carreau, Sud coupe de la Dame de Cœur, Ouest fournit le 9 de Pique.

10 L — Sud joue le 9 de Trèfle, Ouest défausse le 8 de Carreau, le mort coupe du Roi de Cœur, Est sous-coupe du 2 de Cœur.

11 à 13 L — Sud fera encore son As d'atout, puis concède le reste des levées aux adversaires.

Leçon N° 41

41.1

1 L — Entame Roi de Carreau, le mort fournit le 3, Est le 2, Sud prend de l'As.

2 L — Sud joue le 5 de Carreau, Ouest fournit le 8, le mort coupe du 9 de Pique, Est fournit le 4.

3 L — 3 de Cœur du mort, Est fournit le 10, Sud l'As, Ouest le 2.

4 L — Sud présente le 6 de Carreau, Ouest fournit le Valet, le mort coupe du Valet, Est fournit le 9.

5 L — 2 de Trèfle du mort, Est fournit le 6, Sud l'As, Ouest le 9.

6 L — Sud joue le 7 de Carreau, Ouest fournit la Dame, le mort coupe de la Dame de Pique, Est fournit le 10.

7 L — 2 de Pique du mort, Est fournit le 3, Sud l'As, Ouest le 4.

8 L Sud joue le Roi de Pique, Ouest fournit le 6, le mort défausse le 4 de Trèfle, Est fournit le 5.

9 L Sud tire le 10 de Pique, Ouest fournit le 7, le mort défausse le 7 de Trèfle, Est le Valet de Trèfle.

10 L Sud joue le 8 de Pique, Ouest défausse le 4 de Cœur, le mort le 8 de Trèfle, Est la Dame de Trèfle.

11 L Sud présente le 7 de Cœur, Ouest fournit le 5, le mort le Roi, Est le Valet.

12 et 13 L 6 de Cœur du mort, Est prend de la Dame, puis fait la levée du Roi de Trèfle.

Leçon N° 43

43.1

1 L Entame 10 de Trèfle, le mort prend de l'As, Est fournit le 5, Sud le 3.

2 L As de Pique du mort, Est fournit le Valet, Sud le 2, Ouest le 9.

3 L Roi de Pique du mort, Est défausse le 3 de Carreau, Sud fournit le 3, Ouest le 10.

4 L Puis Sud procède à un jeu d'élimination afin que, lorsque les adversaires reprendront la main, ils ne puissent, après avoir fait leurs levées à Trèfle ou à Pique, que rejouer Cœur ou "coupe et défausse".
Donc, Sud joue l'As de Carreau du mort, Est fournit le 8, Sud le 2, Ouest le 4.

5 L Roi de Carreau du mort, Est fournit le 9, Sud le 6, Ouest le 5.

6 L 7 de Carreau du mort, Est fournit le 10, Sud coupe du 4 de Pique, Ouest fournit le Valet.
Le jeu d'élimination est terminé, Sud peut remettre en main l'adversaire, soit à Pique, soit à Trèfle, la couleur est sans importance.

7 L Sud joue le 5 de Pique, Ouest prend de la Dame, le mort fournit le 7, Est défausse le Roi de Trèfle.

8 L Ouest joue le 9 de Trèfle, le mort fournit le 2, Est la Dame, Sud le 4.

9 L Est joue le Valet de Trèfle, Sud fournit le 7, Ouest le 8, le mort le 6.

10 à 13 L *Premier cas :* Est joue le 4 de Cœur, Sud joue le 10, Ouest le 2, le mort le 3. Puis Sud réclame le reste des levées.
Deuxième cas : Est joue la Dame de Carreau en coupe et défausse : Sud défausse le 10 de Cœur, Ouest le 2 de Cœur, le mort coupe du 8 de Pique. Sud réclame alors le reste des levées.

Leçon N° 44

44.3

1 L Ouest entame la Dame de Pique, le mort fournit le Roi, Est le 3, Sud le 5.

2 L — 8 de Carreau du mort, Est fournit le 6, Sud prend de l'As, Ouest fournit le 2.

3 L — Sud joue le 3 de Carreau, Ouest fournit le 5, le mort le 9, Est prend du Valet.

4 L — Est doit rejouer atout pour empêcher le déclarant de couper ses perdantes. Est joue le 3 de Cœur, Sud prend de l'As, Ouest fournit le 5 et le mort le 8.

5 L — Sud joue le 4 de Carreau, Ouest fournit le 7, le mort coupe du 9, Est fournit la Dame.

6 L — Sud joue le 10 de Cœur du mort, Est fournit le 6, Sud prend du Roi, Ouest défausse le 2 de Pique.

7 à 13 L — Sud joue la Dame de Cœur, puis encaisse tous ses atouts et l'As de Pique, et enfin donne ses deux Trèfles aux adversaires.

Leçon N° 45

45.1

1 L — Entame 10 de Trèfle, le mort fournit le 2, Est le 3, Sud le 5.

2 L — Ouest continue du 9 de Trèfle, le mort fournit le 4, Est le 6, Sud coupe Valet de Cœur.

3 L — Sud joue l'As de Pique, Ouest fournit le 5, le mort le 3, Est le 2.

4 L — Sud joue la Dame de Pique, Ouest fournit le 8, le mort défausse le 3 de Carreau, Est fournit le 4.

5 L — Sud présente le Valet de Pique, Ouest fournit le Roi, le mort coupe du 6 de Cœur, Est fournit le 6.

6 L — Sud joue l'As de Cœur, Ouest fournit le 2, le mort le 8, Est le 3.

7 L — Sud joue le Roi de Cœur, Ouest fournit le 7, le mort le 9, Est le 4.

8 L — Sud joue la Dame de Cœur, Ouest défausse le 7 de Trèfle, le mort fournit le 10, Est le 5.

9 à 13 L — Sud encaisse les quatre levées maîtresses de sa main et donnera une levée à Carreau à la onzième levée.

Leçon N° 46

46.1

1 L — Ouest entame la Dame de Cœur, le mort fournit le 4, Est le 2, Sud prend de l'As.

2 L — Sud joue l'As de Pique, Ouest fournit le 7, le mort fournit le 2 et Est le 3.

3 L — Sud joue le Roi de Pique, Ouest fournit le Valet, le mort le 8, Est défausse le 4 de Trèfle.

4 L — Sud joue le Roi de Cœur, Ouest fournit le 10, le mort le 6, Est le 3.

5 L Sud joue la Dame de Carreau, Ouest fournit le 4, le mort le 3 et Est le 5.

6 L Sud joue le 2 de Carreau, Ouest fournit le 7, le mort prend de l'As, Est fournit le 6.

7 L Roi de Carreau du mort, Est fournit le 8, Sud défausse le 8 de Cœur, Ouest fournit le 9.

8 L 7 de Cœur du mort, Est fournit le 5, Sud coupe du 4 de Pique, Ouest fournit le Valet.

9 L Sud joue le 5 de Pique, Ouest défausse le 3 de Trèfle, le mort prend du 10 de Pique, Est défausse le 7 de Trèfle.

10 L 9 de Cœur du mort, Est défausse le 9 de Trèfle, Sud le 5 de Trèfle, Ouest le 10 de Carreau.

11 L 2 de Trèfle du mort, Est fournit le 10, Sud le Roi, Ouest prend de l'As.

12 L Ouest joue la Dame de Trèfle, le mort fournit le 8, Est le Valet, Sud coupe du 6 de Pique.

13 L Enfin, Sud fait la dernière levée avec son atout maître.

Leçon N° 47

47.1

1 L Entame 10 de Trèfle, le mort prend de l'As de Trèfle, Est fournit le 2, Sud le 7.

2 L Sud joue le 2 de Pique du mort, Est fournit le 5, Sud prend du Roi, Ouest défausse le 2 de Cœur.

3 L Sud tire la Dame de Pique, Ouest défausse le 4 de Trèfle, le mort fournit le 4 et Est le 7.

4 L Sud joue le 8 de Carreau, Ouest fournit le 3, le mort prend de l'As, Est fournit le 2.

5 L Roi de Carreau du mort, Est fournit le 9, Sud défausse la Dame de Trèfle, Ouest fournit le 4 de Carreau.

6 L Sud joue le 5 de Cœur du mort, Est fournit le 10, Sud le 3, Ouest le 6.

7 L Est joue le Roi de Trèfle, Sud coupe du 3 de Pique, Ouest fournit le 5 de Trèfle et le mort le 3.

8 L Sud présente le 4 de Cœur, Ouest fournit le 8, le mort coupe du 9 de Pique, Est fournit le Valet de Cœur.

9 L Sud joue le 6 de Trèfle du mort, Est fournit le Valet, Sud coupe du 6 de Pique, Ouest fournit le 8 de Trèfle.

10 L Sud joue le 7 de Cœur, Ouest fournit le 9, le mort coupe de l'As de Pique, Est fournit la Dame de Cœur.

11 à 13 L Il reste à Sud trois atouts maîtres : Valet, 10 et 8 de Pique.

Leçon N° 50

50.1

1 L Ouest entame le Roi de Cœur, le mort fournit le 3, Est le 6, Sud prend de l'As de Cœur.

2 L Sud joue le 2 de Cœur, Ouest prend du 10 de Cœur, le mort fournit le 8 et Est défausse le 2 de Carreau.

3 L Ouest joue le 4 de Carreau, le mort fournit le 3, Est le 10, Sud prend de l'As de Carreau.

4 L Sud joue le 4 de Cœur, Ouest fournit le 5, le mort coupe du Valet de Pique, Est défausse le 7 de Carreau.

5 L Sud joue le 3 de Pique du mort, Est fournit le 5, Sud prend de l'As, Ouest fournit le 7.

6 L Sud joue le 9 de Cœur, Ouest le Valet, le mort coupe du 10 de Pique, Est défausse le 9 de Carreau.

7 L Sud joue le 4 de Pique du mort, Est fournit le 6, Sud prend du Roi, Ouest défausse le 7 de Cœur.

8 L Sud joue le Dame de Pique, Ouest défausse le 8 de Carreau, le mort le 6 de Carreau, Est fournit le 8 de Pique.

9 L Sud joue le 5 de Carreau, Ouest fournit le Valet, le mort le Roi et Est défausse le 6 de Trèfle.

10 L Sud joue l'As de Trèfle du mort, Est fournit le 7, Sud le 4 et Ouest le 9.

11 à 13 L Sud fera encore ses deux derniers atouts (le 9 et le 2) et laissera un Trèfle aux adversaires.

Leçon N° 55

55.2

1 L Ouest entame le Roi de Pique, le mort fournit le 5, Est le 2, Sud prend de l'As de Pique.

2 L Sud joue le 3 de Cœur, Ouest fournit le 7, le mort prend du Roi de Cœur, Est fournit le 2.

3 L Sud joue le 4 de Cœur du mort, Est fournit le Valet, Sud prend de l'As de Cœur, Ouest fournit le 8.

4 L Sud joue le 10 de Pique, Ouest prend du Valet, le mort fournit le 7 et Est le 8.

5 L Ouest joue la Dame de Pique, le mort fournit le 9, Est défausse le 2 de Trèfle, Sud fournit le 3 de Pique.

6 L Ouest joue le 5 de Trèfle, le mort fournit le 4, Est le Roi et Sud prend de l'As de Trèfle.

7 L Sud joue le 3 de Trèfle, Ouest prend de la Dame de Trèfle, le mort fournit le 10 et Est le 6.

8 L Ouest joue le 8 de Trèfle, le mort défausse le 2 de Carreau, Est fournit le 7 de Trèfle, Sud prend du Valet de Trèfle.

9 L Sud joue le 3 de Carreau, Ouest fournit le 8, le mort la Dame et Est prend du Roi de Carreau.

10 L Est joue le 5 de Carreau, Sud fournit le Valet, Ouest prend de l'As de Carreau et le mort fournit le 4.

11 à 13 L Il reste à Nord trois atouts Dame, 9 et 5 et ni Ouest, ni Est n'ont de l'atout.

LEXIQUE

A

A: symbole de l'As.

Adversaire(s): joueur du camp adverse; les deux joueurs du camp opposé.

Affranchir: rendre maîtres des honneurs ou des cartes qui ne le sont pas au début du jeu.

Affranchissement: manœuvre qui consiste à créer de nouvelles levées en rendant maîtresses des cartes qui ne le sont pas au début du jeu.

Albarran: champion français, inventeur de l'ouverture de deux Trèfles et de l'ancienne méthode française: le Canapé.

Ambiguë: enchère qui ne donne pas de précision sur la force ou la distribution véritable de la main.

Annonce: voir enchère.

Appel: élément de signalisation en flanc ayant pour objet de fournir au partenaire des informations sur l'intérêt que l'on a, soit pour la couleur jouée, soit pour une autre couleur.
Ces informations sont livrées à travers la lecture de la carte fournie ou défaussée à son tour de jeu.

Autoforcing: une enchère est autoforcing lorsqu'elle est faite par un joueur qui s'engage à reparler quelle que soit la réponse de son partenaire.

Arrêt: combinaison de cartes empêchant les adversaires de faire l'ensemble des levées d'une couleur.

Artificielle (enchère): enchère qui a perdu son sens naturel. Exemple: deux Trèfles stayman.

Attaque: première carte jouée à chaque levée.

Atout: couleur privilégiée. Le privilège de l'atout est la coupe.

B

Base (main de): main choisie par le déclarant pour le compte des perdantes dans le plan de jeu à l'atout.

Barrage: enchère à caractère destructif. Le joueur qui fait un barrage prend délibérément le risque de chuter pour éviter aux adversaires, soit de trouver leur meilleur contrat, soit de prendre le meilleur à la marque.

Bicolore (main): main non régulière ne comportant que deux couleurs annonçables; l'une est au moins cinquième et l'autre est au moins quatrième.

Bicolore (annonce économique): L'annonce de la deuxième couleur ne dépasse pas le palier de répétition de la couleur d'ouverture.

Bicolore (annonce chère): L'annonce de la deuxième couleur oblige le répondant à préférer la couleur d'ouverture au palier de trois.

Bicolore (annonce à saut): c'est une enchère qui décrit une main bicolore très puissante. La deuxième couleur est annoncée avec un saut. Cette enchère est forcing de manche.

Blackwood: convention qui est utilisée pour connaître le nombre d'As et/ou de Rois du partenaire.

Blocage: situation engendrée par un manque de communication, où un joueur ne peut rendre la main à son partenaire, bien que ce dernier détienne des cartes maîtresses.

C

C: symbole pour les Cœurs.

Camp: association de deux joueurs.

Capitaine: joueur qui, sur une donne, prend l'initiative des décisions d'enchérir.

Changement de couleur: enchère qui consiste à annoncer une nouvelle couleur sur celle du partenaire.

Chicane: absence de carte dans une couleur.

Chuter: ne pas réussir son contrat.

Communication: moyen d'accéder d'une main à une autre.

Compétitif(ve): situation, par opposition au système constructif, où les deux camps entrent dans le dialogue des enchères; ce système demande une constante référence à la marque.

Contrat: engagement pris durant la séquence d'enchères par un des joueurs pour son camp. Le contrat impose de réaliser un certain nombre de levées.

Contre: déclaration mettant les adversaires au défi de réaliser un contrat.

Contre d'appel: enchère conventionnelle demandant au partenaire de proposer la meilleure couleur du camp.

Contrôle: une couleur est contrôlée lorsque le déclarant ne peut pas perdre deux levées immédiates.

Couleur: Trèfle, Carreau, Cœur, Pique.

Coupe: acte qui consiste à utiliser le privilège de l'atout pour remporter une levée.

D

D: symbole des points de distribution à l'enchère; symbole de la Dame pour le jeu de la carte.

Déclarable: couleur qui comporte au moins quatre cartes (on dit aussi annonçable).

Déclarant: joueur du camp qui a la charge de remplir le contrat en jouant la carte.

Défausse: acte passif qui consiste, faute de carte de la couleur demandée, à jouer n'importe quelle carte inutile.

Défense: camp opposé au déclarant.

Distribution: se dit de la combinaison de treize cartes dans la main de chaque joueur.

Donneur: joueur qui distribue les cartes, et à ce titre, premier joueur à parler dans la séquence d'enchères.

Doubleton: couleur composée de deux cartes seulement.

E

E: symbole de l'Est.

Economique (couleur): couleur qui élève le moins le palier des enchères.

Economie (principe): réaliser la levée avec la carte la plus économique.

Encaisser: réaliser les levées maîtresses.

Enchère: déclaration associant un nombre de 1 à 7 et une couleur.

Entame: première carte jouée pour la première levée.

Equivalentes (cartes): cartes en séquence.

Expasse: impasse forçante dont la carte supérieure de la fourchette est l'atout.

F

Fit: complément dans une couleur qui permet d'atteindre huit cartes dans le camp et de la choisir valablement comme atout.

Flanc: les joueurs de la défense sont appelés joueurs de flanc.

Force: nombre de points contenus dans la main.

Force combinée: nombre de points contenus dans les deux jeux du camp.

Forcing: enchère impérative; ordre au partenaire de reparler.

Fournir: jouer de la couleur demandée.

H

H: symbole des honneurs.

Honneurs: cinq cartes, les plus fortes de chaque couleur: As, Roi, Dame, Valet, 10.

I

Impasse: manœuvre aléatoire qui consiste à espérer la réalisation d'une levée ou l'affranchissement d'un honneur, en le soumettant au placement de la carte qui lui est supérieure.

Intervention: enchère du camp qui n'a pas ouvert.

Inversée: annonce chère du bicolore.

Isolé (honneur): honneur non maître accompagnée d'une ou plusieurs cartes.

K

K: symbole des Carreaux.

L

L: symbole des points de longueur.

Laisser passer: manœuvre qui consiste à retarder la réalisation d'une levée afin d'épuiser un des flancs dans une couleur et d'éviter la communication ultérieure dans cette couleur.

Levée: unité de jeu au bridge.

Levée d'honneur: levée réalisée avec un honneur.

Levée de coupe: levée réalisée en utilisant le privilège de la coupe.

Levée de longueur: levée réalisée par l'affranchissement de petites cartes dans une couleur longue.

Levée de jeu: principe différent d'évaluation d'une main et incompatible avec l'évaluation classique.

M

Main: ensemble des treize cartes de chaque joueur.

Main régulière: main ne comportant ni singleton, ni deux doubletons. Elles sont au nombre de trois: 4.3.3.3, 4.4.3.2, 5.3.3.2.

Mains irrégulières: mains non régulières.

Main unicolore: main ne comportant qu'une couleur déclarable au moins sixième.

Main tricolore: main irrégulière de deux types: 4.4.4.1 ou 5.4.4.0.

Main longue: main qui dans une couleur comporte plus de cartes que la même couleur dans la main du partenaire.

Majeure: mot employé pour désigner les Piques et les Cœurs.

Majeure cinquième: système standard français.

Mineure: mot désignant les Trèfles et les Carreaux.

Meilleure mineure: mineure la plus longue.

Mort: partenaire du déclarant.

N

N: symbole de Nord.

Niveau: voir palier.

Nommer: annoncer.

Non-forcing: non impératif.

O

O: symbole de l'Ouest.

Orientation: disposition du joueur autour de la table.

Ouverture: c'est la première enchère.

Ouvreur: joueur qui enchérit le premier, autrement que par passe.

P

P: symbole des Piques.

Pair-impair: système de signalisation.

Paire: deux joueurs d'un même camp.

Palier: hauteur du contrat.

Partage: résidu des cartes d'une couleur dans le camp adverse.

Partielle: contrat qui n'atteint pas la manche.

Passe: c'est une déclaration.

R

Redemande: deuxième enchère codifiée de l'ouvreur.

Refus: élément de signalisation en flanc ayant pour objet d'avertir le partenaire du manque d'intérêt que l'on a dans la couleur jouée.

Renonce: faute qui consiste à ne pas fournir dans une couleur alors que l'on en possède dans son jeu.

Répondant: partenaire de l'ouvreur.

Réponse: enchère du répondant.

Résidu: nombre de cartes que le camp de la défense possède dans une couleur.

Réveil: enchère du camp qui n'a pas ouvert, après deux Passe.

S

S: symbole de Sud.

SA: symbole de sans atout.

Sans atout: absence d'atout.

Séquence: trois cartes qui se suivent, caractérisées par la présence d'un honneur.

Signalisation: convention employée par les joueurs de la défense pour se donner des informations sur le nombre de cartes d'une couleur ou l'emplacement d'honneur.

Singleton: une carte dans une couleur.

Soutien (enchère): façon d'exprimer au partenaire, à travers d'une enchère, qu'il existe un fit au moins huitième dans le camp.

Spoutnik: enchère conventionnelle sur l'intervention de 1 ♠ des adversaires, après une ouverture mineure.

Stayman: enchère conventionnelle sur l'ouverture de 1 SA du partenaire.

Surcontre: déclaration qui relève le défi du contre.

T

T: symbole des Trèfles.

Tenue: voir arrêt.

Tête de séquence: honneur qui commande la séquence.

Texas: enchère conventionnelle sur l'ouverture de 1 SA du partenaire.

TABLE DES MATIERES